EN EL QUINTO CENTENARIO DE BARTOLOMÉ DE LAS CASAS

EN EL QUINTO CENTENARIO DE BARTOLOMÉ DE LAS CASAS

Ediciones Cultura Hispánica
INSTITUTO DE COOPERACION IBEROAMERICANA

El seminario
EN EL V CENTENARIO DE BARTOLOMÉ DE LAS CASAS
(1484-1566) se llevó a cabo en Madrid, del 12 al 14 de febrero
de 1985, en el salón de actos del
Instituto de Cooperación Iberoamericana.

© 1986 ICI

Diseño y cubierta: Pedro Shimose

EDICIONES CULTURA HISPANICA
INSTITUTO DE COOPERACION IBEROAMERICANA
Avda. Reyes Católicos, 4 - 28040 Madrid

ISBN: 84-7232-388-9
NIPO: 028-86-022-5
Dep. Leg.: M-6.570-1986

Hecho en España
Gráficas Goes - Cea Bermúdez, 38, 2º E - 28003 Madrid

PRESENTACIÓN

Bajo los auspicios del *Instituto de Cooperación Iberoamericana,* tuvieron lugar en Madrid, los días 12 a 14 de febrero de 1985, unas Jornadas de estudio dedicadas a conmemorar el Quinto Centenario de Bartolomé de Las Casas. Esta celebración se enmarca en el propósito y en la intención de recordar la efemérides del Quinto Centenario del Descubrimiento en una óptica dinámica y proyectada hacia el futuro. Es en este sentido en el que debe entenderse la elección de la figura del Padre Las Casas. Cierto que, previamente, debe aclararse algún posible malentendido cronológico; aludimos al debate que aún ocupa a los especialistas en torno a la fecha de nacimiento del fraile sevillano; sobre este extremo, las últimas aportaciones de la Profesora Helen Parish y otros historiadores apuntan al año 1484 com fecha más que posible de su venida al mundo.

Lógicamente, en esta conmemoración había bastante más que el aprovechamiento del calendario. En primer lugar, recordar y actualizar el pensamiento de un español cuya valía, sentido crítico y visión profética, le hacen ser reivindicado con idéntico fervor por los Pueblos de ambas orillas de los dos Continentes. En segundo lugar, no incidir en un recordatorio tópico, sino, en la medida de lo posible y evitando toda tentación extrapoladora, ofrecer un Bartolomé de Las Casas que, al mismo tiempo que historiador y cronista de su tiempo histórico, es también nuestro contemporáneo.

Los coordinadores de estas Jornadas, designados por las instituciones organizadoras, Profesores Roberto Mesa y José Manuel Pérez-Prendes, Catedráticos ambos de la Universidad Complutense de Madrid, establecieron tres sesiones de trabajo cuyo desarrollo consecutivo, no caprichoso, perseguía aquella finalidad omnicomprensiva del pensamiento lascasiano. Primeramente, definición y concreción del momento estelar protagonizado, junto a otros muchos, por Bartolomé de Las Casas; a continuación, fijación y análisis de la sociedad de Indias en el siglo XVI, a través de sus parámetros demográfico, cultural, antropológico y económico; finalmente, proyección del pensamiento del Obispo de Chiapa en su momento biográfico y en los tiempos que le siguieron y cimentaron su gloria. Sencillamente, y con no pocas dificultades, como la de ofrecer una imagen humana, sin manipulaciones, de Bartolomé de Las Casas y, sobre todo, subrayar su vigencia intelectual.

7

Observará el lector que se ha contado con especialistas de primerísima fila; y, sin que ello suponga desdoro para otros, *agradecer* la presencia, por encima de la distancia, de Lewis Hanke; por encima de los años, la participación de Silvio Zavala; y la actividad de Nicolás Sánchez Albornoz que, a sus méritos intrínsecos, une su condición de *miembro* de la Comisión constituida en Estados Unidos de Norteamérica para celebrar el suceso del Descubrimiento. En este mismo volumen, se incluye una bibliografía exhaustiva sobre Bartolomé de Las Casas, ordenada con muy acertado criterio, y cuya realización ha corrido a cargo de los Profesores de la Universidad Complutense de Madrid, Almudena Hernández Ruiz-Gómez y Carlos González-Heredia. Ponencias realizadas con una orientación bien determinada y bibliografía recientísima y casi agotadora, hacen de este volumen un valioso y preciado instrumento de trabajo.

Las instituciones organizadoras de este evento, al tiempo que expresan su reconocimiento público a todos los que en él participaron, manifiestan su satisfacción por los resultados conseguidos al poner, una vez más, su énfasis y atención en una figura como Fray Bartolomé de Las Casas, elemento angular en las conmemoraciones del Quinto Centenario del Descubrimiento, así como, cuando *llegue* su fecha, en las del Centenario de la Independencia de los nuevos Estados iberoamericanos. Fray Bartolome es hoy, más que nunca, un símbolo de la unión posible entre todas las comunidades humanas que, de una u otra manera, han hecho posible la realidad de un área cultural tan importante y de tan extraordinaria riqueza como la que hoy constituyen todos los pueblos hispánicos e iberoamericanos.

LUIS YÁÑEZ-BARNUEVO

I

BARTOLOMÉ DE LAS CASAS EN SU TIEMPO Y EN LA HISTORIA
[12 de febrero de 1985]

MI VIDA CON BARTOLOMÉ DE LAS CASAS, 1930-1985

Lewis Hanke

MI DESCUBRIMIENTO DE LAS CASAS

En 1930 aprendí por primera vez que Las Casas era un personaje de significación más allá de su denuncia de la crueldad española hacia los indios americanos.* Mientras buscaba en la biblioteca de la Universidad de Harvard las fuentes disponibles para una monografía que debía preparar para un curso de graduados sobre «La teoría política desde Aristóteles a Rousseau», hallé la edición facsímil de 1924 de los ocho tratados raros sobre cuestiones políticas concernientes a América que habían sido publicados por Las Casas en Sevilla en 1552. Estos polémicos escritos formaron la base para dicha monografía sobre los aspectos teóricos y legales de los arduos intentos de España para gobernar con métodos justos las tierras recientemente descubiertas en las Indias.

Así nació mi primera publicación, *Las teorías políticas de Bartolomé de Las Casas*, auspiciada por Emilio Ravignani, quien la incluyó en la serie de publicaciones históricas que dirigía en la Universidad de Buenos Aires.[1] Ravignani también fue responsable por la aparición de una edición facsímil de los tratados de Las Casas. A medida que iba estudiando con mayor profundidad el gran legado de derecho y teoría política que recibimos de la España del siglo XVI, comencé a tomar conciencia de algunos de los problemas más significativos para la interpretación de la historia de España en América y que constituyen un trasfondo esencial para comprender las ideas y los logros de ese notable dominico español que dedicó gran parte de su larga existencia (1484-1566) al firme objetivo de proteger la vida, cultura e independencia de los nativos del Nuevo Mundo.

Una vez que completé los cursos requeridos para el doctorado, en 1932 fui a España con mi familia a fin de localizar la documentación para redactar mi tesis doctoral y en particular confiaba hallar la masa de libros y manuscritos que rodearon a Las Casas los últimos años de su vida en el monasterio de San Gregorio en Valladolid. Se ha dicho que cuando falleció, en 1566, el material que había reunido y recibido de numerosos corresponsales desde muchos luga-

---

* Traducido por Celso Rodríguez

res de América era de tal magnitud que hacía difícil entrar o salir de su doble celda. Todavía recuerdo la honda frustración que experimenté en 1932 cuando este material no pudo ser hallado ni en los archivos ni en las bibliotecas españolas.

Después de varios meses de dudas y desalientos, caí en la cuenta de que su vida podía ser comprendida prácticamente a través de sus mismos escritos ya que proveen los conceptos fundamentales. Las conversaciones que sostuve en 1932 y 1933 con los excepcionales estudiosos españoles Rafael Altamira y Fernando de los Ríos me permitieron comprender que Las Casas era solamente una figura más –si bien una extraordinaria– entre la noble y erudita legión de pensadores políticos y hombres de acción que se distinguieron en el siglo XVI en España.

Grandes visiones ocurren a jóvenes estudiantes de la historia que comienzan a trabajar por primera vez en los archivos españoles y especialmente en el Archivo General de Indias en Sevilla. Uno de los proyectos que se me ocurrió entonces fue preparar una traducción al inglés de la *Historia de Indias* de Las Casas, una obra tan esencial que Samuel Eliot Morrison la consideró como «el único libro que conservaría sobre el descubrimiento de América si todos los otros fueran destruidos».[2] Hasta escribí a la Sociedad Hakluyt, de Londres, proponiéndole auspiciar esta edición para ser publicada en su famosa serie, pero sus autoridades, prudente y cortésmente, declinaron esa oferta proveniente de un desconocido estudiante norteamericano graduado que, por supuesto, debería estar concentrando toda su atención en su tesis doctoral.

A medida que fui examinando en Sevilla legajo tras legajo de manuscritos, el problema de la conveniencia del tema de investigación sobre Las Casas no dejaba de preocuparme, particularmente ya que Earl J. Hamilton, de la Universidad de Duke, me había aconsejado negativamente. Hamilton ya estaba en la etapa avanzada de su investigación fundamental sobre el aumento de los precios en Europa causado por la conquista de América y como experto en historia económica no halló ningún mérito en estudiar a Las Casas. Me aconsejó que dejara de lado a este personaje y que me dedicara a un tema importante. Cuando le escribí a Karl Vossler, una gran autoridad alemana sobre la cultura hispánica, recibí una respuesta igualmente negativa. No había necesidad de un nuevo estudio sobre Las Casas, me respondió, y hasta me aseguró que todas las fuentes necesarias ya habían sido publicadas. Finalmente consulté con el Dr. Ravignani, que había sido responsable por la edición facsímil de 1924 de los tratados de 1552 que sirvieron de base a la monografía sobre «Las teorías políticas de Bartolomé de Las Casas». Recibí su consejo con prontitud; coincidió con mis puntos de vista y lo acepté. Ravignani expresó que en el mundo sólo existía un conocimiento superficial e incompleto de la controvertida figura de Las Casas y me alentó entusiastamente a que me volcara a realizar el tipo de investigación que proponía llevar a cabo. Después de dieciocho meses en España regresé a Harvard con material suficiente para escribir el tipo de tesis doctoral que deseaba.

Mi tesis llevó el suave título de «Aspectos teóricos de la conquista española de América» y fue aceptada en 1936. Por fortuna no intenté publicar este ejercicio académico, pero escogí algunas de sus partes más salientes, que fueron publicadas e indicaron algunas de las tendencias de mi investigación: *El primer experimento social en América*[3] y «El Papa Pablo III y los indios americanos».[4] Otras partes de la tesis se publicaron luego en varios países.[5] Durante los años de la Segunda Guerra Mundial tuve muy poco tiempo para dedicarme a la investigación a causa de mis obligaciones como director de la Fundación Hispánica de la Biblioteca del Congreso. Pero en 1941, en viaje al Brasil pude completar en el barco la introducción a la primera publicación de uno de los principales tratados de Las Casas, *De unico vocationis modo*,[6] y en 1943 el Carniege Endowment for International Peace hizo posible la publicación en México de mi libro de tratados manuscritos de otros españoles del siglo XVI, sobre los mismos temas que preocuparon a Las Casas en sus escritos de 1552, el justo título de España a las tierras recientemente descubiertas en América y el justo trato dado a los indios.[7]

Después de la Segunda Guerra Mundial en conversaciones que mantuve con historiadores en Europa y América, pude clarificar y ahondar mis opiniones sobre varios problemas muy polémicos. El retorno a la paz me permitió revisar mis publicaciones anteriores y organizar mis pensamientos para una obra de interpretación general que fue publicada en 1949, *La lucha española por la justicia en la conquista de América*.[8] Una visión más amplia y con una documentación mucho más detallada se publicó en español también por ese tiempo, pues siempre traté que mis trabajos estuvieran disponibles en ambos idiomas.[9]

La mayor parte de 1949 lo pasé en la ciudad de México en una misión para la Biblioteca del Congreso. Fue un período muy provechoso que me permitió completar un estudio sobre «Las Casas: historiador» que sirvió como introducción a la edición de la *Historia de las Indias* publicada por el Fondo de Cultura Económica[10] Los meses de estadía en México me proveyeron la excelente oportunidad de consultar con Edmundo O'Gorman, Silvio Zavala, Agustín Millares Carlo, Agustín Yáñez, Gabriel Placarte y otros cuyas opiniones me ayudaron a concebir mis propias conclusiones. Como durante esos meses estuve mayormente libre de obligaciones diarias y contaba con el estímulo que me brindaban otros estudiosos interesados en Las Casas, pude investigar varios temas que también fueron publicados luego.[11] Además influyeron de manera muy importante para el desarrollo de mis ideas generales sobre Las Casas y su lugar en el siglo XVI, tanto en España como en América, las investigaciones que recibí para dictar conferencias sobre Las Casas en la Sociedad Económica de Amigos del País, en La Habana,[12] así como la serie de conferencias en la Universidad de Virginia[13] y las Conferencias Rosenbach de la Universidad de Pennsylvania.

Las Conferencias Rosenbach fueron publicadas en 1952 y de acuerdo a la costumbre tan popular en España en el siglo XVII, se presentaron con poemas de Leonard Bacon, mi esposa y nuestro hijo Peter. Un año antes había dejado la Biblioteca del Congreso para incorporarme a la Universidad de Texas y estaba muy ocupado con los estudiantes y en ajustarme a la realidad de la vida académica. No había oportunidad para realizar investigaciones adicionales, por lo que consideré que mi vida como lascasista había terminado y llegué a anunciar en la introducción de las Conferencias Rosenbach que el prepararlas me había «estimulado para expresar mis pensamientos finales sobre Bartolomé de Las Casas, pues estas conferencias terminaban mis investigaciones y reflexiones sobre esta figura tan notable y controvertida».[14]

Después de dedicarme por tantos años a este magnético personaje, había llegado el momento de dedicarme a estudiar otros aspectos de la historia hispanoamericana. Mi esposa y yo sabíamos que nuestro amigo Wilmarth Lewis había trabajado sobre Horace Walpole, figura inglesa del siglo XVIII, con tan exclusiva dedicación que en un momento pensó que él era Horace Walpole y nosotros deseábamos evitar que me ocurriera una experiencia similar con Las Casas.

PUBLICACIONES Y ACTIVIDADES, 1952-1985

Treinta y tres años después de haber anunciado en las Conferencias Rosenbach mi adiós definitivo a Las Casas, todavía continúo envuelto con él. Hace unas pocas semanas, el 23 de enero, participé en una conferencia en Berkeley, California, sobre el tema: «Las Casas vive hoy», en la que el Hermano Damian Byrne, Maestro General de la Orden de Predicadores, anunció que fray Bartolomé había sido propuesto formalmente para ser beatificado y canonizado. El futuro dirá si el Vaticano aprobará algún día esta petición, pero al menos esta iniciativa evidencia que importantes fuerzas eclesiásticas han reconocido la especial significación de Las Casas y que están dispuestas a comenzar este extraordinario proceso.[15]

Para volver a mis propias preocupaciones con Las Casas, permítaseme comentar brevemente sobre mi vida con él entre 1952 y la actualidad. Una rápida reseña de mis publicaciones y actividades explicará por qué simplemente no he podido olvidar el papel que Las Casas representa en la historia.

Bibliografía. Al fin de sus investigaciones muchos historiadores preparan una bibliografía para que futuros investigadores puedan beneficiarse y de ese modo ir mejorando el conocimiento histórico. Así lo hice con la cooperación indispensable de Manuel Giménez Fernández, cuyos numerosos aportes tiene un valor permanente.[16] Trabajando con él llegué a conocer a uno de los lascasistas más famosos y fascinantes de cualquier época. Si el tiempo me lo permite alguna vez escribiré sobre los lascasistas que he conocido desde 1930. Ellos constituyen un grupo de estudiosos notables y muy diversos, que se destacan por su individualismo y la tenacidad de sus convicciones y ninguno de ellos parece estar en completo acuerdo con los otros colegas dedicados al estudio de fray Bartolomé.

A los historiadores también les gusta sugerir temas que es necesario estudiar y así lo hice en la obra que dediqué a Archer M. Huntington, un hispanista norteamericano que puede considerarse único y que fundó la Hispanic Society of America.[17] Si yo escribiera hoy sobre este tema enfatizaría la necesidad de una investigación de los estilos literarios de Las Casas y un análisis de su conocimiento de la cultura indígena por un antropólogo profesional, tal como el estudioso mexicano Miguel León-Portilla. En la reciente reunión de Berkeley me agradó saber que el Padre Francis Patrick Sullivan, S.J., del Boston College, está trabajando ya en el tema citado en primer término.[18]

Polémicas. Pocos lascasistas pueden evitar la controversia y un número de trabajos publicados después de 1952 hicieron que me ocupara nuevamente de este tema.[19] Conocí a críticos de Las Casas de la envergadura del jesuita Constantino Bayle, el argentino Rómulo Carbia y el norteamericano Antonine Tibesar y a través de los años he intercambiado opiniones con el historiador mexicano Edmundo O'Gorman, pero sus escritos carecen de la autoridad del vigoroso y detallado ataque que el veterano Ramón Menéndez Pidal dirigió contra Las Casas en 1963.[20] Se rumorea que otra mano tuvo la mayor reponsabilidad por la investigación y escritura de este vitriólico trabajo, pero está claro que el ataque representa un cuadro verdadero de los puntos de vista de Don

Ramón[21] Esto explica la publicación de mi extenso artículo «Más calor y alguna luz sobre la lucha española por la justicia en la conquista de América», que es un minucioso y crítico análisis del ataque de Menéndez Pidal.[22]

Como en todo el mundo se reconoció la importancia fundamental de la Disputa de Valladolid celebrada en 1550-1551 entre Las Casas y Juan Ginés de Sepúlveda, las numerosas publicaciones sobre este tema me llevaron a escribir, como una introducción a la traducción al inglés del tratado de Las Casas realizada por el Padre Stafford Poole, un libro titulado *All Mankind is One* (La humanidad es una).[23] En esta obra anuncié nuevamente que ponía fin a mis estudios sobre Las Casas. Todavía considero que ese último adiós es definitivo, pues ahora que ya he cumplido mi octogésimo aniversario parece razonable considerar que mi investigación realmente ha concluido. Estoy satisfecho con esto porque el tratado producido por Las Casas en la Disputa de 1550 con Sepúlveda –la *Defensa contra los perseguidores y difamadores de los pueblos del Nuevo Mundo descubiertos en ultramar*– considero que tal vez sea la contribución más perdurable de Las Casas en su larga y agitada existencia.[24] Cuando hoy volvemos nuestra atención al tema fundamental del encuentro de indios y españoles, dos hechos tienen especial interés para los que vivimos en una sociedad universal cuya multiplicidad y variedad de culturas se hace más evidente y más significativa cada día. Por primera vez en la historia, un pueblo –el español– prestó seria atención a la naturaleza de los pueblos con que iba entrando en contacto y tal vez lo más sorprendente de todo, las controversias que se suscitaron en el siglo XVI, tanto en España como en América, sobre cuál era el método justo de tratar a los indios, dio lugar a un fundamental análisis sobre la naturaleza del hombre.

GENERALIZACIONES

Nunca se es suficientemente viejo para abandonar las generalidades. Tal vez deberíamos adoptar para las mismas el principio que los antiguos aztecas aplicaban para beber. La bebida fuerte estaba prohibida a todos con excepción de los sacerdotes, hasta los 70 años, pero los que pasaban de esa edad mágica podían beber a voluntad. Aplicando este principio a otras generalizaciones me siento libre de hacerlas inclusive ahora y hasta estoy convencido que la ancianidad es probablemente la época menos objetable para expresarlas. Ciertamente muchos españoles y no-españoles han manifestado en los últimos quinientos años una multitud de generalidades sobre la naturaleza de la conquista española de América y es seguro que las conmemoraciones que se están planeando en muchos países para celebrar el quinto centenario del primer viaje de Colón darán lugar a que se expresen muchas más.

Debo confesar que también participé en este difícil ejercicio y a través de los años publiqué una variedad de generalizaciones destinadas a presentar los resultados de mi investigación a una audiencia popular.[25] Reconociendo el peligro potencial que representan, una vez solicité una «moratoria sobre generalizaciones grandiosas».[26] Sin embargo, la persistencia y la fuerza de la tendencia a generalizar no ha disminuido y me ha sido imposible resistir esta tentación en las reuniones conmemorativas a las que asistí en 1984 y 1985.

Por ejemplo, un punto esencial para enfatizar es que ninguna nación (ni siquiera España) y ningún grupo (ni siquiera los dominicos) tienen un dominio sobre Las Casas como si fuera de su exclusiva propiedad. Prevalece lo que podría llamarse un sistema de libre empresa de erudición desde diversas perspectivas. En el último medio siglo han surgido interpretaciones nuevas y evaluaciones remozadas y más irán apareciendo en el futuro.

Quienes estudien a Las Casas de aquí en más probablemente estarán de acuerdo con el poeta norteamericano Leonard Bacon, quien una vez expresó: «Las Casas es la única figura religiosa de primera magnitud en las Américas».[27] Aunque la significación universal de Las Casas está siendo reconocida más y más, nunca deberemos olvidar que fue español. Otro sevillano, el desaparecido Manuel Giménez Fernández, que por muchas razones se asemeja a Las Casas en espíritu y personalidad, fue quien expresó uno de los juicios más perdurables sobre él. Caracterizó a fray Bartolomé como «el más notable de todos los hijos de Sevilla, sin cuyas sublimes cualidades –desinterés, tenacidad, energía y sobre todo coraje para decir la verdad, contrastados con sus defectos, sus invectivas, su irritabilidad, e incontrolado entusiasmo– nuestra colonización de las Indias no hubiera sido diferente de la explotación holandesa en Malasia o la de los alemanes en Sudáfrica».[28]

Un no español también podría sugerir que aquéllos que intentan disminuir a Las Casas están, en realidad, disminuyendo también a España. Que cada uno admita libremente que Las Casas no sólo exageró las estadísticas de las muertes de indios, sino que también falló en ofrecer una reseña completa o balanceada de los logros hispanos en el Nuevo Mundo. Pero ¿no deberían los españoles sentirse orgullosos del hecho de que el rey y sus consejeros escucharan a Las Casas con una disposición favorable, no importa cuán terrible fuera la historia que tuviera que decirles o cuán radical fuera la solución que propusiera para resolver problemas con los indios? Les permitieron imprimir y difundir ampliamente sus ideas mientras que a sus oponentes no les fue permitido publicar y recibió muchas muestras del favor real durante su vida. Pero Las Casas no pudo detener la conquista forzosa de las Indias ni prevenir que los indios fueran explotados.

No es accidental el hecho que la reciente conferencia de Berkeley, el 22 y 23 de enero, tuviera como tema central «Las Casas vive hoy». La influencia de Las Casas en el siglo veinte no ha sido proyectada en su totalidad. Su influencia sobre los notables esfuerzos del general Cándido da Silva Rondón –todavía no suficientemente conocidos– para proteger los indios de Brasil desde 1910 y sobre otros movimientos similares, necesitan ser investigados mucho más.[29]

Además, las doctrinas que expuso en el siglo XVI y su cruzada en favor de los indios tienen un decisivo aire contemporáneo para aquéllos.[30] Las Casas fue un precursor de los activistas que después de la Segunda Guerra Mundial, comenzaron su agitación en Europa y América para mejorar la exitencia humana. Su notable tratado antropológico, *Apologética historia,* pudo haber servido muy bien como el primer tomo de la serie que Enrique Dussel y sus colegas están ahora publicando sobre la historia de los pobres en América Latina –la llamada historia de los de abajo. En mi opinión, Las Casas hasta anticipó en alguna medida el movimiento que actualmente lidera el padre Gustavo Gutiérrez y otros religiosos, pues Las Casas creyó firmemente que la teología debía ser una fuerza liberadora mucho antes de que naciera la «Teología de la Liberación». Podría concluirse aquí que destacando el hecho de que Las Casas ejemplificó a través de casi toda su larga vida lo que sostuvo un antiguo filósofo chino: «Saber y no actuar, es no saber».

Reconozcamos también que el mundo está hoy en mejores condiciones de comprender y solidarizarse con Las Casas a causa de los cambios drásticos que han ocurrido en el período transcurrido desde mi descubrimiento de Las Casas en 1930. Los Estados Unidos estaban entonces inmersos en una depresión económica que también cundió por el resto del mundo. Luego sobrevino la Segunda Guerra Mundial que sacudió de muchas maneras a los pueblos de muchos países y donde los problemas de la justicia económica y la libertad política afligieron a millones de personas.[31] Esto fue seguido por la guerra de Vietnam, el movimiento descolonizador en Africa y otros lugares y el movimiento por los derechos civiles en los Estados Unidos. Más gente que nunca tomó conciencia de las desigualdades e injusticias existentes en el planeta y de la necesidad de modificar esa situación.

Todas estas circunstancias hicieron que Las Casas se fuera convirtiendo en una figura universal. Fue un dominico español pero también fue algo más que eso. ¿De qué otro modo podemos explicar las reuniones celebradas en 1984 y 1985 en México, Francia, California, España, Roma y en Anchorange, Alaska?[32] ¿Podríamos estar en desacuerdo con el obispo que en 1550 sostuvo que el debate entre Las Casas y el filósofo español Juan Giménez de Sepúlveda sobre la verdadera naturaleza de los nativos del Nuevo Mundo, si eran personas o una cosa inferior, fue un interrogante válido para ser considerado en el escenario universal?[33] Aunque el primer gran debate sobre este tema tuvo lugar en España entre dos españoles y se refirió a los nativos americanos, hoy, la lucha para comprender y aprender a convivir con otros pueblos de diferente color, costumbres y convicciones se está llevando a cabo en todo el mundo.

Los razonamientos de Las Casas y Sepúlveda no sólo se aplican a los pueblos nativos de América sino a toda la humanidad, a todas las naciones, dentro de sus propias fronteras y más allá. Juan Pérez de Tudela afirmó con justeza este fundamental y permanente aspecto de la conquista española de América: «Para los que no presuman poseer tamaña precisa, el tema lascasiano es uno de los más preciosos que pueden brindarse precisamente a la meditación sobre el acontecer histórico».[34]

NOTAS

[1] Publicaciones del Instituto de Investigaciones Históricas, n°. 67, 1935.

[2] Lewis Hanke, *Bartolomé de Las Casas: Bookman, Scholar, and Propagandist* (University of Pennsylvania Press: Philadelphia,1952), 92.

[3] Harvard University Press: Cambridge, 1935. Versión española en *Revista Bimestre Cubana*, 65 (La Habana, 1950), 55-116.

[4] *Harvard Theological Review*, 30 (Cambridge, 1937), 65-102. Versión española en *Universidad Católica Bolivariana*, 4 (Medellín, Colombia, 1940), 355-384.

[5] «The Requerimento and its Interpreters», *Revista de Historia de América*, 1 (México, 1938), 25-34; «The Development of Regulations for Conquistadores», en *Contribuciones para el estudio de la historia de América. Homenaje al Doctor Emilio Ravignani* (Buenos Aires, 1941), 71-78; «A aplicação do requirimiento na América Espanhola, 1526-1600», *Revista do Brasil*, anno 1 (Río de Janiero, 1938), 321-28; «Las Casas y Sepúlveda en la controversia de Valladolid», *Universidad Católica Boliviana*, 8 (Medellín,

Colombia, 1941), 65-96; «Un festón de documentos lascasianos», *Revista Cubana*, 16 (La Habana, 1941), 150-211.

⁶ *Del único modo de atraer a todos los pueblos a la verdadera religión* (Fondo de Cultura Méxicana: México, 1942). La introducción también apareción en los *Estudios sobre Fray Bartolomé de Las Casas y sobre la lucha por la justicia en la conquista española de América* (Universidad Central de Venezuela: Caracas, 1968), 103-30

⁷ *Cuerpo de documentos inéditos del siglo XVI sobre los derechos de España en las Indias y las Filipinas* (Fondo de Cultura Económica: México,1943). Edición de Agustín Millares Carlo.

⁸ University of Pennsylvania Press: Philadelphia, 1949.

⁹ *La lucha por la justicia en la conquista española de América* (Editorial Sudamericana: Buenos Aires, 1949).

¹⁰ *Historia de las Indias.* Edición de Agustín Millares Carlos, estudio preliminar de Lewis Hanke, 3 vols. México, 1951. La introducción también se publicó en inglés, *Bartolomé de Las Casas, Historian* (University of Florida Press: Gainesville, 1952).

¹¹ Véase mis *Selected Writings* (Northern Illionis University Press: Tempe, 1979).

¹² *Bartolomé de Las Casas. Pensador político, historiador, antropólogo.* Prólogo por Fernando Ortiz (La Habana, 1949).

¹³ *Bartolomé de Las Casas: An Interpretation of his Life and Writings* (Martinus Nijhoff: The Hague, 1951).

¹⁴ Hanke, *Bartolomé de Las Casas: Bookman, Scholar and Propagandist,* XII.

¹⁵ El Simposio incluía ponencias sobre estos temas: «The Scholarly Rediscovery of Bartolomé de Las Casas»; «A Theological Discovery: The Poor in Latin America»; «In the Footsteps of Las Casas: Missionaries and Martyrs»; «In the Footsteps of Las Casas: The Bishop as Prophet».

¹⁶ *Bartolomé de Las Casas, 1474-1566. Bibliografía crítica y cuerpo de materiales para el estudio de su vida, escritos, actuación y polémicas que suscitaron durante cuatro siglos.* (Fondo Histórico y Bibliográfico José Toribio Medina: Santiago de Chile, 1954). Salió este tomo con esta noticia: «Sirva este volumen, dedicado a un cubano [Eligio de la Puente, Presidente de la Sociedad de Amigos del País en La Habana], preparado en colaboración con un andaluz y mediante la valiosa ayuda de muchas otras personas, para dar fe del amplio interés que hoy, lo mismo que en el pasado, despiertan las ideas y luchas de Las Casas en pro de los indios americanos.

«A la vista de las varias publicaciones de este apasionado fraile del siglo XVI y de la abundante crítica de las mismas, el mundo llegará a una mejor comprensión de sus elocuentes libros, de sus exageraciones, de sus gloriosas derrotas y de sus contiendas para hacer prevalecer su concepto de la justicia.»

¹⁷ «What Still Needs to be Done on the Life an Works of Bartolomé de Las Casas (1474-1566)», en *Estudios Hispánicos. Homenaje a Archer M. Huntington* (Wellesley, Mass., 1952), 229-32.

¹⁸ El Padre Sullivan leyó dos selecciones impresionantes de los escritos de Las Casas: «Las Casas denuncia la encomienda» y «Las Casas define las responsabilidades de los profetas y obispos».

¹⁹ Constantine Bayle, S.J., *España en Indias* (Madrid, 1944); Rómulo D. Carbia, «La historia del descubrimiento y los fraudes del P. Las Casas», *Nosotros*, 72 (Buenos Aires, 1931), 139-52.

Cuando el franciscano padre norteamericano Antonine Tibesar condenó la pasión de Las Casas alegó que Fray Bartolomé no era un erudito «porque los originales generalmente parecen haberse desvanecido después de que Las Casas dejó de usarlos», preparé algunas breves observaciones entituladas «Was Las Casas a Scholar», en *Miscelánea de estudios dedicados a Fernando Ortiz,* II (La Habana, 1956), 785-788. Una versión española se publicó en mis *Estudios sobre Fray Bartolomé de Las Casas y sobre la lucha por la justicia en la conquista española de América,* 281-87.

Para las ideas de Edmundo O'Gorman, véase su *Fundamenteo de la historia de América* (México, 1942) y «Lewis Hanke sobre la lucha española por la justicia en la conquista de América», *Hispanic American Historical Review,* 29 (1949), 563-71. Mis comentarios salieron en inglés primero, «Bartolomé de Las Casas: An Essay in Hagiography», ibid., 33 (1952), 136-51. La versión española se entitula «¿Bartolomé de Las Casas, existencialista? Ensayo de hagiografía y de historiografía», *Cuadernos Americanos,* 2 (México, 1953), 176-93. También hay «A Note on Dr. Edmundo O'Gorman's Views ont he *Apologetica Historia* of Las Casas», en mi *All Mankind is One,* 173-76.

[20] *El Padre Las Casas. Su doble personalidad* (Espasa-Calpe: Madrid, 1963).

[21] Véase su primer ataque, «¿Codícia insaciable? ¿Ilustres hazañas?» *Escorial,* I (Madrid, 1940), 21-35.

[22] Salió primero en inglés en la *Hispanic American Historical Review,* 44 (1964), 293-340. La versión española apareció en la *Revista Chilena de Historia y geografía,* 134 (1966), 5-66. Véase también mi «Paranoia, Polemics, and Polarization: Some Comments on the Four-Hundredth Anniversary of the Death of Las Casas», *Ibero-América Pragensia,* 5 (Praba,1971), 81-92.

[23] Northern Illinois University Press: De Kalb, 1974. La versión española saldrá en 1985 como una publicación del Fondo de Cultura Económica.

[24] Traducido al inglés del original en latín por el Padre Staffod Poole, y publicado por la Northern Illinois University Press en 1974.

[25] «The Dawn of Conscience in America: Spanish Experiences with Indians in the New World», *Proccedings ofthe American Philosophiacal Association,* 107:2 (Philadelphia, 1963), 83-92; «La Actualidad de Bartolomé de Las Casas», una de las introducciones de la edición de los *Tratados* publicados por el Fondo de Cultura Económica de México: I (1965), XI-XIX; «Indians and Spaniards in the New World: A Personal View», en *Attitudes of Colonial Powers Toward the American Indians,* Charls Gibson y Howard Peckham, eds. (Salt Lake City, 1969); «The Theological Significance of the Discovery of America», en *First Images of America: The Impact of the New World on the Old,* Fredi Chiappelli, ed., I (Los Angeles, 1976), 363-72.

[26] «A Modest Proposal for a Moratorium on Grand Generalizations: Some Thoughts on the Black Legend», *Hispanic American Historical Review,* 51 (1971), 112-27.

[27] Hanke, *Bartolomé de Las Casas: Bookman, Scholar and Propagandist,* 92.

[28] Manuel Giménez Fernández, *Nuevas consideraciones sobre la historia, sentido y valor de las bulas alejandrinas de 1493 referentes a las Indias,* (Universidad de Sevilla, 1944), 149.

[29] Véase la ponencia que preparé para la reunión en México en 1984 sobre «La posición de Bartolomé de Las Casas en el siglo veinte: La influencia de sus doctrinas en los indios del Brasil y los nativos de Alaska». Saldrá en el volumen que la Universidad Nacional Autónoma de México publicará.

[20] Véase la ponencia que preparé para la reunión de Alaska entitulada «The Delicate Balance: A Consideration of Some of the Forces and Circumstances that Should be Reckoned With Today in a Discussión of 'The Place of Native Peoples in the Western World'. Remarks Prepared for Consideration at the Round Table in Anchorange, March 13-16, 1985, under the Auspices of the Alaska Native Review Commision».

[31] Hanke, *All Mankind is One,* 161.

[32] Con estas palabras, concluye Pérez de Tudela su estudio brillante «Significado histórico de la vida y escritos del Padre Las Casas» que sirve como introducción para su edición en cinco tomos de las *Obras escogidas de Fray Bartolomé de Las Casas,* I (Biblioteca de Autores Españoles: Madrid, 1957), clxxxv.

VIGENCIA HISTÓRICA DE LA OBRA DE LAS CASAS

André Saint-Lu

Tema es éste de enorme amplitud y no menor diversidad, por lo menos si se contemplan todos los componentes de la «obra» de Las Casas, es decir su acción, ya multiforme de por sí, sus escritos, que no se pueden disociar de la acción siendo quizá la forma predilecta de la misma, y su ideario, que tampoco se puede separar siendo la propia sustancia de los escritos; y si por otra parte se considera la «vigencia histórica» en su mayor extensión, a la vez temporal: desde Las Casas hasta hoy, y espacial: en la historia de Hispanoamérica y en la historia universal. Por cierto que profundizar tan abundante materia supondría a la vez más tiempo y la colaboración de varios especialistas. Aquí, pues, me limitaré a un rápido bosquejo o esquema de conjunto, con alguna detención en ciertos puntos tal vez menos estudiados que otros. Empezaré, como es normal, por la impronta de Las Casas en la historia hispanoamericana, distinguiéndola para mayor claridad, aunque la distinción peque un poco de arbitraria, de la herencia lascasiana en la historia europea y universal.

I. LA IMPRONTA DE LAS CASAS EN LA HISTORIA DE HISPANOAMÉRICA

O sea sucesivamente:
– en la época de dominación española,
– durante la crisis de la independencia (que me parece merecer atención particular),
– y en el período contemporáneo.

1) *Epoca de dominación española*
Se percibe esta impronta lascasiana a la vez en el orden doctrinal, en el campo legislativo, y en el terreno de los hechos.
a) *en el orden doctrinal*

Sin poderse comparar con el magisterio de Vitoria, por la sencilla razón de que no ocupó Las Casas ninguna cátedra universitaria y no tuvo propiamente discípulos como el maestro de Salamanca, no cabe duda de que su ideario formador pervivió después de él, y en algunos casos –no en todos– con la misma intransigencia, entre aquéllos que seguían interrogándose acerca de la licitud y

21

ética de la empresa de Indias, ora se tratase de un influjo personal directo, ora simplemente de un parentesco espiritual más o menos estrecho, no siempre exclusivo por otra parte de connotaciones vitorianas. Bien conocidos al respecto los pareceres del franciscano Alonso Maldonado de Buendía y del agustino Alonso de la Veracruz, amigos ambos de fray Bartolomé, sobre la ilicitud de las conquistas armadas y de la dominación impuesta por la violencia; o las posturas similares de muchos dominicos de Nueva España, Guatemala o el Perú (entre estos últimos, fray Bartolomé de vega, el de las famosas «doce dudas» sometidas a Las Casas); o la del jesuíta Luis López, severo censor del virrey Toledo y negador de todos los títulos de dominio, e incluso, aunque mucho más ecléctica, la del mismo padre Acosta, en que también se pueden encontrar algunas referencias a los esquemas lascasianos; o aun la del clérigo Luis Sánchez, discípulo del obispo de Popayán Juan del Valle (otro amigo de Las Casas) en su memorial al Consejo sobre la «destrucción» de los indios; o la del licenciado Falcón, también muy radical, en su «Representación de los daños y molestias que se hacían a los indios» dirigida al segundo concilio de Lima, etc.

No faltaron, sin embargo, las tendencias opuestas, al tono de la orientación oficial de la política indiana de Felipe II. Florecieron entonces la más categorías refutaciones de Las Casas, como la del oidor de Charcas Juan de Matienzo en su «Gobierno del Perú», o el célebre «parecer de Yucay» del dominico García de Toledo, primo del virrey, o tiempos después los «Discursos y Apologías» del capitán Vargas Machuca. Y con las medidas destinadas, en las Indias y España, a contrarrestar la difusión de los escritos lascasianos, se fue haciendo cada vez más confusa y lejana como era inevitable –excepto en la historiografía, en especial la de la orden dominica en que se mantuvo muy presente– la voz otrora tan fuerte y eficaz del defensor de los indios, al tiempo que caían en el olvido como coca superada las grandes discusiones sobre los justos títulos y el derecho de guerra. Pero no todo se había echado en saco roto.

b) *en el campo legislativo*

De sobra conocidas son las reformas conseguidas por Las Casas a este nivel, especialmente con las Leyes Nuevas de 1542-1543. Bien es verdad que distaban bastante de colmar sus esperanzas, y que algunas de las más importantes como la extinción de las encomiendas se frustraron apenas promulgadas. Otras, como las que ponían fin a la esclavitud de los indios, se mantuvieron en vigor con excepción de unas cuantas derogaciones particulares. Pero el mayor éxito legislativo de fray Bartolomé fue probablemente el que obtuvo después de muerto con las Ordenanzas ovandinas de 1573 para nuevos descubrimientos y poblaciones, que prohibían definitivamente las conquistas armadas, borrándolas hasta en el mismo nombre y sustituyéndolas por una vía pacífica de índole auténticamente lascasiana. Venía de lejos la tendencia, jalonada por una larga serie de disposiciones legales anteriores, y Las Casas, como se sabe, no había ayudado poco a propugnarla. Lo que llama ahora la atención es la exacta correspondencia entre las modalidades bien definidas de las Ordenanzas y el método de conquista evangélica expuesto por el defensor de los indios en su *De Unico Vocations Modo* y otros escritos, y puesto en práctica por él en su empresa de la Vera Paz.

Recuerdan las Ordenanzas, como lo hacía constantemente Las Casas, que el principal fin que se debe pretender es la predicación del Evangelio. Consiguientemente, siempre que se pueda se dará la prioridad a los religiosos, sin que se consienta, incluso, que entren otras personas que podrían estorbar, lo que es cabalmente el coto cerrado pedido y obtenido por fray Bartolomé en la «Tierra de Guerra» guatemalteca. De la misma manera se define toda una estrategia de penetración cautelosa y recatada, a partir de los confines ya pacificados, con la colaboraión de los caciques amigos y el atractivo de rescates e intercambio de géneros. En la predicación se habrá de proceder con suma prudencia y discreción, empleando siempre medios suaves y persuasivos. Hasta en los pequeños pormenores tácticos se verifica la similitud con el modelo lascasiano, así en el uso de la «música de cantores y de ministriles altos y bajos para que provoquen a los indios a se juntar»; según nos cuenta Remesal en su *Historia de Chiapa y Guatemala,* los primeros misioneros que penetraron en la futura Vera Paz se valieron también de estos efectos armónicos contrastados para seducir a los naturales: «se las pusieron (las coplas que habían compuesto) en tono y armonía musical al son de los instrumentos que los indios usan, acompañándolas con un tono vivo y atiplado para deleitar más el oído, por ser muy bajos y roncos los instrumentos músicos de que usan los indios». Nótese por fin como última conformidad las exenciones de tributos u otros privilegios recomendados por las mismas Ordenanzas. Con este importante cuerpo de leyes de 1573, cuyos puntos esenciales vendrían recogidos en la Recopilación de 1680, los decubrimientos y pacificaciones quedaban definitivamente reglamentados: creo que no cabe mejor testimonio de lo que pudo ser la impronta lacasiana en el campo legislativo.

c) *en el terreno de los hechos*

Sabido es que de las mejores leyes a su cumplimiento en las Indias podía mediar mucha distancia. Las Casas, además, no obtuvo todas las leyes que hubiera deseado, y todas las leyes en defensa o en beneficio de los indios no se debieron a su sola influencia personal. No cabe duda, sin embargo, de que la protección de los indígenas, con todo lo imperfecta que fue a lo largo de los siglos de dominación española, lo hubiera sido mucho más sin el obstinado combate llevado en su vida a cabo por el abogado incondicional de esos oprimidos. A falta de un balance general casi imposible de establecer, puédese formar una idea de lo que fue esta impronta de Las Casas al nivel de las realidades coloniales concretas, a partir de unos casos bien significativos, como aquéllos que se ofrecieron en las partes de las Indias en que había vivido y actuado fray Bartolomé, y quedaba la situación en manos de los dominicos sus antiguos compañeros.

Si observamos por ejemplo, a la luz de las actas capitulares conservadas, las posturas adoptadas por los religiosos de Chiapas y Guatemala con relación al *Confesionario* que les dejara su obispo antes de abandonar la diócesis, se ve que no quedaron letra muerta los preceptos enunciados por fray Bartolomé. Buena prueba de ello, la norma general establecida en 1562, según la cual debía exigirse la restitución de los bienes «cuando alguno fue verdadera y eficaz causa que a alguien le viniese algún daño contra justicia»: en esta misma noción de reparación de agravios se fundamentaban, propiamente, todas las reglas del *Confesionario.* Sólo que en la práctica se atenuaba notablemente el rigorismo lascasiano, ya que ahora se distinguía entre buena y mala fe, se exceptuaba a los herederos, y se moderaban o aplazaban las restituciones con arreglo a las situaciones personales o a las circunstancias. Así y todo, no faltaron, allí y en otras partes como en el Perú, testificadas documentalmente, las aplicaciones más o menos estrictas de las normas asentadas por el obispo de Chiapas o inspiradas por él.

Otro caso muy revelador de la incidencia lascasiana pero también de sus límites, el de la misión dominicana de la Vera Paz. Después del regreso definitivo de Las Casas a España en 1547, siguió viviendo mal que bien esta empresa de conquista evangélica. Dentro del área alcanzada al final del período de instalación, o sea precisamente en 1547, se mantuvo íntegra durante toda la época colonial, pese a las amenazas de intrusión depredadora de los españoles de los contornos. Pero la extensión de la misión hacia los dilatados confines septentrionales de la vieja Tierra de Guerra distó bastante de responder a las esperanzas ċ los pioneros. Lenta y varias veces comprometida la dirección del Petén, sufrió incluso unos graves reveses frente a las tribus más salvajes de los Acalaes y Lacandones, viéndose conducidos los misioneros a solicitar la ayuda de la armas. Pero más que de un fracaso de la vía evangélica, tratábase en realidad de una renuncia o dimisión de parte de quienes, no muy fieles continuadores de la obra de Las Casas, no habían sabido aplicar sus métodos con la debida prudencia y perseverancia. Otro desvío del espíritu inicial de la empresa fue la constante oposición de los frailes, celosos de su autoridad sobre los naturales, a la venida de pacíficos pobladores capaces de beneficiar en provecho de todos las riquezas del país. De modo que el viejo sueño lascasiano de una colonización a la vez productiva y humanizada no pudo prosperar en lo que debía haber sido, justamente, su tierra de elección. Estos casos bien concretos nos ayudan a apreciar con bastante exactitud la huella de Las Casas en el terreno de los hechos, una huella efectiva sin lugar a dudas, y de la cual la historia de la Indias podría ofrecer muchos ejemplos; vemos sin embargo que aun cuando los que recogían esta herencia eran los antiguos compañeros de Las Casas, quedaba inevitablemente alterada o mermada al contacto de las apremiantes realidades coloniales.

2) *Crisis de la independencia*

Como era de esperar, la severa denuncia lascasiana de la conquista y de la colonización fue utilizada preferentemente como argumento histórico en apoyo del combate de los «patriotas» por la independencia. No por casualidad salieron a luz entonces de todas partes (Londres, Bogotá, Cádiz, México, Puebla, Filadelfia, París) nuevas ediciones de la *Brevísima Relación de la Destrucción de las Indias,* el más implacable de los alegatos fiscales contra las fechorías de los españoles. Aquí me detendré en dos ejemplos sumamente representativos de esta recuperación del testimonio de Las Casas, el del mejicano fray Servando Teresa de Mier (alias José Guerra) exiliado en Londres, a quien se debieron precisamente tres o cuatro de dichas ediciones de la *Brevísima* con un elocuente Discurso premilimar, y el de Bolívar, el Libertador por antonomasia.

El caso de Mier tiene a mi ver un interés excepcional: a más de haber sido sus escritos la fuente principal e inmediata de Bolívar, caracterízanse por un aprovechamiento muy personal y bastante inesperado del modelo lascasiano. En su *Historia de la Revolución de la Nueva España* (1813) y otras obras suyas, condenaba Mier con la mayor severidad las crueldades de los conquistadores, refiriéndose a la *Brevísima Relación* como a prueba incontrovertible, y haciendo del autor, «hombre celeste», «verdadero apóstol», «genio tutelar de las Américas», etc., unos elogios ditirámbicos. Pero al mismo tiempo desarrollaba contra la conquista toda una argumentación de tipo jurídico que también procedía claramente de Las Casas, denunciando la injusticia de unas guerras hechas contra naciones que nunca habían ofendido a los españoles, rechazando el valor temporal y compulsivo de las Bulas de concesión y mofándose de las absurdidades del famoso Requerimiento, reduciendo la soberanía de los reyes de España a un principado universal del todo compatible con los señoríos indígenas, e incluso sosteniendo que los derechos de los indios eran superiores a los de los criollos: o sea en suma haciendo suyo todo lo más fundamental del ideario lascasiano. Ahora bien, no por eso, como se sabe, dejaba Mier de protestar vehementemente contra las intolerables vejaciones de que padecían los criollos, condenados según él a una verdadera esclavitud por la tiranía y el parasitismo del sistema colonial. Así, pues, denunciaba por un lado la injusticia y los excesos de la conquista, y por otro lado, con la misma viveza, abogaba en favor de los descendientes de conquistadores. Y no es que se le escapase la inconsecuencia, pero la resolvía él del modo más insospechado, al pretender que las leyes de Indias obtenidas a petición de los religiosos y muy en especial de Las Casas había cambiado totalmente el curso de la historia con la prohibición de la empresas armadas y la protección de los naturales contra los abusos. De modo que los colonos americanos hacía tiempo que no tenían nada que ver con las fechorías de sus antepasados, y a falta de seguir gozando como los primeros pobladores de riquezas y mercedes usurpadas, debían disfrutar con pleno derecho de las compensaciones legales –señaladamente el acceso prioritario a todos los cargos públicos– que como a beneméritos les otorga la Corona. Curiosísimo razonamiento este del astuto mejicano, que venía a hacer de fray Bartolomé un personaje doblemente providencial, a un tiempo defensor de los indios y redentor de los criollos...

El caso de Bolívar, dentro de sus similitudes con el de Mier, ofrece una diferencia significativa. Como fray Servando, de cuya *Historia* se vale casi literalmente en sus célebres *Cartas* de Jamaica de 1815, evoca Bolívar las «espantosas barbaridades» de la conquista, y rinde homenaje al «celo, valor y virtudes» de Las Casas, «aquel amigo de la humanidad que con tanto fervor y firmeza denunció ante su gobierno y contemporáneos los actos más horrorosos de un frenesí sanguinario». Nótese aquí que estas referencias a la *Brevísima Relación* aparecen en un momento en que el autor se ha visto forzado al exilio, a consecuencia de los graves reveses de las fuerzas libertadoras diezmadas sin piedad por las tropas realistas. Surgen entonces en su mente las crueldades españolas del pasado como una prefiguración de las obsesivas imágenes del presente. Repítese la historia, pero queda bien claro que este recuerdo de las atrocidades de la conquista no es más que una introducción a la denuncia de las barbaridades actuales, cuyo impacto contribuye a reforzar. Adviértase también que Bolívar no se detiene, como hacía Mier, en demostrar jurídicamente la injusticia intrínseca de las guerras contra los indios, ni en abogar por los derechos de los pueblos conquistados. Lo que le importa exclusivamente es la causa de los criollos, tiranizados dice él, repitiendo lo que había dicho fray Servando, por su desnaturalizada madrastra española: argumento de que se vale en pro del único objetivo que persigue, la independencia de los países hispanoamericanos. Vemos que el Libertador, al acudir al testimonio acusador y a la ejemplaridad moral de fray Bartolomé, la moviliza para un combate muy distinto del que éste había librado en defensa de los indios. Otro tanto, en definitiva, podía decirse de Mier, pero a diferencia del mejicano, no parece Bolívar preocuparse por allanar la contradicción: aquél, al apoyarse en la historia, argumentaba –muy a su modo– como jurista; éste se sirve principalmente del pasado como de un arma psicológica. Pero sea de ello lo que fuere, presenciamos en ambos casos una recuperación a todas luces tendenciosa del modelo lascasiano.

3) Período contemporáneo

Ateniéndome a lo más significativo, voy a considerar la vigencia de Las Casas primero con respecto a las corrientes indigenistas latinoamericanas en su acepción más general, y después, actualizando el enfoque, con relación a la llamada teología de la liberación.

a) Las Casas y el indigenismo

Podríanse mencionar, a título de indicación, las supervivencias de la imagen lascasiana del indio en la literatura «indianista» del siglo XIX: directamente o a través de sus modelos europeos (Marmontel, Châteaubriand...), recogía esta tendencia literaria idealizadora la visión del indígena propagada tres siglos antes por varios autores y en especial por fray Bartolomé. Pero donde se patentiza, *mutatis mutandis,* el parentesco, reivindicado a veces como una herencia, con la obra de Las Casas es en la prosecución moderna de la lucha, nunca terminada, por el mejoramiento de la miserable condición de los indios. Dentro de su nuevo contexto político e ideológico, queda fundamentalmente la misma esta lucha, en la medida en que era también para Las Casas un combate contra la opresión de los débiles por los más fuertes. No por acaso reapareció bajo la pluma de los grandes escritores comprometidos de Latinoamérica, desde Martí hasta Neruda y Miguel Angel Asturias, la figura simbólica del Protector de los indios, como un modelo carismático o una compañía fraternal. Dejando a un lado la denuncia, a la sazón prioritaria, de la destrucción física de las poblaciones autóctonas (a la que, cualquiera que haya sido su extensión, no se podía aplicar el término actual de genocidio, que supone una exterminación voluntaria y metódica), uno de los aspectos más modernos del indigenismo lascasiano me parece ser su respeto, tantas veces proclamado, de las costumbres, leyes e instituciones propias de los pueblos sometidos, hasta donde, por supuesto, quedaban compatibles con la fe y la moral cristiana. En este sentido, puédese considerar a Las Casas, sin caer en ningún anacronismo chocante, como un precursor de aquéllos que se preocupan, hoy en día, por la salvaguardia de las culturas indígenas, en busca del difícil equilibrio entre las ventajas de la «culturación» y los peligros del «etnocidio».

b) Las Casas y la Teología de la Liberación

Nada más candente, como lo prueban las recientes amonestaciones de Juan Pablo II en su útlimo viaje por América del Sur, que esta propensión actual de la parte más avanzada de la Iglesia latinoamericana a meterse y comprometerse en el combate político, y hasta revolucionario, por la liberación temporal de los grupos humanos oprimidos. No tiene sentido, en rigor, preguntarse lo que hiciera Las Casas como religioso o como obispo, de haber vivido hoy: en su época, no se planteaba, por evidentes motivos, la cuestión de la compatibilidad entre el Evangelio y las ideologías materialistas o la lucha de clases. Pero lo que conviene subrayar es que el bien temporal de los indios –vida, libertad, prosperidad, según sus propios términos– constituía para él, al igual que el bien espiritual o sea la salvación de las almas, la imprescindible finalidad de la dominación española, «pues a ambas utilidades– decía por ejemplo en el *Octavo remedio*– Vuestra Majestad es obligado». Recuérdese por otra parte que sin pertenecer propiamente a los organismos del poder civil, y presionando únicamente las conciencias, lo esencial de su combate lo llevó Las Casas en el terreno político, en contacto directo con las altas autoridades. Por cierto que en sus tratados tocantes al derecho y a la teología, cuidaba mucho de someterse al juicio de la Iglesia y de la Santa Sede; pero estas salvedades, sin perjuicio de su sinceridad, eran de todos modos unos requisitos indispensables para esta clase de escritos. Sentado todo esto, y dejándose de ilusorias transposiciones en el tiempo, lo que llama la atención es la evidente pervivencia, más allá de las diferencias circunstanciales, de la vieja lucha lascasiana, asumida con igual entereza por algunos eclesiásticos latinoamericanos de hoy, que pueden ser considerados comos unos verdaderos continuadores de la acción humanitaria de fray Bartolomé. En cuanto a éste, si su persona pertenece al pasado, queda plenamente presente como testigo permanente, mejor dicho como profeta cuya voz sigue clamando por la justicia en un mundo de persistentes iniquidades.

II. LA HERENCIA LASCASIANA EN LA HISTORIA UNIVERSAL

En esta segunda parte, propongo únicamente unas breves observaciones como temas de reflexión, primero acerca de las fortunas y avatares del testimonio lascasiano sobre la conquista y sobre los indios, y segundo a propósito de las resonancias contemporáneas del ideario político y filosófico de fray Bartolomé.

1) *Fortunas y avatares del testimonio lascasiano*

Las atrocidades de la conquista por un lado, y por el otro la bondad innata de los indios, tales como aparecen en los escritos de Las Casas y en especial en la *Brevísima Relación,* su obra de mayor difusión, han dejado en la historia sendas huellas de insospechados prolongamientos, negra la primera con la leyenda del mismo nombre, dorada la segunda con el mito del buen salvaje.

a) *Las Casas y la Leyenda Negra*

Mucho se ha dicho sobre este notable fenómeno de aprovechamiento tendencioso de la denuncia lascasiana, que constituye probablemente el caso más acabado de utilización de un escrito de fray Bartolomé para otro combate del todo distinto, que él no había previsto, pecando tal vez de imprudente en esto. Y no es que el contenido de su testimonio haya sido gravemente falseado, aunque traductores y editores no se privaron de ennegrecer todavía más las tintas de la relación. Donde intervino, fundamentalmente, la falsificación fue en la orientación antiespañola de la obra: de arma defensiva destinada a la protección de los indios, se volvió la *Brevísima* arma ofensiva dirigida contra España por sus enemigos europeos. Esta utilización agresiva, además de haber cambiado del modo más abusivo su finalidad, alteraba fundamentalmente su verdadera naturaleza, ya que de ninguna manera han de entenderse las denuncias de Las Casas como unas manifestaciones de odio o aversión a su país y compatriotas, sino sencillamente como una protesta humanitaria y una faceta obligada de su lucha por la injusticia. Cierto es, por otra parte, que el rigor implacable de las acusaciones y la misma vehemencia del estilo lascasiano no podían dejar de herir más o menos profundamente las sensibilidades españolas, y provocar actitudes de rechazo no siempre muy serenas y objetivas, por respetables que fuesen como reacciones sentimentales. De ello resultó, a más de algunos casos –y no sólo entre españoles– de antilascasianismo abierto o solapado, una tendencia bastante generalizada a minimizar los excesos de la conquista, a la inversa de las conocidas amplificaciones de fray Bartolomé, abriendo paso con esta hipercrítica de su testimonio a una versión suavizada de la historia, por supuesto tan legendaria como la negra.

b) *Las Casas y el mito del buen salvaje*

Este mito, como se sabe, se remonta hasta la más alta antigüedad, ya que existía desde Homero, junto con la utopía de la Edad de Oro. Si volvió a tomar vuelo en la época del Renacimiento, esto se debió en gran medida a los nuevos descubrimientos y a las descripciones elogiosas que se hicieron de ciertos pueblos primitivos y de sus modos de vida: así las de Las Casas, sobre todo en la *Brevísima* donde aparecen los indios naturalmente buenos y pacíficos, desconocedores del mal y sin deseos de bienes temporales, tales como los hombres de las primeras edades de la humanidad. Valiéronse de estas pinturas más o menos idealizadas escritores moralistas –el más famoso, Montaigne–, poetas y novelistas para oponer, trocando los valores, el hombre natural al hombre civilizado. En el siglo XVIII, que fue también un siglo de grandes viajes, el mito conoció su momento de mayor éxito y difusión, debido en especial a los célebres *Discursos* de Rousseau, y ya sabemos el papel que desempeñaron los autores europeos en su traspaso a la literatura latinoamericana del XIX, que fue como su vuelta tardía a sus países de origen. Si después se fue desvaneciendo el mito con la fe en el progreso y los avances de las ciencias humanas, tal vez encuentre hoy, adaptándose a la época, nuevos ambientes favorables con la crisis actual de nuestras civilizaciones.

2) *Resonancias contemporáneas del ideario lascasiano*

Volviendo al siglo XVIII y principios del XIX, llama la atención el concierto de apologías del protector de los indios escritas o pronunciadas por historiadores o filósofos como los abates franceses Raynal y Grégoire, el español exiliado Llorente, o el ya mencionado mejicano de Londres Teresa de Mier. En ellas se le representa como un dechado de virtudes y más concretamente como un gran «filántropo». Este concepto de filantropía, con su expresión social la beneficencia, estaba de moda por aquel entonces. Llevaba en sí la idea de una solidaridad universal activa, desde luego muy distinta de la caridad tradicional entendida como virtud teologal, ya que no era Dios su objeto directo, sino el bien temporal de los hombres. Pero si no le correspondía propiamente, en su sentido laicizado, este epíteto de filántropo a la gran figura cristiana de fray Bartolomé, no es nada extraño que se considerase como un perfecto «amigo de la humanidad» a quien dedicó casi toda su vida a la defensa de los oprimidos, abogando tanto por sus condiciones de existencia en este mundo como por su salvación espiritual.

Estas resonancias humanitarias de la obra de Las Casas no han perdido nada de su actualidad, por más que hayan envejecido o caído en desuso los conceptos. Pero hoy en día el ideario lascasiano despierta otros ecos, en relación con algunos de los grandes problemas contemporáneos:

el anticolonialismo. Se ha llegado a considerar las ideas de Las Casas como un antecedente, el primer antecedente histórico, de la crítica anticolonialista moderna, y no faltaron quienes lo alistasen en las filas de los teóricos de la descolonización. Planteada así la cuestión, parece que carece de sentido por anacrónica. Además no se sabe que fray Bartolomé haya recusado nunca el principio de la dominación española en las Indias. Lo que sí repudió con la mayor vehemencia fue la forma violenta y opresiva que tomaron, de hecho, la conquista y la colonización. Y en esto no ha dejado su voz de ser siempre actual, dado que todas las empresas coloniales posteriores, y las expansiones imperialistas o neocolonialistas de nuestro tiempo han adolecido de las mismas tachas.

la autodeterminación. Uno de los temas más insistentes del ideario lascasiano era el del libre consentimiento de los pueblos como condición *sine qua non* de la legitimidad de cualquiera dominación ejercida sobre ellos. De esta regla básica se deducía precisamente la absoluta condenación de los medios coactivos, tanto físicos como morales, si bien no se excluía el recurso a la vía persuasiva con toda la panoplia de los procedimientos de atracción pacífica de la voluntad, ora se tratase de evangelización, ora de sujeción al poder civil. Así y todo, y salvando las diferencias de época, no deja de prefigurar este principio el derecho de los pueblos a disponer de sí mismos y el concepto jurídico moderno de autodeterminación.

los derechos del hombre. Abogado de la libertad de los pueblos, lo fue también Las Casas de los derechos del hombre. Claro que su concepción teológica del «derecho natural y divino», como él solía decir, no ha de confundirse con la del derecho natural amputado de su esencia divina de la filosofía de las luces y de la Revolución francesa. Pero se percibe hoy cada vez mejor, en especial a la luz de la Declaración universal de los derechos del hombre de la O.N.U. en 1948, la vigencia de los valores de justicia, libertad y dignidad ensalzados y defendidos incansablemente por fray Bartolomé. Y resalta con particular elocuencia, frente a las discriminaciones raciales y los accesos de xenofobia que se siguen manifestando por todas partes, esta hermosa declaración varias veces repetida en sus escritos y que pudiera servirles de epígrafe: «Todas las naciones del mundo son hombres, y de cada uno de ellos es una no más la definición».

las orientaciones actuales de la Iglesia. Dejando aparte la controvertida Teología de la liberación, se observa en la Iglesia de hoy una adhesión cada vez más abierta a esos derechos del hombre reivindicados en su tiempo por Las Casas. Atención particular merecen también, dentro de esta misma perspectiva lascasiana, el decreto de Vaticano II sobre la «libertad religiosa», así como las concepciones más comprensivas de la tarea misional. Y volviendo a la persona misma de fray Bartolomé y a la pervivencia de su imagen en la conciencia eclesiástica de este fin de siglo, creo que no dejan de tener su significación, si bien no me compete comentar su pertinencia, las diligencias actuales en pro de su beatificación.

De esta vista de conjunto de la vigencia histórica de la obra lascasiana se pueden sacar las siguientes conclusiones:

Pese al inevitable desgaste de la influencia de Las Casas después de muerto, no cabe duda de que su acción siguió orientando fuertemente el curso de la política indiana y dejó una impronta no despreciable en las propias realidades coloniales. Por otra parte, se mantuvo muy presente su figura en todas las épocas, tanto en Hispanoamérica como en Europa, y parece más actual que nunca en el mundo de hoy.

Por cierto que su testimonio, o su misma dimensión simbólica, se utilizaron varias veces para fines muy alejados de los que él había perseguido, y que no todas las referencias actuales a su ideario o a su acción ofrecen el necesario rigor histórico. Restablecer en sus exactos perfiles la personalidad de Las Casas y el sentido de su obra es tarea de especialistas, y buena ocasión dan para esto los centenarios, verdaderos o falsos...

En todo caso, aparece Las Casas como un símbolo de constante actualidad en la historia, vinculado como pocos a la lucha permanente por la dignidad del hombre y por la libertad de los pueblos.

EL PENSAMIENTO LASCASIANO
EN LA FORMACIÓN DE UNA POLÍTICA
COLONIAL ESPAÑOLA, 1511-1573

Pedro A. Vives Azancot

La articulación de un sistema imperial en torno al núcleo de la Monarquía Española a partir de las bases estructurales reunidas por Carlos I desde 1517, alcanza cuando menos a la década de los ochenta de ese mismo siglo XVI. Dicha búsqueda contó con el Nuevo Mundo en dos sentidos aparentemente contradictorios: de un lado América proporcionó la expansión cristiana legitimadora de la idea imperial misma; de otro, los años y los hechos de la conquista vaciaron de contenido legitimador la presencia española en las nuevas tierras.

En ese contexto planteado básicamente entre 1505 y 1550, la Monarquía buscó los medios jurídicos y políticos para devolver a los *reinos* indianos su carácter inicial de frontera expansiva imperial, sobre los principios de la ortodoxia romana bajomedieval. La recuperación de la operatividad política de la citada ortodoxia fue inviable a partir de los primeros compases de la Reforma luterana, que fundamentalmente desestructuró la universidad legitimadora del papado. En la adaptación a principios políticos de validez intermonárquica, entre 1521 y 1542 principalmente, Bartolomé de Las Casas significó una aportación fundamental al pensamiento jurídico-político hispánico y sobre todo al humanismo cristiano moderno.

Sin embargo la inclusión del pensamiento lascasiano en el conjunto eideético imperial presenta multitud de síntomas de lo que tal vez pueda calificarse como «disfunción». Entre la validez de las ideas lascasianas –especialmente vistas desde un punto de vista retrospectivo– y la oportunidad de la puesta en efecto de las mismas, se presentó durante la práctica totalidad del siglo XVI un desajuste funcional de amplia transcendencia para la estructura de dominio española sobre América.

El aspecto más superficial de tal desajuste ha sido sobradamente puesto de manifiesto por la historiografía americanista. Por un lado Las Casas sitúa al historiador ante la ruptura de los ecosistemas aborígenes del Nuevo Mundo provocada por la llegada de contingentes europeos, e igualmente aporta los suficientes datos para localizar la lucha por el control de lo americano que tuvo lugar en torno a la Monarquía Española. Pero por otra parte, ni los datos lascasianos son fiables –cuantitativa ni cualitativamente– para la reconstrucción científica del proceso de cambio global en el Nuevo Mundo después de 1492, ni sus opiniones y descripciones revelan la estructura, las facciones, el ámbito y los protagonistas efectivos de la mencionada lucha política cortesana.

De alguna manera puede decirse que Bartolomé de Las Casas se muestra a los ojos contemporáneos como intelectual comprometido, pero en ningún caso como crítico o analista revolucionario de la realidad que describe. Antes que cualquier rigor histórico le preocupó la efectividad propagandística de sus aportaciones al debate político en el contexto del imperio, en su condición de buen conocedor del funcionamiento de la corte y del clero regular y secular, como principales articuladores ideológicas del momento.

De lo hasta ahora sintéticamente expuesto puede muy bien deducirse donde hay que localizar las «luces y sombras» que aporta el pensamiento lascasiano al conocimiento de la conquista y colonización de América por España, como se me solicitaba para esta intervención.

Ahora bien, el por qué de tal desajuste, disfunción o como quiera llamársele, me parece un objetivo más de acuerdo con las necesidades recientes de la historiografía de la América colonial y que en este breve ensayo merece la pena plantear. Si existe una realidad contradictoria en la obra, vida y actividades políticas de Bartolomé de Las Casas, es la coexistencia de un pensamiento avanzado en el terreno de la concepción del hombre y el mundo y una capacidad sorprendente para llevar a la práctica tales ideas. Quizá es que se trate de una articulación de conceptos humanistas más que de una línea propia de pensamiento, pero en cualquier caso sorprende al planteamiento ideológico y a la denuncia moral siguiera con tanta frecuencia la praxis política consecuente.

El que las ideas lascasianas fueran escuchadas en España y tomadas sistemáticamente en consideración, pese a lo poco riguroso de la mayoría de sus planteamientos, se explica básicamente por la inclusión del autor de las mismas en dos esferas tradicionales aisladas entre sí. Al tiempo que Bartolomé de Las Casas perteneció en vida a una minoría eideética marginal, también estuvo inmerso en la mecánica propia de los grupos de presión cortesanos, lo que a su vez resulta coherente con la sistemática extrapolación de lo concreto a partir de experiencias personales y noticias más o menos fidedignas, y con la manipulación interesada de hechos y datos difícilmente constatables en su momento. Esta dualidad básica creo que estuvo presente de manera constante, al menos hasta 1545-50, en la actividad de Las Casas.

Pero ese desajuste no tuve una manifestación uniforme durante la primera mitad del siglo XVI en que intervino activamente Las Casas. Creo que pueden apreciarse diferentes etapas, no necesariamente ligadas unas a otras de forma congruente, en función de los distintos grupos de presión de la corte hispánica con los que entró en contacto a lo largo de su vida política. La consecuencia genérica de lo que acabo de apuntar es precisamente la falta de una actitud intelectual progresivamente madurada en Las Casas puesto que primó en cada momento la oportunidad política de las ideas por él aportadas. Igualmente puede decirse que, al no llegar a formar parte de ninguna élite política imperial de manera definitiva, Las Casas acabó siendo aun antes de morir un pensador escasamente operativo después de haber generado una de las tendencias reformistas más poderosas en el seno del imperio hispánico. La transcendencia europea de sus escritos más estrictamente propagandísticos y su utilización para combatir el sistema imperial español sentenciaron el aislamiento de Las Casas como mero defensor en la distancia de causas concretas y menudas.

Las diferentes fases en que se produjo el pensamiento lascasiano coinciden en lo fundamental con el período formativo de la política imperial de Carlos I entre 1517/20 y 1542/45. Es de todos conocido el arranque del fervor lascasiano en la defensa de los indios a partir de la llamada *conversión,* motivada en última instancia por el movimiento de oposición a los repartimientos iniciado por Montesinos en 1511. Después de haber sido encomendero y haber actuado como tal en la isla de Cuba, Bartolomé de Las Casas pasó a integrase en la corriente doctrinal dominica que a comienzos del XVI cuestionó la legimitidad de la conquista. En ese contexto, cabe observar una primera etapa de la vida pública de Las Casas que abarca aproximadamente entre los años 1511 y 1516.

La denuncia durante aquellos años de los excesos producidos sobre la población indígena de La Española primordialmente encajaron en el clima de la reforma cisneriana. Aquel primer toque de atención se orientó de manera inmediata a comprometer la legitimidad del dominio castellano sobre el Nuevo Mundo, en el caso en que la depredación sobre el Caribe hiciera patentemente inviable la necesaria –desde el punto de vista doctrinal– evangelización de las tierras donadas por el papado.

Pero también la reforma cisneriana facilitó que la ortodoxia doctrinal sirviera de instrumento a la hora de combatir la creciente presencia de la iniciativa privada en la empresa americana. Evidentemente la situación técnica en que se producían las expediciones a América y la vida cotidiana misma en el Caribe estaba instrumentada exclusivamente por los grupos mercantiles del núcleo sevillano, proyectados en el Nuevo Mundo hacia la explotación del sistema de *rescate* y el incipiente tráfico esclavista interantillano. En aquel proceso de asentamiento de estructuras comerciales propias del siglo XV europeo, lógicamente las órdenes religiosas apenas si alcanzaron una modesta inserción sociopolítica, como se puede rastrear no sólo en la actuación de los jerónimos en su momento, sino en la recreación de aquellos días proporcionada por Gonzalo Fernández de Oviedo desde su posición de cronista oficial.

El tráfico esclavista como base del sistema empresarial en el Caribe y de un precario crecimiento de la producción de subsistencia, desbarataba jurídicamente la soberanía castellana sobre las islas a la vez que marginaba cualquier articulación política de la corona en la que un clero militante y misional debía jugar un papel imprescindible. Entonces se produce el aldabonazo de Montesinos: un sermón más dirigido a la cúpula del poder en Castilla que a una bizarra parroquia de españoles preocupada ante todo por sortear las miserias del sistema de capitulación.

Y entonces también –poco después– parece que tiene lugar la *conversión* de Bartolomé de Las Casas que rápidamente lo traslada a la península, donde librar la primera batalla contra la explotación del indígena americano. Casi se está tentado de afirmar que en 1515 nació la lucha activa por los derechos del hombre. En cualquier caso la denuncia lascasiana encaja entonces con las ideas de Cisneros acerca de la legitimidad de la empresa expansiva del mundo cristiano, tanto o más que con los supuestos de Adriano de Utrecht acerca de la instrumentación de un imperio sin trabas oligárgicas de origen mercantil. El nombramiento de Las Casas como *protector de Indios* con su salario de cien pesos de oro anuales llevó al nuevo mundo a un peculiar embajador de las tesis reformistas cisnerianas, y a la vez del primer intento imperial de la iniciativa empresarial. Las Casas se incluyó así en el grupo clerical-reformista, en paradójico acuerdo con la élite cortesana del nuevo rey. Por primera vez un representante de una minoría intelectual encontraba una vía de cooperación con un grupo de presión en la corte, lo que facilitaba poner en efecto las ideas, en este caso, de Bartolomé de Las Casas.

Desde 1517 se abrió un período alternativo a aquel encuentro fructuoso en la península. El fracaso evidente en el intento de colonización pacífica en Cubagua sin duda invitó a Las Casas a efectuar una revisión global de su pensamiento y sus actividades, que dio por resultado en última instancia el comienzo en 1527 de su *Apologética Historia*. Era, en gran medida una reflexión global sobre lo americano en la que la representación fáctica servía al tiempo de búsqueda de los orígenes a las situaciones producidas hasta entonces. La reflexión lascasiana coincidió –creo que no casualmente ni mucho menos– con la etapa de más firme articulación imperial propiciada por Carlos I; si se piensa que la creación del Consejo de Indias vino a dar fin a la lucha entre los grupos de Colón y Rodríguez de Fonseca por el control de lo indiano –el fin del llamado «sistema dual», si se quiere–,y que el éxito de Hernán Cortés sentó las bases jurídicas de la plena integración imperial de los territorios americanos, no es difícil entender que justo cuando Las Casas replanteaba sus ideas jurídicas y políticas volviera a sintonizar con los intereses de la Monarquía Española.

Hacia 1530-34 los hechos presentados por Bartolomé de Las Casas venían a corroborar los argumentos utilizados en las cortes de Europa para discutir la legitimidad y, sobre todo, la exclusividad española respecto al Nuevo Mundo. No debe olvidarse que entre 1520 y 1535 las intervenciones de comerciantes franceses en las rutas oceánicas españolas –presentadas lógicamente como piratería desde la óptica castellana– significaron el primer cuestionamiento estratétigo del dominio español. Desde Normandía y Bretaña básicamente se arrojaba sobre el imperio de Carlos I no sólo un desafío técnico capaz de desbaratar la relación con las Indias, sino también el reproche de que todo lo llegado desde América –plata, oro, perlas especialmente– procedía de un despojo violento hecho a los indígenas, en lugar del resultado de un comercio pacífico tras la necesaria y exigible evangelización de los tales nativos.

Los viajes de Jacques Cartier a la *Terre-Neuve* entre 1534 y 1536 fueron la piedra de toque de que la exclusividad española era cuestionada seriamente incluso por una monarquía católica también, lo que en 1538 recibió de alguna manera la sanción de Pablo III al forzar la paz franco-española. Cuando en 1540 el emperador Carlos visitó París en su camino invernal para sofocar la revuelta de Gante, la generosa hospitalidad de Francisco I sirvió para dejar claro que una expedición hacia América se estaba preparando –de nuevo con Cartier en la dirección técnica– y que esta vez se llevarían colonos, evangelizadores y soldados, con la tolerancia imperial más o menos impuesta por el papado.

Antes de que tal sucediera, Las Casas fue pieza imprescindible en el giro de la concepción imperial española que normalmente se atribuye exclusivamente a Francisco de Vitoria, quien se «limitó» a adecuar las necesidades jurídicas de la expansión en América a las exigencias doctrinales reclamadas desde Europa, añadiendo una oferta de *libre navegación* para dejar a salvo los problemas de soberanía. Pero en la base de tales cambios estuvo la precisa indicación aportada por Las Casas acerca de dónde se hallaban los vacíos legales de la situación indiana: la encomienda como fundamento de la elitización española en el Nuevo Mundo.

¿Puede afirmarse que entre 1530 y 1540 Las Casas –tal vez especialmente sus ideas– conectó con un grupo político próximo a Carlos I y primordialmente integrado por flamencos o, en todo caso, rivales de la oligarquía asentada en los consejos de Castilla e Indias? Ciertamente los datos fiables y concretos para poder hacerlo son del todo escasos. Pero la atención prestada a Las Casas en la corte, la circulación de copias manuscritas de su *De unico vocationis modo* y la amistad con el obispo Marroquín concuerdan con ello. Igualmente las facilidades obtenidas para poner en práctica la pacificación de Tezulutlán y lo rápidamente que se coreó un éxito en tal sentido –cada vez más claramente dudoso, si no inexistente– estarían de acuerdo con tal hipótesis.

El posible resultado de tal coordinación apuntada se presenta con claridad en la difícil coyuntura para el emperador Carlos de 1537-1542, cuando la pérdida de efectividad estratégica de la defensa del imperio se hizo más evidente. Aunque la expedición francesa de Roberval-Cartier hubo fracasado para 1542, demostró que la capacidad tecnológica del noroeste europeo para desafiar a España en América era ya casi completa. En 1538 el capítulo general de los dominicos reclamó a Las Casas para que se trasladara a la corte, tras las noticias de sus logros en Vera Paz. Y quizá en 1541 se entrevistó personalmente con el emperador.

Resulta aún hoy llamativo que ideas tan radicales como las defendidas por Bartolomé de Las Casas hallaran tan profundo eco en las directrices políticas imperiales respecto a América. La idea de *pacificación* –como sistema de contacto no violento con el indígena– fue la clave del paso más decisivo para sujetar definitivamente los territorios indianos al dominio de la monarquía.

En realidad los postulados lascasianos hacia 1540 eran los más incondicionales aliados del emperador para combatir el creciente poderío de las élites encomenderas en América. Si Francisco de Vitoria había perfilado una doctrina tolerante hacia los desafíos extraños al imperio en el Nuevo Mundo, le había sido imposible sin embargo sortear el vacío de legitimidad que generaba la catástrofe demográfica indígena, problema que Las Casas identificaba con suficiente clarividencia en la encomienda como institución desestructuradora de los pueblos americanos. Si además la encomienda estaba sirviendo de base para la integración de oligarquías locales cada vez más autosuficientes, es lógico que la corte de Calos I aceptase sin miramientos las denuncias lascasianas como fundamento argumental de las *Leyes Nuevas* de 1542.

La aceptación de Bartolomé de Las Casas en el seno de la cúpula del poder imperial entre 1538 y 1544 es evidente esta vez. Al tiempo que las Leyes Nuevas eran enviadas a América, el fraile fue nombrado Obispo de Chiapas, cargo en el que sería confirmado en Sevilla dos años después antes de regresar a Guatemala. Y precisamente tan denso entendimiento entre la cúpula del imperio y la visión radical del dominico, puede decirse que genera desde esos años un definitivo distanciamiento entre la monarquía hispánica y la realidad socio-política del continente americano. Entre los diversos estallidos violentos contra las Leyes Nuevas que tuvieron lugar en América desde 1543, no faltó el ataque directo hacia Las Casas en su propia diócesis centroamericana donde fue considerado nada menos que una especie de anticristo.

Ciertamente el intento metropolitano de 1542 para sujetar a las oligarquías encomenderas –despojándolas de su principal fuente de poder a plazo medio– y acabar con los vacíos de legitimidad en el contexto político cristiano significó un doble fracaso para Carlos I. No sólo no se sujetó a nadie en América sino que se desprestigió la administración virreinal en gran parte de las colonias, y además puso en entredicho la capacidad imperial para ejercer una soberanía real mediante la cadena legislativa. El radicalismo utopista de Bartolomé de Las Casas había sido en gran parte responsable de aquellos resultados.

Tras su fracaso político en Chiapas –donde la inicial «pacificación» acabó en mera explotación de mano de obra indígena cuando los frailes desistieron de tanta penuria inútil– Bartolomé de Las Casas regresó definitivamente a la península en 1547. Para entonces las Leyes Nuevas eran pura letra muerta y una nueva era en la política indiana de la monarquía española sentaba sus primeros pasos.

La nueva era tuvo sus símbolos iniciales en la aparición de minas de plata portentosas en Nueva España y más tarde en Perú, lo que invitó rápidamente a *reflotar* viejas tácticas administrativas más confiadas en la autonomía financiera del imperio. También fue un síntoma de nuevos tiempos la progresiva *minoración* de los grupos de presión «americanos» en la corte, merced a la creciente centralización que luego Felipe II consolidaría. Hacia 1560-65 los cambios políticos y tecnológicos de la Europa del Norte hicieron casi imposible cualquier tipo de diálogo e invitaron a dar una respuesta dura, contrarreformista, al calor de los desembarcos de plata americana que commocionaban cada año el mercado distribuidor de Sevilla.

Esa coyuntura de cambio en el equilibrio mundial, entre 1540/45 y 1560/65, tuvo su primera respuesta hispánica en la Junta de Valladolid de 1550 en la que nueva y lógicamente el problema de la legitimación del dominio sobre América salto a la arena. El utopismo reformista lascasiano y el pragmatismo tomista de Ginés de Sepúlveda entraron en colisión, pero de la polémica nació sin duda la infraestructura de una nueva estrategia imperial que sería llevada a sus últimas consecuencias por Felipe II hacia 1568-70. En síntesis se trató de la adopción de los conceptos y la fraseología utopista de Las Casas para articular el integrismo doctrinal contrarreformista de Sepúlveda y algunos otros miembros del clero regular, cortesano y ortodoxo en el contexto católico.

Dicha síntesis permitió especialmente a Felipe II «aislar» el problema indiano en el campo internacional mediante el pacto tácito con las oligarquías americanas –encargadas de alimentar la maquinaria financiera del estado–, la tolerancia por tanto del «statu quo» socio-político, y la cobertura jurídica de tal situación con una nueva infraestructura legislativa en la que se haría hincapié en su carácter *modélico,* utópico incluso en muchas de sus manifestaciones. Los ataques desde el exterior –en los que la *Brevísima Relación...* empezaba a sonar con insistencia progresivamente– serían contenidos en puros términos defensivos, ya que cada vez eran menos doctrinales y más comerciales y bélicos.

El paradigma por excelencia de ese giro político fueron las *Ordenanzas* de 1573. Fueron quizá el único resultado efectivo de la reforma de la administración indiana encomendada a Juan de Ovando. En ellas se especifica la necesidad de utilizar el término *pacificación* en lugar de conquista y se desarrolla una amplia teoría colonizadora a modo de complemento a las disposiciones protectoras del indígena: ofrecer a las oligarquías indianas una vía de expansión territorial alternativa –sobre modelo portugués– a la explotación sistemática del indio, que a su vez queda «encomendado» a las tareas de los evangelizadores. Por supuesto, ni los descendientes de los conquistadores estaban dispuestos a ningún tipo de aventuras colonizadoras que no significaran ampliación de redes comerciales, ni había ya grandes posibilidades de evangelizar nuevos indios. Pero, si se analiza, se satisfacían viejas aspiraciones de doctrina política, evangélica e imperial, que las órdenes religiosas utilizarían adecuadamente desde fines del XVI para lograr el control de la mano de obra indígena en connivencia con élites locales. ¿Qué quedaba del pensamiento lascasiano en todo ello?

Símbolos y conceptos. Si se tiene en cuenta que por los mismos años se produjo la represión definitiva de las ideas milenaristas franciscanas, que afectó incluso a la obra de Bernardino de Sahagún, es fácil colegir que no era precisamente el mensaje utopista lascasiano lo que la monarquía de Felipe II trataba de recuperar. Puede muy bien aceptarse que desde 1547-50 Bartolomé de Las Casas desarrolló su actividad más intensamente política, precisamente al tiempo que perdió toda capacidad de presión al no contar con aliados en las esferas de poder como le sucediera en etapas anteriores. Desde la controversia con Sepúlveda la aceptación de los *conceptos* y *símbolos* de la obra del dominico fue prácticamente total, pero desprovistos de toda articulación congruente.

Las ideas lascasianas fueron desnaturalizadas en su incorporación a las nuevas directrices jurídicas de lo indiano, especialmente en la medida en que la praxis pacificadora, aspecto sin duda nuclear para Las Casas durante toda su vida, fue invalidada por el pacto entre monarquía y élites americanas. Coetáneamente a que tal desnaturalización tenía lugar el propio Las Casas pasó definitivamente a desempeñar un papel marginal en los asuntos americanos, en su vaga condición de defensor y procurador en litigios ante la administración hasta su muerte en 1566. De algún modo fue afortunado al no conocer tal manipulación de sus ideas en el conjunto de una estrategia imperial diseñada para un rey que no logró ser emperador precisamente.

Visto hasta aquí el planteamiento de como cabe articular el desajuste entre las ideas y la capacidad de gestión política de Bartolomé de Las Casas, queda sólo hacer una última consideración acerca de la congruencia del pensamiento lascasiano con las realidades americanas por él transmitidas. Aunque, como señalaba anteriormente, no puede tomarse a Las Casas como fuente fidedigna para la recuperación histórica de lo americano en el siglo XVI, es sin embargo una permanente fuente de luz a la hora de tener presente el calibre de la conmoción que supuso el encuentro entre Europa y América. Commoción cultural, poblacional y política también que alteró la realidad en pocos años desde la perspectiva de ambas orillas y que debe servir de referencia siempre que se trate de entender qué significan las rupturas estructurales en la historia de la humanidad. Bartolomé de Las Casas sigue advirtiendo que en todo encuentro cultural la condición humana es la principal fuerza constructiva y destructora a la vez. Su voz aislada en el siglo de la expansión europea planteó tempranamente las luces y las sombras que se ciernen sobre los derechos de cada hombre en cada rincón del mundo.

NOTA BIBLIOGRAFICA

Bartolomé de Las Casas, su vida, ideas y obras tienen un amplio apartado abierto desde hace tiempo en cualquier repertorio de fuentes y bibliografía que se refieran a América o al humanismo cristiano del XVI. A tales repertorios remito al lector que necesite una lista minuciosa y completa de ensayos sobre Las Casas. Lo que aquí he llamado «nota» está destinada a presentar ante todo aquellas lecturas que, a mí al menos, me ofrecieron la posibilidad de distanciarme de planteamientos excesivamente ligados a lo lascasianos en sí para empezar a situar a Las Casas en su tiempo y en la evolución eideética del XVI.

Es posible que el primer toque de atención sobre la necesidad de adoptar una perspectiva distinta llegara con la lectura de Marcel Merle y Roberto Mesa, *El anticolonialismo europeo. Desde Las Casas a Marx* (Madrid, 1972) y poco después con José A. Maravall, *Utopía y reformismo en la España de los Austrias* (Madrid, 1982), lo que hizo casi imprescindible revisar del mismo Maravall *La oposición política bajo los Austrias* (Barcelona, 1974, 2ª ed.), donde rastrear las posibles claves de la lucha entre grupos de presión en torno a la corona o contra la misma. A partir de ahí parecía claro que John Lynch en su *España bajo los Austrias. 1– Imperio y absolutismo. 1516-1598* (Barcelona, 1970) ofrecía una completa visión del problema político-doctrinal en el que se debatió la monarquía española durante el XVI; y así me ha vuelto a parecer al releer la obra, aunque Lynch no pretendiera en ella resolver ninguna de las muchas dudas existentes en torno al proyecto imperial hispánico y sus distintas etapas de articulación. Pero el ordenamiento de las ideas y materiales que allí se ofrecen siguen siendo no sólo útiles sino sugerentes también.

En el clásico ya Marcel Bataillon, *Erasmo y España. Estudios sobre la historia espiritual del siglo XVI* (México, 1966, 2ª ed. corr. y aum.) siempre se encontrarán ideas e informaciones esclarecedoras sobre el discurso de las ideas en la España del XVI y, por tanto, sobre las articulaciones políticas que rodearon a Las Casas. Además desde hace poco contamos con la sistematización llevada a cabo por José L. Abellán en su *Historia crítica del pensamiento español* y el trabajo de José C. Nieto, *Juan de Valdés y los orígenes de la Reforma en España e Italia* (Madrid, 1979), para aclarar una perspectiva global del XVI en la que insertar a Las Casas. Al respecto también es útil la visión de Robert Mandrou en *From Humanism to Science. 1480-1700* (Harmondsworth, 1978. La edición original francesa es de 1973), y no menos la de Bernice Hamilton en *Political Thought in Sixteenth Century Spain* (New York, 1963).

La conexión entre las ideas lascasianas y la búsqueda de una doctrina imperial con aplicación efectiva no ha sido nunca abordada directamente, pero me atrevo a decir que está latente desde hace muchos años en múltiples aportaciones. Empezando por la obra de J. Lynch que citaba al principio, siguiendo por J.H. Parry, *The spanish theory of Empire in the Sixteenth Century* (Cambridge, 1940) que puede tomarse por un esfuerzo interpretativo algo temprano, la útil síntesis de Hans G. Koenigsberger en su *The Habsburgs and Europe. 1516-1660* (Ithaca, 1971) y las sugerentes páginas de John Ll. Mecham en *Church and State in Latin America* (Chapel Hill, N.C., 1966), se tienen las referencias suficientes para sacar a Las Casas del estrecho margen religioso y polémico en que se le abandona con frecuencia. De todas formas, si se trata de localizar dos breves aportaciones sobre la concepción imperial española de la primera mitad del XVI y el papel ideológico desempeñado por la iglesia en el seno de la monarquía, no me cabe duda de que se deberá de recurrir durante muchos años primero a Jaume Vicens Vives, «Imperio y administración en tiempo de Carlos V» en *Charles Quint et son temps* (París, 1959), y sobre todo a la brillante exposición de Peggy K. Liss en los capítulos 1 y 3 de su *Mexico under Spain, 1521-1556.* (Chicago, 1975).

Lo que resulta dificultoso todavía es localizar con suficiente claridad los lazos precisos que permitieron el contacto de Las Casas con grupos de presión poderosos en la corte. Las biografías de Las Casas, las acotaciones del editor Juan Pérez de Tudela, de Lewis Hanke en su día, etc., incorporan datos valiosos y significativos para el historiador, pero el estudio en profundidad de tal problema está lejos de hacerse ya que son escasas las aportaciones existentes sobre la estructura política de la monarquía a comienzos del XVI o sobre los grupos sociales de la época. Trabajos como el mencionado de J.A. Maravall (1974), enfoques como el de Francisco Tomás y Valiente acerca del sistema de validos ya en el XVII y los de Antonio Domínguez Ortiz para las minorías peninsulares, ofrecen un punto de partida metodológico que no se ha desarrollado en lo que corresponde a los intereses indianos. Nos movemos casi en el terreno de las conjeturas. Sólo las referencias que pueden sacarse de Ruth Pike en su *Aristócratas y comerciantes. La sociedad sevillana en el siglo XVI* (Barcelona, 1978) apuntan en el sentido señalado. Y también el sugerente artículo de Demetrio Ramos, «El problema de la fundación del Real Consejo de las Indias y la fecha de su creación» en *El Consejo de Indias en el siglo XVI* (Valladolid, 1970), donde –sin ser el objetivo central buscado– se presenta con claridad el reparto y los cambios de grupos de presión en los primeros años de organización imperial.

Para acometer esa empresa lo que sí existen son las bases interpretativas acerca de las luchas socio-políticas, los cambios jurídicos y en las relaciones intermonárquicas que provocó la aparición de América en Occidente, invitando a perseguir la función ideológica desempeñada por teólogos y órdenes religiosas en la reconducción de la ortodoxia y el orden mundial. Tales bases se pueden hallar en Fredi Chiappelli (ed.), *First Images of America. The Impact of the New World on the Old* 2 vols. (Berkeley, 1976). En el primer volumen de dicha publicación se pueden seguir excelentes trabajos sobre viejas cuestiones de ética y lucha por la justicia en el apartado IV, 'Governing the New World: Moral, Legal and Theological Aspects', en el que se resumen bien los conocimientos adquiridos durante los años cuarenta y cincuenta. Pero el apartado III, 'The Politics of Conflict' aporta una comprensión más reciente y amplia, de acuerdo con los problemas que vengo abordando y encaminados a centrar el pensamiento lascasiano en los intereses de grupo que instrumentaron la idea imperial. Ahí cabe encontrar, entre otros, los puntos de vista de John W. O'Mally, «The Discovery of America and Reform Thought at the Papal Court in the Early Cinquecento», Charles H. Carter, «The New World as a Factor in the International Relations» –revisable y ampliable a mi juicio, pero de gran valor comprensivo en cualquier caso–, Geoffrey W. Symcox, «The Battle of the Atlantic, 1500-1700», y Paul W. Knoll, «Echoes of the New World in the International Rivalries of East Central Europe».

Tal es en fin, la reflexión que sobre bibliografía útil para el planteamiento presentado puede hacerse en estas líneas. Como antes señalaba no es difícil hallar amplios repertorios sobre Las Casas, pero he creído necesario especificar mis puntos de partida para la presente ponencia, habida cuenta que posiblemente no parezcan lo suficientemente *lascasianos* a primera vista. Pero la utilidad de la obra de Las Casas en el contexto del americanismo contemporáneo creo que está más en la identificación de su valor político para una mejor comprensión de la realidad metropolitana y colonial en los años de organización y frustración del imperio.

VIGENCIA DE LAS CASAS EN EL PENSAMIENTO AMERICANO

Pedro Mir

> *Tres almas viven en mí;*
> *la de Sancho, que Dios haya;*
> *la de mi hijo, que habita*
> *en las maternas entrañas;*
> *y la mía, en quien se suman*
> *esotras dos; ved si basta*
> *a la defensa de un reino*
> *una mujer con tres almas*

TIRSO DE MOLINA
«La Prudencia en la Mujer»

1

América, ciertamente, no fue descubierta en un solo albur. Requirió varios. Primero debió buscarse el camino desconocido que conduce al destino conocido. Después, pero sólo por casualidad, descubrirse el verdadero albur, el límite extremo del Océano Atlántico, más allá de la *Ultima Thule* y aun más allá del *mare pigrum,* este mar perezoso que ya no da más, y donde parecen las naves abrasadas por el sol.

Pasada la sorpresa de encontrar que el fin de los mares es el comienzo de nuevas tierras (o de un «nuevo mundo»), debió elegirse un girón del territorio aún desconocido, un pequeño pañuelo perfumado (por cierto que el Descubridor celebraría el olor de sus aires «que eran como los del mes de mayo en el Andalucía»).[1] Y desde allí ganarle al mundo nuevo, palmo a palmo, los secretos de su inmensidad.

A este flotante pañuelo le pondrá por nombre el Descubridor –el, que era genovés– LA ESPAÑOLA, pensando acaso, no en una nación y menos en una *ragazza* italiana, sino en una amorosa y coronada Isabel.

Más, por muchas razones que no son del caso, esta Isla a la que él tanto amó y a la que de una manera o de la otra se aferraron sus huesos, debió ser condenada al abandono y al olvido, incluyendo el de su bello nombre. Para ello sería necesario una serie de devastaciones en la que participarían todos los imperios, todos los estilos y todas las técnicas de la destrucción en gran escala.[2]

Pero, si hubo alguna razón por la que nunca debió ser olvidada (y fueron tantas que movieron a un autor canadiense a llamarla «Isla madre» casi como si fuera una pequeña madre patria),[3] es porque de ella brotó, no solo el primero, sino también el más profundo y desgarrado clamor que la humanidad aterrada se dirigiera a sí misma.

41

No era ya cuestión de los límites del océano y el de las nuevas tierras aún indefinidas. Era más. En la medida en que el Descubrimiento se manifestara como un encuentro, y por tanto como una confrontación de seres y de culturas insospechadas, se haría imperativa, junto con la definición de las nuevas dimensiones geográficas, las de la nueva dimensión humana.

2

España asumió esa responsabilidad. Inclusive en el orden semántico. La palabra *humanidad* se encuentra en el vocabulario español como substantivo abstracto, heredado del latín *humanitas*, desde el siglo XIII. Pero curiosamente no es sino desde el preciso siglo XVI cuando aparece la palabra *humano* como objetivo concreto.[4] Tal parece como si los acontecimientos que entonces tenían lugar, exigiesen de la noción medieval de humanidad un descenso a la realidad inmediata, y la hiciesen aplicable al hombre activo en la situación palpable, justamente en los marcos del ideal humanístico del Renacimiento en los cuales colocó el destino histórico a la nación española.

Todo nos inclina a sospechar que este denso adjetivo no pudo afirmarse en la lengua española sino llegando a ella en el fragor de una explosión gigantesca. Y en efecto, esta explosión tuvo lugar en el seno de la lengua española, aquella mañana del 21 de diciembre de 1511, cuando un modesto fraile de la Orden de los dominicos, Fray Antón de Montesinos, o tal vez sólo Fray Antón Montesino, pronunció su sermón en la misa del domingo de Adviento.

Había llegado un año antes con otros cuatro miembros de la Orden, bajo el vicariato de Fr. Pedro de Córdoba, y fue elegido por sus cualidades personales para dirigirse a los funcionarios y vecinos de la Colonia, en torno a un versículo del Eclesiastés: «*Ego vox clamantis in deserto*».

En aquellas palabras la humanidad queda automáticamente emplazada ante sí misma. Fr. Antón denunció el crimen cometido contra el indio y acusó a sus autores en su misma cara. Fueron palabras terribles. Los encomenderos escandalizados se dirigieron a la vivienda de los dominicos poco después de la comida, que no ha debido ser de amable digestión, acompañados del Almirante Don Diego, así como de los oficiales del Rey, su Tesorero, su Contador, su Factor, Su Veedor, y otros personajes connotados. Querían al fraile. El Vicario de la orden respondió por él y prometió, tras varios escarceos en torno a la exigencia de su retractación pública ya que no para ejercer una acción punitiva directa, que le tendrían de nuevo el domingo siguiente en el púlpito.

Así fue. Pero, en lugar de la retractación pública, Fray Antón extrajo del fondo del libro de Job, la experiencia y el tema de su segundo sermón: «*Repetam scientia meos a principio, et sermones meos sine mendatio esse probado*» *(Repetiré desde el principio mi saber y probaré que mis palabras son verdaderas).* Y de nuevo debió sentirse estremecida la humanidad.

Esa fue la explosión. Los franciscanos, y pronto se haría de ver que no todos tenían el mismo parecer, hicieron subir al Dr. Aragón de la Facultad de París, quien tenía fama de gran polemista, para poner en orden las acusaciones del dominico. El doctor subió con mundana desenvoltura. Citó palabras desconocidas en todo el curso de su perorata. «Sus profesores de París», dicen que decía y solemnemente se despojaba del bonete. Luego se enfrascó en unas disquisiciones tan abstrusas que, para salir de ellas, tuvo que acabar contradiciendo las doctrinas de la Iglesia. Entonces agregó: «Perdone el señor Sancto Tomás que en esto no supo lo que dijo». Y ese fue su fracaso. El doctor acabó jugado por la Inquisición, obligado a retractarse públicamente de 25 proposiciones falsas, con privación perpetua de ejercer el ministerio de la predicación y reclusión perpetua en un monasterio.

Fue sólo el principio de una gran batalla, y sus ecos estremecedores han atravesado quinientos años hasta llegar, con todo su cálido aliento, hasta nuestros calidos días.

Al principio pudo parecerle a los asistentes a la misa de Adviento, que se trataba de una aventura retórica y una falta de tacto de Fray Antón, pues nadie le había advertido de las consecuencias que podría acarrear un discurso de esa naturaleza. Pero cuando el fraile reafirmó sus posiciones, por encima de las amenazas directas de los poderosos, se hizo claro que detrás de su modesta presencia tronaba una fuerza inmensa, y ni el fraile ni la Orden en su conjunto habrían dado ese paso, de no haber sido porque presumiblemente contaban con ella. La determinación de trasladar el problema a la Corte y prescindier del escenario colonial, disponiendo el viaje de un emisario, Fr. Alonso de Espinal, como portador de un memorial del Tesorero Pasamonte, revela que todo el mundo se hizo cargo de las profundas implicaciones del acontecimiento. Esa fuerza, por supuesto, era la humanidad.

3

España es la primera nación europea que se ve emplazada ante la humanidad, a definir sobre el terreno los límites y el contenido mismo del concepto de humanidad. Era el Renacimiento, y el humanismo pudo hacerlo en el seno de las abstracciones más sutiles, así como en las obras de arte más prodigiosas. Pero España ha debido hacerlo en la vida, con la carne sangrándole en las manos.

Por supuesto no podía ser tarea fácil para ser realizada a tientas, a miles de millas de distancia, y en donde su poder sólo llegaba como un sofocado eco. Para los fabulosos aventureros que se lanzaron a la empresa de Indias, el concepto de humanidad se definía en los marcos de sus respectivas situaciones concretas. A cada uno de ellos correspondía decidir en qué medida un indio o cien indios, como nos cuenta Ots Capdequí,[5] eran equivalentes a un caballo. O cuándo permanecer en silencio ante un «requerimiento» ininteligible, como nos cuenta Lewis Hanke,[6] significaba que el indio debía morir sólo o en numerosa compañía.

Pero no así para el Estado español. Una determinación de esta naturaleza o de cualesquiera otras, implicaba todo un proceso de elaboración jurídica, de cuidadosa ponderación del «derecho natural», de la voluntad divina, de una correcta prefiguración del futuro y de su responsabilidad ante la Historia. Todo esto en los marcos de un texto legal. De modo que cada paso comprometía su destino y el de la propia humanidad.

Pero aquella empresa de gigantes fue llevada a cabo por una raza de gigantes. Cada uno de ellos era una fuerza tan independiente como inconmensurable. Cada uno de ellos había puesto en la aventura vida y hacienda, sin que el Estado español hubiera podido asegurarle la una y proporcionarle la otra. Y, frente a cada situación concreta, no era cuestión de esperar a que se condensara en sabias disposiciones cargadas de sentido universal, la solución exigida por la Historia inmediata. Si bien eran acatados los principios de la empresa

–difusión de la fe, población del mundo nuevo, y explotación de sus riquezas–sería la vida en función personal y no el reino distante en función histórica, quien determinaría en cada situación el orden pertinente... A pesar de esas y otras dificultades, España pudo realizar sus objetivos supremos y salvar su responsabilidad ante la Historia, al punto de ser considerada válidamente como la «mentora moral de las naciones europeas».[7]

4

El conflicto humano aparece tan pronto como se plantea el problema de hacer producir las nuevas tierras. La solución del Descubridor es la minería. Para él, lo primero es el oro porque «del oro se hace tesoro y llega a que echa las almas del Paraíso». En consecuencia, procede de inmediato a la esclavización del indio.

La solución de los españoles que le acompañan (La Isabela, 1493), es otra: la tierra. Algunos sueñan con trigales y viñedos que nunca prosperarán en el clima de La Española. Pero lo inmediato es quién trabaja. Ningún español trabajará para otro español en el Nuevo Mundo. El ideal es el *otium*, al que las naciones «herejes» opondrán, para ganarle históricamente la partida a España, el *neg-otium*, no necesariamente el trabajo, sino esa otra forma de negar el ocio que es el *negocio*. Y en consecuencia deberá trabajar el indio.

Ya en ese momento auroral el humanismo español se pronuncia: el indio no puede ser esclavizado. Es un vasallo libre del reino de Castilla. El horizonte jurídico va a consagrar esa aurora. No cesará de legislar en favor del indio y en contra de su esclavización. Y no es que entonces se tenga la esclavitud como un infierno, ni mucho menos. Se trata de una institución decadente ya, en la que inclusive se puede entrar y salir voluntariamente. Se piensa en esa, sin vislumbrar siquiera la otra, la infernal, entonces desconocida.

Pero el indio no se salva. En 1502 llega Ovando investido de inmenso poder en una famosa expedición en la que también viene un joven y sonriente abogado llamado Bartolomé de Las Casas. Como buen Comendador, la solución de Ovando es una rejuvenecida «encomienda» feudal, y le impone el infierno a los indios de La Española y a todo lo que va a ser el imperio español en Indias, a sangre y fuego, o como diría el Licenciado Gerónimo en buen latín, *in virga ferrea*. Con una verga de hierro (candente).

Sin embargo, esto no ha de significar que el conflicto que se le plantea a la espiritualidad española, haya concluido. Para ella permanece intacto, y se manifestará en los términos de un grito cósmico, el de Fray Antón de Montesinos, para permanecer vibrando con un prolongado y entrañable resonido en ese gran diapasón que es la conciencia de España. Y de la humanidad.

El dominicano Pedro Henríquez Ureña parece haber sido quien difundió entre nosotros la importancia de este acontecimiento, que yacía oscuro en las páginas de la HISTORIA del Padre Las Casas. Pero es sin duda el norteamericano Lewis Hanke, quien desde mucho antes hizo de este tema el núcleo de una gran carrera de investigador a través de numerosas obras, y reveló la importancia del acontecimiento de 1511 en La Española. El sin vacilación suscribe la opinión del dominicano: «El acontecimiento es uno de los más grandes de la historia espiritual de la humanidad». Y es curioso. Siendo por cierto uno de los más grandes de esta Historia, sólo se incorpora a ella bien entrado ya el siglo XX. Y esto explica dos cosas: una es que la de que su grandeza no haya sido estimada en sus verdaderas dimensiones; y otra es que sólo se ha revelado tan tarde precisamente por su grandeza.

El canadiense Ricardo Pattee, en una obra consagrada a la vida dominicana moderna, estima que «las emociones que vivió Santo Domingo en los albores del siglo XVI corresponden *grosso modo,* guardando las distancias y las proporciones, al desbordamiento de pasiones que distinguen la polémica actual sobre el mundo subdesarrollado, la integración de las razas y la promoción de los pueblos de color a la plenitud de sus derechos y privilegios». Y a continuación añade: «El estudio de esta polémica apasionante que torturó el alma hispánica durante tantos lustros, revela que la esencia del «colonialismo» no se ha modificado fundamentalmente a través de los cuatro siglos que nos separan de la primera colonización y que la *prise de conscience* que sufrieron los religiosos, caballeros y pobladores del Santo Domingo primitivo, puede parangonarse con algunas de las inquietudes que angustian nuestro mundo de hoy».[8]

El hecho es que estaba en juego, no el destino de las miserables criaturas que entonces se encontraban en la Española, sino el de un incontable número de generaciones sacrificadas que vendrían después. Y más allá.

5

En el lugar en que el formidable predicador dominico pronunció sus terribles palabras, en un recodo de la avenida que bordea el litoral de la actual ciudad de Santo Domingo, frente a la rada que desde aquellos días se conoce con el nombre de «Placer (o *placel)* de los Estudios», se yergue un impresionante monumento debido a la iniciativa y la generosa donación de México a Santo Domingo.

La estatua representa la vigorosa figura del predicador al pronunciar su sermón, con la mano al nivel de la boca para hacerle hueco a la voz, y casi se siente, casi se mira como si también estuviera esculpida en la masa del aire, la vibración de sus palabras.

Hay en este monumento algo como el rubor de no haber sido erigido para exaltar la espiritualidad de Montesinos, ni siquiera la de México con ser obra de sus artistas.[9] Sino fundamentalmente la espiritualidad de España.

Otros muchos personajes del siglo XVI, que eran genuinamente españoles no eran, empero, genuinamente España. Tal sería el caso de aquél que, al ser exhortado por un sacerdote a prestar mayor atención a la instrucción de los indios, replicó: «Yo no he venido aquí a eso. He venido a apoderarme de su oro».[10] O de aquéllos de quien dijo el indio Hatuey en la hoguera, cuando el sacerdote le intimaba a librarse de sus pecados, que si los españoles iban al cielo él prefería irse a los infiernos. Pero Montesinos, con ser genuinamente español, no era de estos españoles, ni su misión se circunscribía a mostrarle a los indios el camino de los cielos. Montesinos era verdaderamente España en su advocación espiritual más elevada, y por su voz y en ardiente lengua española, hablaba la humanidad entera. La suya no era la del instante, sino la de la perpetuidad.

Por eso cabe preguntar ¿por qué México y no ya, y desde mucho antes, la propia España?

Sabemos por qué México. Pero, en cuanto a España, no deja de acosarle a uno el temor de que en ello vaya la áspera mano de la «leyenda negra» por el lado del dorso. Porque es posible que esta siniestra conjura, urdida por los enemigos de España para detractarla (y de paso disputarle sus territorios), llegara a impresionar a algunos españoles sensibles y a sorprender su candor. Efectivamente, algunas de sus mentes más ilustres han podido pensar que la tragedia del indio era pura y simplemente imputable a España por el hecho de que muchos españoles eran responsables de ello, y sería cuestión de pudor nacional echar un velo sobre la denuncia que los propios españoles hacían de la ignominia. Pero ésta es una visión limitativa de la realidad, como si tuviera que ser, solidario de lo peor, lo mejor de España. Es indudable que el rasgo característico de la conducta imperial de España, quizás el más noble, es el de que dondequiera que hubo un crimen español, hubo una condena española. Dondequiera que una voz se alzó clamando justicia frente a una injusticia española, ésta era invariablemente la voz de España. Los acontecimientos de Indias no tuvieron lugar jamás sin la más enérgica protesta, sin la más enérgica resistencia y las más veces sin las acciones prácticas correspondientes. Ya antes de que Montesinos se pronunciara en favor de la libertad del indio, lo había hecho, el año de mil y quinientos, el Estado español.

El mismo Pedro Henríquez Ureña recuerda que no fueron pocos los espíritus iluminados, fuera de España, que consideraon imputables aquellos acontecimientos, no a España en particular, sino a la humanidad de su tiempo en su conjunto. «Nuestro mundo –decía Montaigne citado por él– ha descubierto últimamente otro». Y es claro que no pretendía adjudicarse la hazaña del Descubrimiento. Obviamente se trataba de compartir la responsabilidad humana que arrastraba este Descubrimiento. «Como nosotros, así juzgaron ellos (los aborígenes) que este Universo estaba próximo a su fin, y tomaron la desolación que nosotros les llevamos como signo de ello». Es cierto que el Universo no se encontraba entonces tan próximo a su fin, y que la desolación siguió indefinidamente dando signos de un fin que nunca pasó de ser próximo. Pero el hecho es que Montaigne vio con toda claridad que la desolación no fue llevada al Nuevo Mundo por España sino por Europa, y que seguiría siendo llevada cuando sólo a España le correspondiera cargar con las culpas y con las consecuencias. Y de paso con la leyenda. La proximidad del fin era anunciada por Montaigne en términos dramáticos: «Ese mundo (el de los aborígenes) no saldrá a la luz sino cuando el nuestro caiga en la oscuridad». Tal vez era un presentimiento. La única vez que iba a ocurrir no sería a propósito de España, ya que la independencia la llevaron a cabo esencialmente los criollos, sino de Francia, cuando Juárez, indio zapoteca, se enfrentó a un príncipe austríaco, Maximiliano, emperador francés.

6

También unas figuras simbólicas situadas a la entrada del Museo del Hombre en Santo Domingo, representan a unos personajes característicos del siglo XVI cuya síntesis histórica, cultural y biológica, supuestamente constituyen el llamado «hombre dominicano» de hoy.

Una de estas figuras representa a Enriquillo, a quien Oviedo proclama como «uno de los más honrados y venturosos capitanes que ha habido sobre la tierra» hasta entonces, y que allí simboliza la dignidad, o por mejor decir la rebeldía, de la raza aborigen. Otra representa a Sebastián Lemba, esclavo africano a quien describe el poeta Juan de Castellanos en sus famosas «Elegías» como «atrevido, sagaz, fuerte, valiente, diligente, feroz, cruel y bravo», y que allí simboliza también la dignidad de la suya. Y por fin otra que representa a un personaje de la raza blanca.

Pero ¿qué personaje de la época podría simbolizar la dignidad de la raza blanca en su conjunto si, precisamente, el sentido de la dignidad llega aquí al símbolo por la vía de la resistencia a la opresión ejercida por el hombre blanco en estas tierras?

Un aspirante calificado pudo haber sido Francisco Roldán, a quien correspondió encabezar el primer acto de rebeldía de la raza blanca en el Nuevo Mundo contra los abusos, reales o supuestos, del poder. Bien puede considerarse que la acción de Roldán fue una revolución y como tal la primera de su raza en estas tierras.[11] Pero Roldán no llevó a cabo sus acciones en nombre de la humanidad ni siquiera en nombre de la misión que en aquellos momentos recaía sobre los hombres aturdidos y perplejos de España, sino contra las indefensas criaturas que entonces hacían sus primeros contactos con la civilización europea. El resultado inmediato de sus acciones fueron los *Repartimientos* y la *Encomienda,* por cuyos ojos ha derramado tantas lágrimas y tanta sangre el costado humano de esta parte del mundo. Enfrentarle allí en el mismo ámbito simbólico, a Guarocuya (Enriquillo) y a Lemba, habría sido cuando menos una incoherencia.

Un personaje a quien sin duda habría sido, y continúa siendo difícil disputarle este privilegio, fue Fray Antón de Montesinos. Pero la historia elige a sus favoritos. En realidad, Fray Antonio no es un individuo, sino una colectividad. El pétalo de una rosa. Su misión le fue encomendada por los miembros de su Orden, y la responsabilidad era del Vicario, Fr. Pedro de Córdoba. Fue Fray Pedro quien dio la cara cuando las autoridades fueron a tomarle cuentas al predicador. Fue él quien les anunció el segundo sermón, aunque no su contenido. Y fue él quien determinó, presidiendo el acuerdo de la Orden, cuál sería ese contenido. Por tanto no constituye una acción personal la que Montesinos, y ésta es su grandeza, encarna con sus atributos personales –su capacidad, su elocuencia y sus conocimientos teológicos– inseparables de la hazaña. Es la suya, y en esto reside el peso simbólico del monumento del «Placer de los Estudios», la primera voz que en el Nuevo Mundo se va a pronunciar de manera contundente y formidable en favor de los derechos del hombre americano.

Y, si al fin no ha sido él, con muchos otros méritos que le acompañan, quien resulta elegido para compartir la convivencia simbólica de Guarocuya y Lemba en dicho Museo del Hombre, sino otro personaje, miembro también de la Orden y producto de ella, inclusive de la elocuencia de Montesinos (pero sobre quien recayó con todas sus consecuencias el peso de este apostolado por haberlo llevado a cabo con una amplitud más universal, más prolongada y más cargada de atributos personales), es porque ese personaje no podía ser otro que Fray Bartolomé de Las Casas. Y en efecto allí comparte apaciblemente con el indio y el negro, la convivencia del símbolo excelso.

7

No había alternativa. Ya de entrada era imposible soslayar que el Padre Las Casas tenía una fijación emocional con La Española, y no puede olvidarse que Santo Domingo, cualesquiera que sean sus títulos, se considera como la heredera de La Española primordial y como la «cuna de América». En esta Isla vivió Las Casas los risueños años de su juventud e hizo fortuna como encomendero. Conoció el bienestar. Cuando profesó, tuvo el privilegio de ser, en Concepción de la Vega donde tuvo su hacienda, el sacerdote que cantó su primera misa en el Nuevo Mundo. En toda su obra palpita un amor acendrado por La Española y, si exagera como lo hizo el Descubridor, jamás lo hace por encarecer una hazaña, sino con la inocencia del amor verdadero. Bien merece un monumento como el de Montesinos, aunque no ya con la mano alzada para ahuecar la voz, sino apretada para empuñar la pluma, como en retrato que de él se conserva.

Amores aparte, el Padre Las Casas es uno de más grandes luchadores de la humanidad. Consagró 50 años de su vida a esta lucha, cruzó 14 veces el océano para llevarla al mismo corazón de España. Debió defenderse de sus adversarios tanto como de los propios indios, que aplastaron sus proyectos de colonización pacífica, sin doblegar su fe ni renegar de ellos. Debió enfrentarse a intereses poderosos y enconados en la misma Corte española y replicar a los adversarios de la más probada competencia. Escribió millares de páginas ardientes y provocadoras y, cuando al fin de una larga vida casi centenaria concluyó su última obra, pidió que no fuese publicada sino después de su muerte, a fin de emprender de nuevo la lucha 40 años después de haberse desprendido de este mundo. Y se ganó con toda justicia el título de «Apóstol de los Indios» con el que se le conoce usualmente en América, y el de «Protector de los Indios», que se le otorgó oficialmente en España. Fue mucho más. Fue un enemigo irreductible de la esclavitud en todas sus formas, incluyendo la del negro, y un apóstol infatigable de los derechos humanos en unos términos cuya vigencia, cinco siglos después, nos lo restituye como el eco de un trueno a la vida moderna.

8

No obstante, la figura de Las Casas es tan discutible como discutida. En realidad, más bien lo segundo que lo primero.

Y ha sido inevitable. El adversario más aborrecido es aquél que se enfrenta al enemigo desde las propias filas del enemigo. Y Las Casas ha tenido que pagar por haber sido encomendero. Se recuerda aquella ocasión en que un sacerdote dominico de La Española se negó a recibir su confesión, allá en sus días de Concepción de la Vega, alegando que no podía recibirla de quien, como él, tenía indios subyugados para su propio beneficio y bienestar. Se dice que Las Casas replicó airadamente para rechazar los alegatos del sacerdote, y debemos suponer dada la vehemencia de su temperamento, que los términos de su réplica han debido ser sumamente vigorosos y apasionados, aparte de que en tal situación cualquier encomendero tendría los mismos atributos. De modo que, cuando el Padre Las Casas invierte su posición, y de encomendero se vuelve enemigo encarnizado del sistema de encomiendas, habría que tacharlo cuando menos de mentiroso y cuando más de traidor. Hay que ver que todo el aparato material y productivo de la empresa de Indias, se sustentaba en la explotación de la mano de obra de los aborígenes y, en consecuencia, contaba con el apoyo de los más poderosos y competentes defensores en la Corte.

Al mismo tiempo hay que considerar que, así como debía ser aborrecido por los opresores, debía ser rechazado por los oprimidos. Su famoso experimento de colonización pacífica en Cumaná, fue aplastado por los aborígenes y él mismo debió refugiarse en su convento para salvar la vida. Las Casas creyó que vistiendo a los colonizadores con un atuendo por el que se les llamó «sambenitos» –un sayal blanco con una cruz harpada en el pecho– dejaban de ser blancos y encomenderos agresivos para los indios. Pero esta experiencia no le descorazonó ni hizo que sus convicciones acerca del indio se modificaran, ni siquiera en la viabilidad de la colonización pacífica. Todavía hoy no faltará quien dude de la coherencia de sus ideas. Inclusive quien le considere, vagamente al menos, de traidor. Esto significa que el Padre Las Casas es una figura esencialmente controversial, y a veces no son suficientes 500 años para desvirtuar unas esencias que para algo lo son.

9

El punto más vulnerable del Padre Las Casas es su actitud respecto de la esclavitud de los negros. Desde luego, si hay un punto vulnerable todos los demás se debilitan, y esto explicaría por qué no ha sido dejado de lado desde el primer momento. Su presunta debilidad respecto de la defensa del negro, se supone un reflejo de su convencionalismo respecto de la defensa del indio. No sería aceptable un apóstol que rechazara la esclavitud del indio y favoreciera la del negro.

Debía bastar, empero, con las propias declaraciones de Las Casas para disipar este equívoco, pues él mismo admite con noble franqueza que en los primeros momentos no advirtió que las razones válidas para denunciar la opresión de los indios, también lo eran para denunciar la de los negros. Así lo hace constar en el famoso capítulo CX de su HISTORIA, entre otras formas, así:

«Desto el Clérigo dijo en sus memoriales que les hiciese (el Rey) merced a los españoles vecinos (de La Española) de licencia para traer DE ESPAÑA una docena más o menos, de ESCLAVOS NEGROS, porque con ellos se sustentaría en la tierra y dejarían libres a los indios... no advirtiendo la injusticia con que los PORTUGUESES LOS TOMAN Y HACEN ESCLAVOS».

De modo que los negros eran esclavos ya, y de lo que se trataba era de trasladar a La Española lo que se encontraba establecido ya en el Viejo Mundo, la esclavitud clásica, o doméstica, por cierto inmemorialmente.

«Desde aviso que dio el Clérigo, no poco después se halló *arrepiso,* juzgándose culpado por inadvertencia, porque como después vido y averiguó, ser tan injusto el captiverio de los negros como el de los indios, no fue discreto remedio el que aconsejó de que se trujesen negros para que se libertase a los indios, aunque él suponía que eran justamente captivos, aunque no estuvo cierto que la ignorancia que en esto tuvo y buena voluntad lo excusasen delante el juicio divino». (Capítulo CXXIX).

Cuando se mira desde hoy lo que vino a ser después la esclavitd y trata de negros, se estima que este arrepentimiento no es bastante, como si Las Casas hubiera propuesto la «esclavitud de plantaciones» y la trata de negros en gran escala, que no existían cuando escribió su HISTORIA y menos cuando dio el «aviso». Un autor, Alain Milhou, por ejemplo, que no le es necesariamente hostil, sostiene con una buena carga documental, que el «arrepentimiento» de Las Casas, poco más allá de mediados del siglo XVI, era un arrepentimiento «tardío».

«Postdata: Al finalizar el año de 1977, vuelvo a leer este artículo escrito en la primavera de 1974. En un momento en que se abre el proceso de beatificación de Fray Bartolomé, puede causar molestia la presentación que hago de la actitud del defensor de los indios frente al problema de la esclavitud de los negros. Queda sentado en este trabajo lo tardío de su arrepentimiento. No ha cambiado mi opinión sobre el tema. Pero quisiera subrayar ahora el mérito que tuvo semejante arrepentimiento en una época en que teólogos y pensadores toleraban tal injusticia y en un hombre que seguía experimentado un interés apasionado por los problemas de rentabilidad colonial y por las dificultades económicas de la Isla que viera el principio de su vida americana».[12]

Si este es el criterio más moderno, es el más importante en el contexto de las presentes consideraciones. Al menos dos puntos reclaman atención. Uno es el del «arrepentimiento», porque lo confiesa Las Casas y lo da por sentado Milhou. Y es claro que si hubo arrepentimiento hubo maldad, y Milhou no reconoce, aceptando el juicio divino que temía Las Casas, su «ignorancia que en esto tuvo y buena voluntad».

El otro punto sería el del carácter «tardío» de ese arrepentimiento», al cual Milhou consagra un trabajo intensamente documentado y riguroso, por lo demás excelente.

10

Al Padre Las Casas hay que reconocerle, ante todo, una soberbia capacidad para evolucionar continuamente en dirección de posiciones cada vez más elevadas. Es el hombre que avanza, desde las posiciones más personalistas, allá en su recóndita hacienda vegana, hasta aquéllas que se proyectan a los más universales intereses de la humanidad. Para ello ha debido recorrer un largo y sin duda fragoroso recorrido espiritual, dejando a la vera del camino los desechos de un noble proceso depurador y abnegado. Siendo joven, abogado, gentilhombre, sacerdote y español, todo lo que tenía por delante era el bienestar sin sofocaciones.

En 1511 no había negros todavía en La Española. Montesinos no tiene por qué tomarlos en cuenta. Lo que había era indios y encomenderos, y Las Casas es uno de éstos últimos. Y no podemos pedirle que aprobara el discurso de Montesinos automáticamente. Todavía en 1512 le es posible ordenarse sacerdote –y la vida mostrará que lo hizo por añor al hombre y no para acrecentar sus privilegios– sin que ese paso signifique que renuncia a su encomienda. Sólo cuatro años después, cuando prepara un sermón para el domingo de Pentecostés en Cuba, sus ojos se detienen sobre un versículo del Eclesiastés y, súbitamente aunque obviamente como resultado de una maduración, se encuentra exactamente en el mismo punto en que se encontraba Montesinos el domingo de adviento de 1511. Desde ese instante, se convierte en el infatigable luchador que fue hasta sus últimos días. Todavía a la hora de su muerte en Valladolid, a los 92 años de edad, sentado en su lecho con una vela en la mano, la única fuente de donde recibe luz su cerebro ya envuelto en sombras, recomienda la defensa del indio a sus hemanos en religión. No puede haber un proceso más hermoso.

Entre tanto ha tenido lugar en La Española otro proceso. Desde 1505 se ha tratado de dar con un mecanismo para la industrialización del azúcar. Porque hubo muchas clases de descubridores y descubrimientos españoles en el siglo XVI. Los esfuerzos de Aguilón o Aquilón culminan en 1515 con el «ingenio poderoso» del Bachiller Velosa o Vellosa.[13] En 1523, Las Casas ingresa en la

Órden de los dominicos y ya para entonces la producción azucarera en La Española ha prosperado tanto, que alcanza el privilegio de constituirle sus palacios de Toledo y la Alhambra a Carlos V. Santo Domingo se ha convertido en un emporio financiero donde se establecen agentes y factores de los mercaderes europeos.[14] La trata de negros ha seguido un curso impetuoso. Un solo ingenio, el del Licenciado Zuazo, vale 50 mil ducados de oro y cuenta con una dotación de 900 esclavos negros. Habría cosa de unas cuarenta fábricas, aunque nunca se supo cuántos con exactitud, pues se contaban los trapiches o «molinos de sangre» de tracción animal (caballos, bueyes o esclavos), y los «molinos de agua», el impresionante «ingenio poderoso», inspirado en el «artificio de Juanelo» con el que se subía agua en Toledo, y que era, no sólo el «primado de América» sino de todo el mundo. La clave del éxito no es ya la explotación del indio, sino la del negro.[15]

Pero el Padre Las Casas no parece percatarse entonces de los versos del Eclesiastés. No sólo permanece indiferente ante esta infamia nueva, sino que él mismo interpone sus buenos oficios para estimularla. ¿Cómo es posible que un alma tan sensible y dispuesta a progresar, adopte semejante actitud?

11

Es que no se le debe imponer al pasado la sensibilidad del presente y medirle el tiempo histórico con los relojes de cuarzo. Para el Padre Las Casas, como para la humanidad entera en lo que va del siglo XVI hasta el siglo XVIII, y sobre todo para la comprometida conciencia española, una cosa era la explotación del indio y otra la esclavitud del negro. La primera está sujeta a discusión, y España la plantea desde el primer instante. Esta es su grandeza. La otra, no. Se ha desarrollado alegremente sin que nadie ponga en cuestión su legitimidad, más allá de su conveniencia.

En La Española, la conveniencia está del lado de la libertad de los indios y, aunque allí el indio desaparece, entre otras vías por la del suicidio en masa, en Tierra Firme sigue siendo un objetivo con el cual se compromete íntegramente el Padre Las Casas. También la conveniencia está del lado del desarrollo del «ingenio poderoso» y de la rentabilidad de La Española, y son los vecinos y las autoridades las que claman ardorosamente por la importación masiva de negros. Las Casas ve en ello una coyuntura providencial para la redención del indio, y tal vez para el desarrollo de La Española, que era uno de sus más caros amores.

Es esta situación la que le lleva a gestionar con los flamencos que rodean al Emperador, su favor para que otorgue licencia de importación de negros a los vecinos de La Española.[16] Pero ni siquiera su confesión en tal sentido puede tomarse a la letra. Esta gestión no fue iniciativa suya, sino de los vecinos de La Española, y el culpable verdadero no es él sino el «ingenio poderoso».[17] La situación era desesperada. Venían los esclavos o perecía la industria y con ella la Colonia. Tal vez podría pasarse sin los capitales imprescindibles, toda vez que la propia industria, inclusive por medio del «comercio intérlope»,[18] podría proporcionarlos. Pero sin esclavos negros no hay azúcar blanca. Y éste que era un problema nuevo, más tarde se manifestaría como una ley inexorable. Nunca más el negro podría desligarse de este poderoso enemigo.

Tras aquella inocente gestión de Las Casas los que vino fue el delirio. El Gobernador de Bresa, Lorenzo de Gouvenot, pidió y obtuvo la licencia para la trata de negros y la vendió a los mercaderes genoveses por 25 mil ducados. Las Casas pidió al Rey que pagara esta suma con los recursos del Estado, pero esto no fue posible, como él lo cuenta en su Historia. Hizo lo que pudo para evitar una catástrofe de la que no podía tener la más mínima idea. «Vendieron después cada licencia, los ginoveses, por cada negro a ocho ducados a lo menos, por manera que lo que el clérigo De las Casas hubo alcanzado para que los españoles se socorriesen de quien les ayudase a sustentarse en la tierra, porque dejasen en libertad los indios, se hizo vendible a mercaderes, que no fue chico estorbo para el bien y liberación de los indios».

De suerte que no hubo culpa en esto. El consejo de Las Casas iba dirigido a un fin, y el contexto histórico, vale decir el «ingenio poderoso», le impuso aviesamente otro. Tal vez las reservas feudales de su pensamiento le impidieron descubrir el potencial histórico que se ocultaba en el «artificio de Juanelo». Y exigirle esto cae fuera de toda consideración humana.

12

Pero todo esto arranca de una premisa insoslayable: el marco histórico en que aborda el Padre Las Casas este problema.

El hecho fundamental es que el Nuevo Mundo pertenece al indio. Para insertarse en él es preciso hacer valer un título idóneo. España lo obtiene. Y, aunque será ella misma quien aborde en toda su profundidad la validez y la pertinencia de este título (Victoria y otros de sus más brillantes pensadores), de todos modos lo posee y lo ejerce, apoyando este ejercicio más en los dictados de su conciencia y de aquellos principios que su sentido de la responsabilidad histórica le impone, que en los derechos que el título expresamente le otorga. Y, en tal virtud, proclama los derechos del indio y los reconoce como «vasallo libre» de la Corona de Castilla.

Pero no hay consideraciones morales o jurídicas que provoquen sus escrúpulos respecto del negro, a quien no encuentra en las tierras que descubre sino que es traído, ya con toda su carga histórica, del Viejo Mundo y a quien España no le quita nada que no le hayan quitado previamente otros. El problema del indio es un problema suyo y, aunque en verdad existe una esclavitud precolombina amplia e inmemorialmente practicada en Tierra Firme, puede pensar que se origina en ella. Pero la esclavitud del negro es simplemente un problema ajeno.

Primero, porque es súbdito de un monarca extranjero y su suerte no le compete a España y a los españoles, y ellos mismos, si no son *castellanos*, son extranjeros en España. «Carlos V quiso equiparar a los efectos del comercio con las Indias a todos los súbditos, castellanos o no, de su Imperio. Pero este criterio de amplitud no logró prevalecer», nos explica Ots Capdequí.[19]

Segundo, porque es sabido que estos monarcas extranjeros son tanto los portugueses como los propios reyezuelos africanos que cambian al negro por mercadería, principalmente pólvora y armas para perpetuar una práctica basada en los derechos de la guerra.

Tercero, porque esa esclavitud es una institución milenariamente practicada en el Viejo Mundo, cuyos fundamentos teológicos y juristas... Era un pueblo extraño a América y su situación no despertó interés como la del indio».[20]

13

Hay más. El año de 1516 es el año del «ingenio poderoso». No es ya el «molino de sangre» sino el soberbio «molino de aguas» de Velosa, y se difunde por todos los ríos de La Española, el Nigua que es el «primado» y seguidamente el Nizado, el Haina, el Ozama, el Bía, el Sanate, el arroyo Itabo y otros. El Almirante Don Diego funda el suyo en el lugar denominado «Isabela Nueva».

Ese mismo año el Cardenal Cisneros, regente por minoridad de Carlos, dictó dos disposiciones interesantes en este contexto. Una por la cual prohibía la introducción de negros. Otra por la que disponía que una comisión de padres jerónimos se trasladara a La Española a fin de estudiar la situación descrita por Las Casas sobre el terreno. Esto significa que las consideraciones del Clérigo fueron escuchadas pero no satisfechas. A lo sumo, y después de consultar a la Casa de Contratación, se trasladaron a un organismo colegiado, la comisión de los jerónimos, con suficiente autoridad para modificar la disposición del Estado en este sentido.

Los jerónimos llegaron a La Española en 1517. Convocaron a los dominicos y a los franciscanos. La opinión de los dominicos fue de PARESCER de que debían traerse esclavos negros y la firmaban nueve religiosos. Las Casas vino de los jerónimos pero todavía no pertenecía a la Orden de los dominicos y por tanto no fue de los firmantes. La opinión de los franciscanos la expresó Fr. Pedro Mexía: sustituir el trabajo de los indios por el de los negros a razón de un negro por cada cinco indios, hasta un total de 2 mil negros. Y el 22 de junio de 1517, los jerónimos escribieron al Rey pidiéndole que otorgara licencia para traer negros a La Española,

«porque por experiencia se ve el gran provecho de ellos... y luego porque esta gente nos mata sobre ello y vemos que tienen razón...»[21]

El veredicto colegiado de los jerónimos fue fortalecido por la actividad separada de algunos de los miembros de la Comisión. Fr. Bernardino de Manzanedo entregó a Carlos V un memorial de peticiones en que se dice:

«Todos los vecinos de La Española suplican a V.A. les mande dar licencia para poder llevar negros, porque dicen que los indios no son suficiente remedio para poder sustentarse en ella, y que sean bozales y no criados en Castilla ni en otras partes porque éstos sales muy bellacos...».[22]

Fr. Luis Figueroa y Fr. Alonso de Santo Domingo escribieron al Rey todavía de manera más radical:

«En especial que a ellos se puedan traer negros bozales y para los traer sean de la calidad que sabemos que para acá conviene. Que Vuestra Alteza nos mande enviar facultad para que de esta isla se arme para ir por ellos a las islas de Cabo Verde e tierra de Guinea o que esto se pueda hacer por otra cualquier persona desde esos reinos para los traer acá...».[23]

Por eso no puede tomarse a la letra al Padre Las Casas cuando habla de arrepentimiento, como si fuere referido a un proceso tan complejo. De lo que sí puede culparse a sí mismo es de «ignorancia y buena voluntad».

14

Todavía le es mucho menos imputable el curso tardío de su arrepentimiento, caso de aceptarse. La tesis de Milhou es la de que no pudo tener lugar mucho antes del año de 1560, basándose en el año que consignó esas consideraciones en su HISTORIA. Esto significa que nada menos que a mediados del siglo XVI había evolucionado ya hacia posiciones superiores a las de 1523 y se pronunciaba inequívocamente en contra de la esclavitud de negros. Esto era posible sólo en el aura redentora que flotaba en ciertas zonas del espíritu español. Pero aun así sólo tangencialmente, aunque de todos modos con extrema precocidad, el tema es abordado en España en el siglo XVI en la obra de Fr. Tomás de Mercado: *Tratos y contratos de mercaderes y tratantes*, editada en 1569 en Salamanca, en la que sólo le consagra un capítulo, y algo más tarde en la obra de Bartolomé de Albornoz: *Arte de contratos* (Valencia, 1578), donde «analiza y combate las causas que, según Mercado, pueden justificar la esclavitud».[24]

Hay que ver que es sólo en el siglo XVII, ya establecida la esclavitud en todo el continente, cuando se escuchan las primeras voces aisladas enfrentadas a la institución esclavista, y son precisamente voces españolas, Pedro Claver, apóstol de la Nueva Granada, canonizado y Diego de Avendaño en el Perú, ambos jesuitas españoles y Manuel Ribeiro Rocha, en el Brasil que tenía el emporio azucarero mayor del mundo.[25]

El movimiento en favor de la abolición de la esclavitud sólo se inicia a fines del siglo XVIII, con la Revolución francesa (1794 año II) pero todavía quedaría mucho por andar. En la América española sería justamente en Santo Domingo, cuando ya había sido cedida por España a Francia en virtud del Tratado de Basilea, donde se proclama la abolición de la Esclavitud por la acción del caudillo haitiano Toussaint Louverture en 1801. Pero, contrariamente a lo que ocurrió en los países donde se desarrolló la llamada «esclavitud de plantaciones» o *esclavitud moderna* por oposición a la *clásica,* la Esclavitud fue abolida en derecho cuando hacía ya dos siglos que había desaparecido de hecho. Precisamente, unos años antes del Tratado de Basilea se había tratado de reimplantar la esclavitud de plantaciones de acuerdo con el esquema seguido por los franceses, y a tal efecto se había elaborado el «Código Carolino»,[26] pero los acontecimientos revolucionarios que siguieron a consecuencia de la Revolución francesa y su repercusión en las colonias, ocasionaron que se frustrara la tentativa.

La explicación es simple. El núcleo progenitor de la Esclavitud de negros fue el «ingenio poderoso» inventado en La Española, y los mismos vientos devastadores que avivaron las llamas de La Española y se llevaron al «ingenio poderoso», y por cierto`también el bello nombre de la Isla, con su integridad como establecimiento español, se llevaron también a la esclavitud moderna en 1605 y 1606, dejando un suave residuo doméstico.[27]

Por consiguiente, el «arrepentimiento» del Padre Las Casas, lejos de ser tardío, fue extremadamente precoz. Y todavía lo sería más su toma de posición, respecto de un problema que debía durar tres siglos y envolver a tres continentes.

15

Tres siglos y tres continentes. Pero, en los marcos de las presentes consideraciones, el problema no se circunscribe a esas determinaciones del tiempo y del espacio. Se trata del proceso que estalla cuando se canta el Evangelio, el cuarto domingo de Adviento de 1511, y Fray Antón, tras anunciar la voz «más nueva que nunca oísteis, la más áspera y dura y más espantable y peligrosa que jamás no pensásteis oír», planteó el problema de cara a la humanidad de todos los tiempos: ¿Estos no son hombres? ¿No tienen ánimas racionales? ¿No estáis obligados a amarlos como a vosotros mismos? ¿Esto no entendéis, esto no sentís?».

La ocasión, que era entonces la situación del indio de La Española, pronto pasó, conjugando naturalmente el verbo histórico. Pero el problema no pasó con la misma celeridad ni se encerró en la raza originalmente condenada.[28] Las Casas recogió esta voz y le dio su contenido universal, con lo que se extendió, no ya a tres, sino a cinco siglos y cinco continentes.

Las minas de Potosí, muy lejos ya de La Española, dieron cuenta de ocho millones de ánimas aborígenes.[29] Y, según cuenta un autor, hasta una fecha tan próxima como 1952, ciertos indios bolivianos, los *pongos*, se encontraban sumidos en una especie de esclavitud al grado de que «comían las sobras de la comida del perro a cuyo lado dormían y se hincaban para dirigir la palabra a cualquier persona de piel blanca».[30] Esto, para aproximarnos a la situación del indio, y por consiguiente a la presencia espiritual de Las Casas, en las inmediaciones de los cinco siglos.

En cuanto a la situación del negro, no comprendido originalmente en los sermones de Montesinos pero sí en los escritos de Las Casas, es innecesario el testimonio directo. Basta con apuntar al nordeste del Brasil, que fue durante la primera mitad del siglo XVIII (la otra mitad fue Barbados), el centro de la producción mundial de azúcar, y se considera actualmente la región más pobre de la América Latina, el tiempo que Haití, que ostentó ese privilegio durante el siglo XVIII es, no ya la región, sino la República más pobre del continente. Inclusive se alega que su situación en la vecina República Dominicana, a donde el haitiniano emigra para trabajar como bracero en los cortes de caña, no dista mucho de aquélla que ha debido conocer el Padre Las Casas en los ingenios maternos del siglo XVI en la Española.[31] Con igual destino se importó en Cuba durante el siglo XIX, indios modernos de Tierra Firme, negros de Jamaica y hasta amarillos de Asia. El hecho es que la situación de estas criaturas ha atravesado más o menos intacta todo el período colonial, todo el período de la Independencia latinoamericana y se ha prosternado, como los «pongos», ante el moderno mundo subdesarrollado. Las premisas están dadas, pues, para la presencia inmarcesible del Padre Las Casas en el pensamiento americano.

16

Sin embargo, esta presencia no se hace palpable sino hasta bien entrado el siglo XX. Son varias las razones y, la primera de ellas, no puede ser sino que su obra permaneció desconocida hasta la edición que hizo Aguilar de su HISTORIA en 1927. La de Rivadeneira (1875-1876), según Gonzalo de Reparaz que prolongó aquélla, no fue vista ni leída. Y ésta es razón suficiente para comprender que la voz de Las Casas permaneciera apagada durante tantos siglos, siendo dadas todas las premisas para que los espíritus sensibles se hicieran eco de ella en esta parte del mundo. Debía bastar, como en la anécdota de aquel soldado que no disparó oportunamente su cañón y, al ser cuestionado por su comandante, respondió: «Por once razones, mi general, la primera que no había pólvora». «¡Me basta!» rugió el general. Y, en efecto, las diez razones restantes eran superfluas.

Pero aquí no lo son tanto. Su primera obra, la *Destrucción de las Indias* fue ampliamente conocida, comentada e impugnada ferozmente, en base a que el Clérigo «detractaba a España». Y esto, que podía ser válido para alguna de las tres almas, como diría Tirso, que constituían la nación española (el Estado español, los conquistadores situados a miles de leguas de distancia, y la tercera, la de los juristas, teólogos, moralistas, historiadores y memorialistas, que es como decir la gran masa del pueblo español), no era válido para la España eterna cuyos hijos se encontraban tanto en la metrópoli como en sus colonias de América.

Hay que apreciar otras razones. Y tal vez la más importante es de naturaleza conceptual, porque el pensamiento americano propiamente dicho, no cuenta sino a partir de la Independencia y los reproches dirigidos a la Madre Patria desviaron la atención de los teóricos hacia otras fuentes, particularmente el *positivismo* (Comte, Spencer, Stuart Mill), una «macrosociología» o metafísica de la Historia, inaplicable a la realidad americana. Pero más importante aún es que la Independencia se manifestó en la mayoría de los casos (Haití, la primera independencia latinoamericana, es una excepción) como un simple cambio de poder. Como dice el español Ortega:

«La independencia no trajo consigo cambio fundamental en las estructuras político-sociales de las nuevas naciones latinoamericanas, sino que representó una simple trasmutación del poder político. El criollo, una vez libre del monopolio económico de la metrópoli, sustituyó al peninsular en la explotación de las riquezas coloniales, según modelos feudales, es decir, mediante el control y aprovechamiento de grandes propiedades trabajadas con la barata mano de obra indígena». De suerte, que tenía más interés en perpetuar que en reivindicar la situación del indio. Otro tanto debía ocurrir en aquellas naciones cuya masa trabajadora estaba compuesta mayormente por el negro.

Todavía Rodó en *Ariel* (1900), enfoca los problemas de la América Latina en función de la educación y en un ideal de belleza que opone al pragmatismo del norte, Peso en *Motivos de Proteo* nos revela a Juan Montalvo como precursor del movimiento literario que toma como propósito principal los sufrimientos del indio.

17

La tónica más radical se escucha a principios de siglo en el escritor peruano Manuel González Prada (m. en 1918), de quien dice Henríquez Ureña que «su defensa del indio es la primera, desde que las naciones de la América hispánica ganaron su independencia, que adopta una forma sistemática y se convierte en un programa. La reciente literatura de protesta contra la opresión del indio, *versión moderna de la larga campaña del siglo XIV,* se inició con él».[33] Y no sólo se encuentra en su obra la presencia de Las Casas por el contenido de sus alegatos, sino inclusive por el timbre y hasta el estilo del Clérigo, como puede verse en una pequeña muestra:

«Bajo la república ¿sufre menos el indio que bajo la dominación española? Si no existen corregimientos ni encomiendas, quedan los trabajos forzosos y el reclutamiento. Lo que le hacemos sufrir basta para descargar sobre nosotros la execración de las personas humanas. Le conservamos en la ignorancia y la servidumbre, le envilecemos en el cuartel, le embrutecemos con el alcohol, le lanzamos a destrozarse en las guerras civiles y de tiempo en tiempo organizamos cacerías y matanzas como las de Amantani, Llave y Huanta».[34]

Y es curioso. González Prada no introduce el problema del negro en el contexto de los problemas del indio, a pesar de que ambos estaban presentes en la realidad social peruana. Sin duda estima que la situación de uno y otro, cuya geografía misma es distinta en América, como para envolverlas en una misma denuncia. Así vivió Las Casas originalmente el problema, pero también en ese punto reveló el Clérigo su capacidad para evolucionar a etapas superiores, cada vez más altas, de su pensamiento. En América sigue siendo una tónica generalizada la de separar estos dos mundos. El indio sigue siendo una cosa y el negro otra. El vínculo humano y universal que se encuentra en Las Casas en el siglo XVI, permanece difuso en el siglo XX. El Piel Roja no cabe en la Cabaña del Tío Tom ni éste en la del Piel Roja.

La pertinencia del hecho se pone de manifiesto en el escritor argentino Ezequiel Martínez Estrada quien, en su RADIOGRAFIA DE LA PAMPA (1933), declara: «nuestros parentescos consanguíneo con el sur de los Estados Unidos y con el Africa se me reveló, superando el prejuicio de la piel» como «una imagen oculta, un rostro desconocido de la República Argentina... para rematar finalmente con el descubrimiento de un nuevo mundo para mí ignorado, como es el mundo colonizado o poscolonizado de Africa y de Asia».[35]

Y también aquí es inevitable reconocer la presencia del Padre Las Casas. Milhou habría podido evocar, en el descubrimiento de este «nuevo mundo» por parte del siempre recordado Martínez Estrada, el mismo tono de confesión dolorida que motivó el supuesto «arrepentimiento tardío» del Clérigo.

Es en el cubano Fernando Ortiz, probablemente por influencia de Martí, en quien se va a encontrar de manera inequívoca la conjugación de estos dos problemas en una prolongada obra consagrada a estos dos costados lacerados de la sociedad americana moderna. Martí es sin duda quien aborda por primera vez este aspecto en su obra finisecular, como resultado de una vivencia directa de la realidad de estos países a través de sus numerosos viajes y su perspectiva de libertador. Y Fernando Ortiz recoge su legado.

Pero en definitiva, la evolución de los tiempos apunta hacia la postergación del enfoque social de los problemas de América en términos de raza. Hoy es un hecho palpable, particularmente en el área antillana donde han emergido varias naciones a la etapa independentista, el ascenso del negro a posiciones polticas dirigentes. Automoáticamente, los problemas soiales de estos países se transforman, no ya en problemas raciales, sino en tensiones clasistas. Por el contrario no es fácil reconocer en Tierra Firme un Estado en el cual el poder se encuentre visiblemente en manos del indio. Pero ambos casos, el núcleo de los problemas sociales del continente, arrastra aquel pasado, y la voz apostólica de Las Casas conserva toda su vigencia.

18

El hecho fundamental sigue siendo en el mundo de hoy como en el del siglo XVI, la lucha por la defensa de los derechos humanos, y así como la voz de Montesinos es la primera que se pronuncia inequívocamente en el Nuevo Mundo, Fray Bartolomé de Las Casas es el padre inconfundible, en este continente y de cara a toda la humanidad, de esta lucha ecuménica y actual.

Esta es una gloria que pertenece obviamente a España y no puede serle arrebatada por la leyenda. Antes bien, la vida ha mostrado que el resultado no puede sino desembocar en el reconocimiento de una verdad cada vez más impresionante y deslumbradora.

Pero también esta gloria pertenece insoslayablemente a este pañuelo flotante en el Mar Caribe a quien su Descubridor puso por nombre LA ESPAÑOLA –él, que era genovés– como si quisiera hacer de ellas una pequeña heredera del orgullo de la Madre Patria.

Estas páginas han sido compuestas a unos pocos pasos del lugar, consagrado por un hermoso monumento, donde vibraron las palabras sublimes de Montesinos, promogénitas en la lucha por la libertad en el Nuevo Mundo.

Aquí las escuchó Las Casas. Aquí el Apóstol modeló su pensamiento, se ordenó sacerdote y como tal fue la suya la primera misa cantada en las nuevas tierras por un sacerdote ordenado en ellas. Aquí conoció la prosperidad, descubrió la razón de vivir y sin duda el amor. Al menos, el que profesó de manera inmaculada a esta Isla. Nunca será olvidado. Una provincia lleva aquí su nombre. Pero sobre todo lo llevan los niños al componer sus primeras palabras en lengua española. Casi sin excepción, la llevan también los mayores. Y, en la medida en que sea posible la excepción, se justifica plenamente la presencia dominicana en este encuentro de la «Isla Madre» con la Madre Patria.

Y, en conclusión:

A. Fray Antón de Montesinos, por cuanto se pronuncia en contra de la subyugación de los aborígenes en el Nuevo Mundo, es el primer abanderado de la lucha por los derechos humanos en el mundo moderno.

B. El P. Las Casas, por cuanto se pronuncia en contra de la subyugación de los aborígenes, y en los mismo términos en contra de la esclavitud del negro dentro y fuera de este Continente, es el primer abanderado en la lucha por los derechos humanos a nivel universal en el mundo moderno.

C. España, por cuanto es la única nación imperial que cuestiona abiertamente sus derechos a sojuzgar a una nación más débil y condena sus propias acciones en nombre de la humanidad, merece a justo título el calificativo de «mentora moral de las naciones europeas».

D. La Española del siglo XVI, por cuanto es la cuna de la encomienda indiana y de la esclavitud moderna (o «de plantaciones») del negro, y por tanto de la base social y económica del Nuevo Mundo, merece a justo título, aunque sin llanto, el calificativo de «Isla madre».

Y es justicia.

En Santo Domingo de LA ESPAÑOLA
(a la altura de 500 años después)
el cuarto domingo de Adviento de
1 9 8 5 .

NOTAS

[1] En su carta a Luis de Santángel (15 de febrero de 1493).

[2] Véase del autor: *El gran incendio* (Sto. Dgo., 1974) y *La noción de período de la historia dominicana*, Tomo I (Sto. Dgo. 1981), «Período de las Devastaciones».

[3] Ricardo Pattee: *La República Domicicana*, Ediciones Cultura Hispánica, Madrid, 1967.

[4] Cfr. Martín Alonso: *Enciclopedia del idioma*, Aguilar, Madrid, 1958.

[5] J.M.Ots Capdequí: *El Estado español en las Indias*, El Colegi de México, 1941.

[6] Lewis Hanke: *Colonisation et conscience chretienne au XVIe. Siecle*, París, 1957.

[7] Pedro Henríquez Ureña, en su obra *Las corrientes literarias en la América hispánica*, atribuye esta expresión al hisnanista Karl Voosler.

[8] Pattee, ob. cit.

[9] *Escultor:* Antonio Castellanos Basich. *Maestro Cantero:* Guillermo Salazar Martínez. *Arquitectos:* Pedro Ramírez Vázquez y Manuel Rosen Morrison. *Arquitecto colaborador:* Rafael Espinosa Hernández. *Dirección y supervisión:* Jorge Masón Velasco y Teódulo Blanchard Paulino.

[10] La expresión pasa por tres traducciones (inglés, francés, español, y si se quiere cuatro incluyendo el español del siglo XVI) y procede de la obra de Hanke antes citada, y a su vez de un Memorial enviado al Rey por Bernardino de Tinaya que se encuentra en los Archivos de Simancas (Sección de Estado, Legajo 892, fol. 197 y sigs.).

[11] El autor del presente trabajo ha sostenido ese criterio en sus *Tres leyendas de colores* (Ensayo de Interpretación de las tres primeras revoluciones del Nuevo Mundo). Prólogo póstumo de Don Rafael Altamira, segunda edición, Taller, St. Dgo., 1978.

[12] Alain Milhou: *Las Casas frente a las reivindicaciones de los colonos de la Isla Española* (1554-1561), reproducido en la Revista EME-EME (Estudios Dominicanos), No. 40, Vol. VII, Enero-febrero de 1979.

[13] V. *Tres leyendas de colores*, ob. cit.

[14] Una vívida descripción de la actividad económica de Santo Domingo, «ciudad filial del gran emporio de Sevilla», por el año 1525, nos la proporciona Enrique Otte en una conferencia que dictó en la Sociedad Goerres de Madrid en 1958, acerca de *Carlos V y sus vasallos patrimoniales de América*. (Reproducida en CLIO, Organo de la Academia Dominicana de la Historia, No. 116, Año XXVIII, Enero-Junio de 1960).

[15] Según el mismo Otte, el supremo poder de América reside por esos años en dos oidores de La Española, el licenciado Zuazo y Gaspar de Figueroa. Ambos estuvieron metidos de lleno en la producción azucarera y en la explotación de esclavos negros.

[16] Otte no ha tenido necesidad de esta hipótesis para explicar el proceso en el trabajo mencionado. Su naturaleza es demasiado compleja para ser disparado en un instante de encendida retórica. Según explica él, el capital privado comenzó a afluir a La Española desde la expedición de Ovando en 1502. «Desde entonces una actividad capitalista sorprendente, difícil de imaginar en nuestra época pos-capitalista mueve a los habitantes de España y de América, nos dice. Por su parte Demetrio Ramos, en su trabajo titulado *El negocio negrero de los Welser y sus habilidades monopolistas* (EME-EME, No. 30, Mayo-Junio, 1977), explica que los contactos que tuvo Las Casas en Valladolid con los extranjeros, a fin de aprovechar su influencia cerca de l joven Rey, fueron secundados «por un extraño celo de los falmencos que entonces acababan de llegar a España». Pero esto no significa que el proceso tuviera su origen entonces, sino que era nuevo para el Gobernador de Bresa y otros, aunque no necesariamente para los genoveses que desde mucho tiempo atrás conocían la situación de La Española y las perspectivas de actividades lucrativas. Eso explica que instantáneamente el curso del proceso cayera en su órbita comercial.

[17] Se sabe que la licencia de que habla Las Casas, concecida a Lorenzo de Gouvenot, Gobernador de Bresa, pues unos días antes se había hecho otra a favor de Jean Posit, sumiller del oratorio del Rey, aunque limitada a 20 negros. Y todavía antes se le había otorgado a Don Jorge de Portugal, esta vez por 400 esclavos con exención de derechos. Ver Demetrio Ramos, ob. cit., (nota 2).

[18] El «comercio intérlope» se había convertido en los últimos lustros del siglo XVI en una fuente de capitales tan importante que permitía prescindir de los que eventualmente pudieron provenir de la Metrópoli. En le fondo era la creación de un mercado marítimo mundial –Holanda, Inglaterra, Francia y Portugal– de cuyo vientre brotaría el capitalismo como una fuerza histórica irresistible. El celo burocrático de unos pocos funcionarios de La Española, culminó con las célebres «Devastaciones de las ciudades de norte», y por fin de la Isla, prácticamente en su totalidad. El autor ha tratado este temá en *El gran incendio* y en la *Noción de período en la historia domicicana*, ya citados.

[19] Ots Capdequí, ob. cit. página 23. «Como extranjeros fueron considerados a este respecto los propios españoles peninsulares *No castellanos*».

[20] Javier Malagón Barceló: *Código carolino* (1784), Santo Domingo, 1974.

[21] *Tres leyendas de colores*, ob. cit.

[22] Id.

[23] Id.

[24] Ver Malagón Barceló, ob. cit.

[25] Heríquez Ureña, ob. cit.

[26] *Código negro carolino* o *Código negro español* (1784). El documento fue encontrado por el Prof. Javier Malagón Barceló en los archivos de La Habana en 1956. Nosotros insertamos este documento en su marco histórico en la *Noción de período en la historia dominicana* (Sto. Dgo. 1981-82-83) ya citada, contemplándolo como un tardío esfuerzo carolino por repetir en el Santo Domingo español las experiencias de la «exclavitud de plantaciones» en la parte vecina, siguiendo el modelo francés. La frustración de este tardío empeño, sin que diera tiempo a que de nuevo repercutiera en el ámbito mundial la tradición inaugurada por Montesinos y encarnada por Las Casas, impidió la formación de un frente antiesclavista de esclavos negros en toda la Isla, y eventualmente la integración del territorio en una sola nacionalidad bajo el pabellón revolucionario de Haití en 1804.

[27] Ver id. *La noción de período en la historia dominicana*, cit.

[28] En opinión del Prof. Malagón Barceló, ob. cit., «El interés por América que se da a fines del siglo XIX, como consecuencia lógica del IV Centenario del Descubrimiento, y en la que las otrora colonias o provincias de estados europeos, son naciones que han consolidado su independencia, conslidación que se manifiesta en aquellos momentos en el olvido de los cargos contra sus antiguas metrópolis aparecidos en los actos de independencia, en un interés sobre lo autóctono y las nuevas nacionalidades. Lo negro como elemento formativo de gran parte de los pueblos americanos pasa inadvertido o tal vez e olvida intencionalmente, pues no muy lejos era latente y en un primer plano la guerra de secesión en los Estados Unidos y la abolición de la escalvitud en los restos del imperio español en América, hechos que habían originado una amplia publicación de escritos en pro o en contra de la esclavitud y farragosos discursos, informes, etc., en general faltos de visión histórica y con gran contenido económico político y de gimiente sentimentalismo». (Pág. XXXII).

[29] Eduardo Galeano: *Las venas abiertas de América Latina*. México, 1978.

[30] Idem.

[31] Una obra en la que se denuncia vigorosamente la situación del negro haitiano en la República Dominicana, es *Azúcar amargo*, de Maurice Lemoine, Santo Domingo, 1983.

[32] José Ortega: *Aspectos del nacionalismo boliviano*, Madrid, 1978.

[33] P. Henríquez Ureña, ob. cit. pág. 152.

[34] Citado por Leopoldo Zea: *Precursores del pensamiento latinoamericano contemporáneo*, México, 1971.

[35] Idem.

BARTOLOMÉ DE LAS CASAS EN LA HISTORIA

Un ejemplo de cómo las personas históricas pueden ser aprovechadas para diferentes finalidades

Juha Pekka Helminen

Bartolomé de las Casas (n. 1484, m. 1566), dominico español, obispo de Chiapa, y «el apóstol de los indios», fue uno de los más importantes cronistas españoles y una figura conspicua en la controversia sobre el Nuevo Mundo.[1]

En este artículo examinaremos la discusión sostenida a propósito de él y su obra durante los siglos después de su muerte, y cómo ha sido aprovechado en diferentes contextos históricos.[2]

BARTOLOMÉ DE LAS CASAS, DEFENSOR DE LOS INDIOS

El motivo principal de Fray Bartolomé de las Casas en su obra fue defender a los indígenas del Nuevo Mundo contra los abusos de los europeos y especialmente contra los de los españoles. La mayor parte de su producción literaria trata de este tema. El más famoso de sus escritos, «Brevissima Relación de Destruyción de las Indias»[3] expresa en su propio título la característica esencial de la obra de Fray Bartolomé. Según Lewis Hanke, Las Casas repite en sus obras sus ideas sobre los indios con tal frecuencia que produce un efecto monótono.[4]

Pese a su preocupación por los indios, Fray Bartolomé nunca llegó a ser experto en temas referentes a ellos; tampoco sabía ninguna de sus lenguas.[5] Algunos historiadores han sospechado incluso que Las Casas hubiera llegado a trabajar como misionero en el Nuevo Mundo y han preferido considerarlo como abogado de los indios en la Corte española.[6] Las buenas relaciones de Las Casas con la Corte fueron, verdaderamente, de importancia primordial para la defensa de los indios.[7]

El resguardo de los indígenas caracteriza asimismo los experimentos sociales de Cumana[8] y Vera Paz.[9] Estos experimentos, mediante los cuales Las Casas trató de convertir en realidad sus ideas sobre la conversión pacífica.[10] fueron de naturaleza utópica y tuvieron resultado desfavorable.

Las ideas de Las Casas pueden apreciarse más cabalmente en su extensa obra literaria.[11] Durante su vida consiguió publicar nueve de sus obras, las cuales hizo imprimir en Sevilla en 1552-1553.[12] Fray Bartolomé entendió qué importancia tiene la palabra impresa como un medio de propaganda.[13] El tema básico de su considerable correspondencia es, también, la defensa de los indios en todos los respectos.

Como cronista, Las Casas ha sido considerado como el primer antropólogo de América.[14] Particularmente en su «Apologética historia sumaria»[15] intenta dar una descripción exhaustiva de los aborígenes del Nuevo Mundo y demostrar su humanidad presentando los datos pertinentes a ellos y comparando dichos datos con aquéllos que se refieren a otros pueblos.[16] Al juicio de J.H. Elliot, el libro es una tentativa de relacionar América con el concepto de vida europea del siglo XVI con Europa como su centro. Simultáneamente, es uno de los primeros representantes de la antropología cultural comparativa.[17]

La otra crónica de Las Casas, «Historia de los Indios»,[18] fue un intento de retratar la historia del Nuevo Mundo desde el año de su descubrimiento hasta 1550. No obstante, la crónica nunca llegó a ser completa, y acaba con el año 1520.[19] El punto de vista de Las Casas es, naturalmente, americano: escribe en defensa de los indios.[20]

Una nota semejante domina asimismo en sus escritos sobre la teoría política, en especial cuando trata de los abusos ocasionados por la Encomienda,[21] sistema introducido en el Nuevo Mundo por los españoles, y de los problemas referentes a la permanente posesión de las encomiendas.[22]

LAS ÓRDENES Y FRAY BARTOLOMÉ

Se ha escrito sobre Las Casas.[23] Ya durante su vida y poco después de su muerte había quienes hablaron favorablemente de él, pero muchos más fueron aquéllos que escribieron en contra suya.[25] Las órdenes, los dominicos y los franciscanos en particular, participaron en este debate, éstos naturalmente defendiendo al miembro de su propia orden, aquéllos valorándole menos. Estas diferencias de opinión son comprensibles ya que entre los dominicos y los franciscanos existieron notables discrepancias en materia de la conversión de los indios.[26]

La primera biografía de Las Casas fue la que el fray dominico Augustín Davila Padilla (n. 1562, m. 1604) incluyó en su crónica sobre la fundación de una provincia dominicana en Nueva España. En esta, se le describe a Fray Bartolomé como un defensor de los indios y como un importante jurisprudente y teólogo.[27]

Más extensa y detalladamente, pero, al mismo tiempo, con menos sentido crítico, se escribe de Las Casas en la crónica de Antonio de Remesal (dominico, m. 1627) sobre los primeros tiempos de los dominicos en Chiapa y Guatemala.[28] Esta biografía de Las Casas de varios centenares de páginas ha tenido una influencia significativa sobre los juicios posteriores acerca de Las Casas y su obra.[29]

Después de la publicación de la crónica de Remesal varios dominicos han escrito sobre de Las Casas, pero la investigación científica hecha por ellos se ha concentrado principalmente en su obra misionera.[30] Las más recientes biografías escritas por dominicos son las de André-Vincent[31] y Galmes.[32] Entre los dominicos no ha existido mucho interés en la publicación de las obras de Las Casas. Sólo el dominico alemán Benno Bierman ha publicado algunas cartas de Fray Bartolomé.[33]

Los franciscanos han prestado relativamente poca atención a Las Casas y su obra. Después de su muerte las actitudes han sido, generalmente, positivas.

Por ejemplo, en la crónica «Historia eclesiástica indiana» de Fray Jerónimo de Mendieta, aparecida a fines del siglo XVI, el autor alaba a Fray Bartolomé por la defensa de los indios,[34] así como Fray Juan de Torquemada en su crónica «Monarquía Indiana», publicada en 1615.[35]

Entre las otras órdenes, se ha escrito poco sobre las Casas.[36] El jerónimo Joseph de Sigüenza escribió en su crónica «Historia de la Orden de San Gerónimo» también sobre la obra de su orden en el Nuevo Mundo. Su actitud hacia Fray Bartolomé es severamente condenatoria. Los jerónimos apoyaron a los conquistadores españoles en sus operaciones en las Américas, vacilando en cuanto a las exigencias por derechos indios.[37]

BREVÍSSIMA RELACIÓN DE LA DESTRUYCIÓN DE LAS INDIAS

El único de los escritos de Las Casas que adquirió fama inmediatamente después de su muerte fue el que ha prevalecido como su obra más famosa hasta nuestros días, la propagandística «Brevissima Relación de la Destruyción de las Indias». La publicó Las Casas en Sevilla en 1552.[38]

La primera traducción del folleto, aparecida en 1572, fue holandesa.[39] La traducción francesa que se publicó el año siguiente expresó en su propio título para qué fines había de servir fuera de España. Era un buen medio de propaganda para los holandeses en su lucha por la libertad.[40] Hasta el año 1617 la versión holandesa había sido reimprimida 16 veces. La traducción francesa, a su vez, tuvo 8 reimpresiones antes de finalizar el siglo XVII.[41]

Una versión inglesa de la «Brevissima» apareció en 1583,[42] una alemana en 1597,[43] una latina en 1598,[44] una italiana en 1626.[45] La primera edición latina fue acompañada por excelentes ilustraciones del artista holandés Theodore de Bry, en las cuales dibujó las atrocidades cometidas por los españoles en sus operaciones contra los indios. Estas ilustraciones se utilizaron más tarde en otras ediciones extranjeras. Las fechas de las reimpresiones de la «Brevissima» coinciden con las de los más cruciales momentos de la lucha entre la España de los Habsburgos y sus enemigos europeos, así como con las de los acontecimientos principales de la Guerra de la Religión.[46]

El cronista italiano Geronimo Benzoni, además de traducir la «Brevissima», copió los datos presentados en ella para su crónica del Nuevo Mundo del año 1565.[47] Esta obra fue traducida a varios idiomas poco después de su publicación.[48]

En España, la segunda edición de la «Brevissima» apareció en Barcelona en 1646 juntamente con aquellos escritos que Las Casas había publicado durante su vida.[49] Fue prohibido en España en 1660, y en 1682 el virrey de Perú recibió el orden de confiscar todos sus ejemplares y enviarlos al Consejo de las Indias. La misma orden se despachó también a otras partes del Nuevo Mundo.[50]

La lucha por la independencia en la América Latina a principios del siglo XIX ocasionó una nueva oleada de las ediciones de la «Brevissima».[51] Entre los años 1812 y 1822 fueron publicadas siete nuevas ediciones –fuera de España naturalmente.[52] Esta obra de Las Casas fue uno de los principales factores que originaron la Leyenda Negra antiespañola.[53]

FRAY BARTOLOMÉ, ANTAGONISTA DEL NACIONALISMO ESPAÑOL

La discrepancia entre el pensamiento de Las Casas y el nacionalismo español se manifestó por primera vez en Valladolid a principios de los años de 1550, con el enfrentamiento entre Fray Bartolomé y Juan Ginés de Sepúlveda,[54] humanista renacentista y defensor de los conquistadores, en un debate sobre la humanidad de los indios y su capacidad de adoptar el cristianismo.[55] A Juan Ginés de Sepúlveda se le considera como el primer pensador nacionalista de España.[56]

Debido a que la «Brevissima» se utilizaba en la propaganda dirigida contra España, se silenció a Las Casas casi totalmente en su país natal hasta principios del siglo XIX. El interés en América del Sur iba creciendo en España hacia los finales del reinado de Fernando VII (1813-1833), a causa de los intentos de los españoles de demostrar que sus operaciones en el Nuevo Mundo durante el período de la colonización habían sido justas y correctas. Al mismo tiempo, el interés en Las Casas iba en aumento.[57]

La publicación de la «Historia de las Indias», la crónica más importante de Las Casas, estaba preparándose, pero la Real Academia de Historia en Madrid decidió en 1832 no publicar bajo pretexto de sus deficiencias estilísticas; las causas verdaderas fueron políticas.[58] La primera edición de la crónica no apareció en Madrid hasta los años 1875-1876. La edición fue incompleta.[59]

Marcelino Menéndez y Pelayo, la figura primera en el estudio de las humanidades del siglo pasado, acusó a Las Casas de fanatismo y de haber empañado el honor de su país natal.[60] El historiador Manuel Serrano y Sanz, primer editor de la crónica «Apologética historia sumaria», de Las Casas, tenía opiniones de naturaleza parecida.[61]

Según Juan Pérez de Tudela Bueso, el XXVI Congreso de Americanistas en Sevilla en 1935 puede considerarse como el punto de partida para la investigación de la obra de Las Casas.[62] En el congreso tuvo lugar una ardiente controversia sobre la significación de Las Casas. El investigador argentino Rómulo de Carbia en particular atacó patrióticamente a Las Casas acusándole de haber falsificado documentos a fin de hacerlos servir sus propias finalidades.[63]

El catolicismo conservador y ideología nacionalista de la España de Franco que, en la investigación histórica, tendía a dar gran importancia al período imperial del siglo XVI,[64] consideró a Las Casas y su obra con suspicacia. Ramón Menéndez Pidal, el eminente filólogo, también conocido como historiador, atacó con vehemencia a Fray Bartolomé en sus artículos sobre él,[65] y especialmente en su biografía de Las Casas, en la cual considera a Las Casas como paranoico y opuesto a los intereses nacionales de España.[66]

Como consecuencia de las actitudes suspicales hacia Las Casas, sus más importantes obras no se publicaron sino a finales de los años de 1950. Debe llamarse la atención sobre el hecho de que sus crónicas fueron publicadas sólo durante esos años en una serie de los clásicos de la literatura española, aunque antes habían aparecido en la misma obras de cronistas mucho más insignificantes.[67]

FRAY BARTOLOMÉ, PRECURSOR DEL INDIGENISMO Y ANTICOLONIALISMO

En el mismo año en que Simón Bolívar y José de San Martín se entrevistaron en Guyaquil en la costa de Quito con objeto de convenir en la táctica para la liberación de América del Sur, José Antonio Llorente, historiador español exiliado, publicó la primera colección amplia de los escritos de Las Casas, acompañada de una corta biografía en honor de la liberación de América.[68]

Los revolucionarios de América del Sur apreciaron a Las Casas. Para Simón Bolívar constituyó la mejor y la más veraz fuente para estudiar la conquista del Nuevo Mundo por los españoles.[69] Según el mejicano Servando de Mier, la obra de Las Casas contribuyó a la revolución.[70] El liberal español Pablo de Mendíbil publicó en Londres a fines de los años de 1820 una sucinta pero elogiadora biografía.[71] A finales del siglo el cubano José Martí llamó la atención sobre la significación de Las Casas en la lucha por América y los indios.[72]

En nuestro siglo Las Casas ha sido considerado cada vez más como una persona de importancia social. Se ha dicho hasta que combatió como comunista por los oprimidos contra los opresores.[73] El nombre de Las Casas se ha relacionado íntimamente también con la controversia sobre el colonialismo. En una antología de escritos anticolonialistas, publicada en España a principios de los años de 1970, los escritos de Las Casas inician la colección.[74] El investigador columbiano Juan Friede ha acentuado la importancia de Las Casas como precursor del anticolonialismo[75] y como iniciador del indigenismo.[76]

Las Casas ha sido aprovechado en nuestro siglo para apoyar la identidad y liberación de la América Latina, ahora en relación con Estados Unidos en vez de España.[77] Entre algunas iglesias católicas de la América Latina se le ha considerado a Fray Bartolomé como representante de la teología de la liberación.[78]

En la literatura sudamericana Las Casas se ha convertido en una figura mítica. El guatemalteco Miguel Angel Asturias le describe como denunciador de las injusticias.[79] El chileno Pablo Neruda vio en él un compañero de batalla.[80]

FRAY BARTOLOMÉ DE LAS CASAS HOY

Una gran parte de lo que se ha escrito sobre Las Casas e incluso muchos estudios científicos han servido diferentes finalidades. La falta de sentido crítico y parcialidad han sido típicos de ellos. Aun la investigación reciente, especialmente la que se ha hecho en España y en la América Latina, ha sido marcada por esta última.

Durante los siglos pasados, Fray Bartolomé de Las Casas ha llegado a ser un mito tanto en lo bueno como en lo malo pero al mismo tiempo, su personalidad ha sido desfigurada a través de los numerosos escritos publicados en torno a él. Esta multitud de interpretaciones ha dificultado pues, el conocimiento del auténtico Las Casas.[81]

NOTAS

[1] Disponemos de varias biografías de Las Casas. Todavía útil es «The Spanish Struggle for Justice in the Conquest of América» del investigador estadounidense Lewis Hanke. Un estudio reciente es «Bartolomé de las Casas et le Droit des Indiens» (París 1982) de Marianne Mahn-Lot.

[2] Este trabajo se funda en nuestra tesis doctoral (en preparación) llamada «¿Libertad

cristiana o servidumbre natural? El concepto del hombre de Fray Bartolomé de las Casas».

³ Casas, Bartolomé de las, Brevissima Relación de la Destruyción de las Indias (Sevilla 1552).

⁴ Hanke, Lewis, All Mankind is one. A Study of the Disputation on Between Bartolomé de las Casas and Juan Ginés de Sepúlveda in 1550 on the Intellectual and Religious Capacity of the American Indians (Dekalb 1974), pág. 155.

⁵ Hanke, Lewis, Bartolomé de las Casas. Historian. An Essay in Spanish Historiography (Gainesville 1952), pág. 87. Para los conocimientos de Las Casas de las lenguas indígenas, véase Ronald Hilton, «El Padre Las Casas, el castellano y las lenguas indígenas» (Cuadernos Hispanoamericanos, N.º 331, enero 1978, Madrid 1978), págs. 123-128.

⁶ Hilton (1978), pág. 127; Pérez de Tudela Bueso, Juan, El P. de las Casas Desde desde nuestra época (Publicaciones de la Universidad Internacional Menéndez Pelayo, 26, Santander 1966), pág. 34. Manuel Quintana, autor de la primera relativamente objetiva biografía de Las Casas escribe: «Cuando el Padre Casas estaba en la corte, se puede decir que estaba en su elemento... allí era donde podía dar ensanche con un fruto más general y más grande a la pasión dominante de su vida, al único pensamiento de su alma, llamar incesantemente a favor de sus indios, instruir a la corte y a sus ministros en los deberes que por esta razón tenían sobre sí...» (Quintana, Manuel Josef, Fray Bartolomé de las Casas. Vidas de españoles ilustres, tomo III, Madrid 1833, págs. 363-364).

⁷ Un buen ejemplo de la influencia de Las Casas en la Corte de Carlos I es el papel que hizo en la legislación de Las Leyes Nuevas a principios de los años de 1540. Véase p. ej., Friede, Juan, Bartolomé de las Casas: precursor del anticolonialismo (segunda edición, México 1976), págs 134-150, y Bataillon, Marcel – Saint-Lu, André, El Padre las Casas y la Defensa de los Indios (Barcelona 1976, original en francés, París 1971), págs. 222-224.

⁸ Véase Giménez Fernández, Manuel, Bartolomé de las Casas, volumen segundo. Capellán de S.M. Carlos I, Poblador de Cumana, 1517-1523 (Sevilla 1960).

⁹ Véase Saint-Lu, André, La Vera Paz. Esprit évangélique et colonisation (París 1968).

¹⁰ Las Casas presentó sus principios de la conversión pacífica en su tratado «De unido modo vocationis omnium gentium ad veram religionem» («Del único modo de atraer a todos los pueblos a la verdadera religión», edición por Agustín Millares Carlo, introducción de Lewis Hanke y traducción de Atenógenes Santamaría, México 1942).

¹¹ Hanke y Giménez Fernández mencionan en su bibliografía 74 diferentes escritos de Las Casas (Bibliografía crítica de..., Santiago de Chile 1954). El investigador soviético Valeri Afanasiev habla en un artículo suyo, publicado a principios de los años de 1970, de 80 diferentes títulos, de los cuales, según él, 75 se han conservado («The Literary Heritage of Bartolomé de las Casas» en «Bartolomé de las Casas in History. Toward an Understanding of the Man and his Work», edited by Juan Friede and Benjamin Keen, DeKalb 1971, págs. 540-541). Isacio Pérez Fernández enumera en su inventario 336 escritos de Fray Bartolomé. Sin embargo, algunos de ellos son copias (Pérez Fernández, Isacio, Inventario documentado de los escritos de Fray Bartolomé de las Casas. Centro de los estudios de los dominicos del Caribe, CEDOC, Bayamon, Puerto Rico 1981, pág. 3).

¹² Losada, Angel, Fray Bartolomé de las Casas a la luz de la moderna crítica histórica (Madrid 1970), págs. 290-291.

¹³ Op. cit., pág. 161.

¹⁴ Esteve Barba, Francisco, Historiografía Indiana (Madrid 1964), pág. 90.

¹⁵ Casas, Bartolomé de las, Apologética historia sumaria. Edición de Edmundo O'-Gorman (México 1967).

¹⁶ Hanke (Gainesville 1952), pág. 6.

¹⁷ Elliot, J.H., The Old World and The New 1492-1650 (Cambridge 1970), pág. 48; véase también Pagden, Anthony, The Fall of Natural Man. The American Indian and the Origins of Comparative Ethnology (Camberdege 1982), págs. 119-149. Según Ramón Menéndez Pidal la obra es «una exposición de las inefables virtudes de los indios» (El Padre Las Casas. Su doble personalidad, Madrid 1963, pág. 232).

[19] Casas, Bartolomé de las, Historia de las Indias. Edición de Agustín Millares Carlo (México 1951).

[19] Esteve Barba (1964), pág. 86.

[20] Hanke (Gainesville 1952), págs. 20-21.

[21] Con *encomienda* se entiende una concesión real de tierra a los conquistadores españoles como premio por la conquista. El deber del *encomendero* era cristianizar y proteger a los indios que vivían en el territorio asignado a él. El sistema era de antiguo origen español y había sido emplead ya durante la Reconquista. En el Nuevo Mundo, la Encomienda llegó a ser un símbolo de la explotación de los indios. Para más sobre la Encomienda véase Simpson, Lesley Bird, The Encomienda in New Spain. Forced native labor in the Spanish Colonies 1492-1550 (Berkeley 1929) y Zabala, Silvio, La encomienda indiana (Madrid 1935).

[22] Pereña, Luciano et alii, Estudio preliminar (Casas, Bartolomé de las, De regia potestate, Madrid 1969), pág. CLVI. Conforme a Alfonso García Gallo, Las Casas no comenzó a escribir textos de esta especie hasta después del año 1547 (Las Casas, jurista. Sesión de apertura del curso académico 1974-1975. Instituto de España, Madrid 1975, pág. 61).

[23] La en parte deficiente Bibliografía de Las Casas, publicada por Hanke y Giménez en 1954, menciona 849 títulos. Los escritos propios de Las Casas y sus difernetes ediciones están incluidos en esta cifra.

[24] P. ej. Cordóva, Pedro de, O.P., Carta al Rey (1515), Colección de documentos inéditos relativos al descubrimiento..., tomo XI (Madrid 1869), págs. 216-224) Véase también Pérez de Tudela Bueso, Juan. Significado histórico de la vida y escritos del Padre Las Casas. Estudio preliminar. Biblioteca de Autores Españoles, tomo 95 (Madrid 1957), pág. LVII.

[25] Tal vez los más conocidos escritos que condenan la obra de Las Casas son los siguientes: Benavente (Motilinia), Toribio, O.F.M., Carta al emperador Carlos V (1555), Colección de documentos para la historia de México. Publicada por Joaquín García Icazbalceta, tomo I (México 1897) págs. 253-277) véase Losada, 1970, págs. 294-296); y Memorial anónimo de Yucay (1571), Colección de documentos inéditos para la historia de España, tomo XIII (Madrid 1848), págs. 425-468 (véase Bataillon, Marcel, Estudios sobre Bartolomé de las Casas, Barcelona, págs. 317-333, original en francés, París 1965).

[26] Para las discrepancias entre dominicos y franciscanos en los asuntos que se referían al Nuevo Mundo, véase p. ej. Simpson, Lesley Byrd, Many Mexicos (Berkeley y Los Angeles 1967), págs. 73-74, 86.

[27] Davila Padilla, Augustín, Historia de la Fundación y discurso de la Provincia de Santiago de México, de la Orden de Predicadores por las vidas de sus varones insignes, y casos notables de Nueva España (Madrid 1596), Libro I, capítulos XCVII-C, págs. 378-392: cf. Wagner, Henry Raup Parish, Helen Rand, The Life and Writings of Bartolomé de las Casas (Alburquerque 1967), págs. XXIII-XXIV, nota nº 3.

[28] Remesal Antonio de, Historia general de las Indias occidentales y particular de la Governación de Chiapas y Guatemala. Escrivise juntamente los principios de la Religión de Nuestro Glorioso Padre Santo Domingo, y las demás Religiones (Madrid 1619). De Las Casas se trata en las págs. 52-670.

[29] Véase Bataillon (1976), pág. 181 y Losada (1970), pág. 375.

[30] Bierman, Benno M., O.P., Las Casas und seine Sendung. Das Evangelium und die Recht des Menschen (Maguncia 1962) y Barreda, Jesús Angel, O.P., Ideología y pastoral misionera en Bartolomé de las Casas, O.P. (Instituto Pontificio de Teología de Madrid, Madrid 1981).

[31] André-Vincent, Ph.-I., O.P., Bartolomé de las Casas, prophète du Nouveau Monde (París 1980).

[32] Galmes, Lorenzo, O.P., Bartolomé de las Casas, defensor de los derechos humanos (Madrid 1982).

[33] Casas, Bartolomé de las, Zwei Briefe von... (Archivum fratum praedicatorum, IV, Roma 1934), págs. 187-219 y Lascasiana unedierte Dokumente von... (Op. cit., vol XXVII, Roma 1957), págs. 337-358.

[34] Mendieta, Jerónimo, Historia eclesiástica indiana. La pública por primera vez Joa-

quín García Icazbalceta (México 1870), Libro primero cap. VII, pág. 42; cap. XV, pág. 61; cap. XVII, pág. 70.

[35] Torquemada, Juan de, Monarquía Indiana (Madrid 1615), Libro quinze, cap. XVII, págs. 48-49.

[36] En general, la historia de cada orden ha sido escrita por los miembros de la orden misma. Lo mismo puede decirse, hasta cierto punto, de los estudios hechos sobre los miembros distinguidos de las órdenes. Estos estudios carecen, por lo común, de sentido crítico y dogmatismo.

[37] Sigüenza, Joseph de, Tercera parte de la Historia de la Orden de San Geronimo (Madrid 1605), capítulos XXV-XXVI, pág. 125-137.

[38] Para la fecha del escrito y sus finalidades, véase Losada (1970), págs. 340-341.

[39] Hanke - Giménez Fernández (1954), pág. 205.

[40] Tyrranies et Crvavtes des Espagnols, perpetrees e's Indes Occidentales, qu'on dit Le Nouveau Monde; Brieuement descrites en langue Castillane par l'Eusque Don Frere Bartelemy da las Casas ou Casavs, Espagnol, de l'ordre de S. Dominique; fidelement traduictes par Iagves de Miggrode: *Pour servir d'exemple & aduertissment aux XVII Prouinces du pais bas* (Amberes 1579). Véase Hanke - Giménez Fernández (1954), pág. 206.

[41] Op. cit., pág. 152.

[42] Véase op. cit., pág. 209.

[43] Véase op. cit., págs. 214-215.

[44] Véase op. cit., pág. 215.

[45] Véase op. cit., pág. 227.

[46] Saint-Lu, André, Introducción (Casas, Bartolomé de las, Brevísima Relación de la destruición de las Indias, Madrid 1982), pág. 45. El aspecto religioso se manifiesta por ejemplo en el prólogo de la edición inglesa: «This bishop (Las Casas) writes with such an Air of Honesty, Sincerity and charity, as would very well have become one of better Religion than that in which he had the unhappines to be educated. It may well surprise the Reader to hear a Spanish Prelat declaim so loudly against Persecution, and plead so freely for liberty of Conscience in a Country subjugated to the Inquisition». Cita de Hanke, Lewis, Bartolomé de las Casas. Bookman, Scholar and Propagandist (Philadelphia 1952), pág. 56.

[47] Benzoni, Girolano, La historia del Mondo Nuevo (Venecia 1565).

[48] Abellán, José Luis, Historia crítica del pensamiento español, Tomo II: La Edad de Oro (Madrid 1979), pág. 494.

[49] Hanke - Giménez Fernández (1954), pág. 232.

[50] Hanke (Gainesville 1952), págs. 45-46; cf. Menéndez Pidal (1963), pág. 359.

[51] Saint-Lu (1982), pág. 46. El prólogo de la edición de José María Ríos (Bogotá 1813) dilucida muy bien la situación: «¡Dichoso yo si este libro, produciendo en mis compatriotas el mismo efecto que en los holandeses, los hace decidir eficazmente a Morir o Ser Libres!» (cita, op. cit., pág. 47).

[52] Op. cit., págs. 55-56.

[53] Abellán (1979), págs. 491-502; cf. Martínez, Manuel María, O.P., Fray Bartolomé de las Casas. El gran calumniado (Madrid 1955), págs. 79-127, y Menéndez Pidal, Ramón, El Padre Las Casas y la leyenda negra. (Trabajo publicado en la revista «Cuadernos Hispanoamericanos», enero de 1963, N.º 157. Tirada aparte, Madrid 1963).

[54] Para la vida y obra de Juan Ginés de Sepúlveda, véase Losada, Angel, Juan Ginés de Sepúlveda a través de su «Epistolario» y nuevos documentos (Madrid 1949).

[55] El estudio más amplio sobre la controversia de Valladolid se encuentra en Hanke (1974). Véase también Losada, Angel, Controversy between Sepúlveda and Las Casas in the Junta of Valladolid (en Friede-Keen, 1971, págs. 279-306).

[56] Véase e. g., Abellán (1979), pág. 489.

[57] Hanke (Gainesville 1952), pág. 47.

[58] Hanke - Giménez Fernández (1954), pág. 269-270.

[59] Op. cit., pág. 272; véase también Esteve Barba (1964), págs. 88-89.

[60] Menéndez y Pelayo, Marcelino, Estudios de crítica literaria, Tomo II (Madrid 1895), págs. 245-251; cf. Martínez (1955), págs. 10-24.

[61] Véase Serrano y Sanz, Manuel, Introducción (Casas, Bartolomé de las, Apologética historia sumaria, Nueva Biblioteca de Autores Españoles, Tomo XIII, Madrid 1909) y la colección de documentos editada por el mismo autor: Orígenes de la dominación española en América (Nueva Biblioteca de Autores Españoles, Tomo XXV, Madrid 1918), e.g., pág. 402; cf. Martínez (1955), págs. 35-52.

[62] Pérez de Tudela Bueso (1957), pág. IX.

[63] Véase Hanke, Bartolomé de las Casas. an Interpretation of His Life and Writings (La Haya 1951), Pág. 51. La actitud de Rómulo D. Garbia puede observarse también en su libro «Historia de la Leyenda Negra hispanoamericana» Madrid 1944).

[64] Véase Pagden (1982), pág. 8.

[65] Los más importantes de estos artículos, «Vitoria y Las Casas» y «Una norma anormal» se hallan en «El P. Las Casas y Vitoria con otros temas de los siglos XVI y SVII» (Madrid 1958).

[66] Menéndez Pidal (1963).

[67] Obras escogidas de Fray Bartolomé de las Casas. Edición de Juan Pérez de Tudela Bueso (Biblioteca de Autores Españoles, Tomos 95, 96, 105, 106, 110, Madrid 1957-1958).

[68] Llorente, Juan Antonio, Colección de las obras de venerable Obispo de Chiapa, Don Bartolomé de las Casas, Defensor de la libertad de los americanos (2 tomos, París 1822).

[69] Arnoldsson, Sverker, La conquista española de América según el juicio de la posteridad. Vestigios de la Leyenda Negra (Madrid 1960), pág. 41.

[70] Véase Hanke - Giménez Fernández (1954), pág. 258.

[71] Mendibil, Pablo de, Noticia de la vida i escritos de D. fr. Bartolomé de las Casas, obispo de Chiapa (Miscelanea Hispano-Americana de Ciencia, Literatura i Artes, Tomo II, Londres 1829), pág. 179-211.

[72] «Entonces empezó su medio siglo de pelea para que los indios no fuesen esclavos, de pelea en las Américas; de pelea en Madrid; de pelea con el rey mismo; contra España toda, él sólo de pelea» (Martí, José, El Padre Las Casas). Cita de Bataillón - Saint-Lu (1976), pág. 309.

[73] Ortega y Medina, Juan A., Bartolomé de las Casas en la historiografía soviética (Estudios de tema mexicano, México 1973, pág. 115); Francisco Morales Padron en su conferencia en un simposio organizado en honor del 500 aniversario del nacimiento de Las Casas (Actualidad de Bartolomé de las Casas, México 1975, págs. 44-49.

[74] Merie, Marcel - Mesa, Roberto (ed.), El anticolonialismo europeo desde Las Casas a Marx (Madrid 1972).

[75] Friede (1976).

[76] Friede, Juan, Las Casas y el movimiento indigénista en España y América en la primera mitad del siglo XVI (Revista de Historia de América, vol. 34, diciembre de 1953, México, págs. 339-411).

[77] Aguirre Bianchi, Claudio, Fray Bartolomé de Las Casas, o de la Ciencia, el Hombre y la Liberación Americana (Ibero-Americana, Nordic Journal of Latin American Studies, vol. VII: 2/IX:1-2, Estocolomo 1980, págs. 101-122).

[78] P. ej. Lassèque, Juan Bautista (selección y presentación de textos), La larga marcha de Las Casas (Lima 1974) y Bartolomé de las Casas (1474-1974) e Historia de la Iglesia en América Latina (II encuentro de Comisión de Estudios de Historia de la Iglesia en Latinoamérica en Chiapas 1974, Barcelona 1976).

[79] Asturias, Miguel Angel, La Audiencia de los confines, Andanza III (Buenos Aires - México 1967).

[80] Neruda, Pablo, Fray Bartolomé de las Casas en «Canto General» («Los Libertadores», 2), (México 1950).

[81] Edmundo O'Gorman en su conferencia en el simposio arriba mencionado (Actualidad de Bartolomé de Las Casas (1975), pág. 9; García Gallo (1975), pág. 54.

69

BIBLIOGRAFIA

ABELLAN, José Luis, Historia crítica del pensamiento español, Tomo II: La Edad de Oro, Madrid 1979.

ACTUALIDAD de Bartolomé de las Casas, México 1975.

ANDRE-VINCENT, Philippe, O.P., Bartolomé de Las Casas, prophète du Nouveau Monde, París 1980.

AQUIRRE BIANCHI, Claudio, Fray Bartolomé de las Casas, o De la Ciencia, el Hombre y la Liberación Americana (Ibero-Americana, Nordic Journal of Latin American Studies, Volume VII: 2/IX:1-2, 1980), Estocolmo 1980.

ARNOLDSSON, Sverker, La conquista de América según el juicio de la posterioridad. Vestigios de la Leyenda Negra, Madrid 1960.

ASTURIAS, Miguel Angel, La Audiencia de los Confines, Buenos Aires - México 1967.

BARREDA, Jesús Angel, O.P., Ideología y pastoral misionera en Bartolomé de las Casas, O.P. (Instituto Pontífico de Teología de Madrid), Madrid 1981.

BARTOLOME DE LAS CASAS (1474-1974) e Historia de la Iglesia en América Latina (II encuentro de Comisión de Estudios de Historia de la Iglesia en Latinoamérica en Chiapas, 1974), Barcelona 1976.

BATAILLON, Marcel, Estudios sobre Bartolomé de las Casas, Barcelona 1976 (Etudes sur Bartolomé de las Casas, París 1965).

BATAILLON, Marcel; SAINT-LU, Andre, El Padre las Casas y la Defensa de los Indios, Barcelona 1976 (Las Casas et la Défense des Indiens, París 1971).

BENAVENTE (MOTILINIA), Toribio, Carta al Emperador Carlos V, 1555 (Colección de documentos para la historia de México, Publicada por Joaquín García Icazbalceta, Tomo I), México 1858, Págs. 253-277.

BENZONI, Girolamo, La Historia del Mondo Nuovo, Venecia 1565.

BIERMAN, Benno, O.P., Las Casas und seine Sendung. Das Evangelium und die Recht des Menschen, Maguncia 1962.

CARBIA, Rómulo D., Historia de la Leyenda Negra Hispanoamericano, Madrid 1944.

CASAS, Bartolomé de las, Apologética historia sumaria (edición de Edmundo O'Gorman), México 1967.

Brevíssima relación de la destruyción de las Indias, Sevilla 1552. Del único modo de atraer a todos los pueblos a la verdadera religión (De único vocationis modu omnium gentium ad veram religionem, traducción de Atenógenes Santamaría), México 1942.

Historia de las Indias (edición de Agustín Millares Carlo), México 1951. Lascasiana unedierte Documente von... (Archivum fratum praedicatorum, XXVII), Roma 1957, págs. 337-358.

Obras escogidas de... (edición de Juan Pérez de Tudela Bueso, Biblioteca de Autores Españoles, Tomos, 95, 96, 105, 106, 110), Madrid 1957-1958.

Zwei Briefe von... (Archivum fratrum praedicadorum, IV). Roma 1934, págs. 187-219.

CORDOVA, Pedro, Carta al Rey, 1515 (Colección de documentos inéditos, relativos al descubrimiento, conquista y organización de las antiguas posesiones españoles en América y Oceanía, sacados en su mayor parte del Real Archivo de Indias, Tomo XI), Madrid 1869, págs. 216-224.

DAVILA PADILLA, Augustín, O.P., Historia de la fundación y discurso de la Provincia de Santiago de México, de la Orden de Predicadores, por las vidas de sus varones insignes, y casos notables de Nueva España, Madrid 1596.

ELLIOTT, J.H., The Old World and The New, 1492-1650, Can.bridge 1970.

ESTEVE BARBA, Francisco, Historiografía Indiana, Madrid 1964.

FRIEDE, Juan, Bartolomé de las Casas: precursor del anticolonialismo, México, 1974.

Las Casas y el movimiento indigenista en España y América en la primera mitad del siglo XVI (Revista de Historia de América, vol 34, Diciembre de 1953), México 1953, págs. 339-411.

FRIEDE, Juan; KEEN, Benjamin (ed.), Bartolomé de las Casas in History. Toward an Understanding of the Man and his Work, DeKalb 1971.

GALMES, Lorenzo, O.P., Bartolomé de las Casas. Defensor de los derechos humanos, Madrid 1982.

GARCIA-GALLO, Alfonso, Las Casas, jurista (Sesión de apertura del curso académico, 1974-1975, Instituto de España), Madrid 1975.

GIMENEZ FERNANDEZ, Manuel, Bartolomé de las Casas. Volumen segundo, Capellán de S.M. Carlos I, Poblador de Cumaná (1517-1523), Sevilla 1960.

HANKE, Lewis, All Mankind is One. A Study of the Disputation between Bartolomé de las Casas an Juan Ginés de Sepúlveda in 1550 on the Intellectual and Religious Capacity of the American Indians, DeKalb 1974.

Bartolomé de las Casas. Bookman, Scholar and Propagandist. Philadelphia 1952.

Bartolomé de las Casas. Historian. An Essay in Spanish Historiography, Gainesville 1952.

Bartolomé de làs Casas. An Interpretation of his Life and Writings, La Haya 1951.

The Spanish Struggle for Justice in the Conquest of America, Philadelphia 1949.

HANKE, Lewis; GIMENEZ FERNANDEZ, Manuel, Bartolomé de las Casas 1474-1566, Bibliografía crítica de..., Santiago de Chile 1954.

HILTON, Ronald, El Padre Las Casas, el castellano y las lenguas indígenas (Cuadernos Hispanoamericanos, n° 331, Enero 1978), Madrid 1978, págs. 123-128.

LASSEQUE, Juan Bautista, La larga marcha de Las Casas, Lima 1974.

LOSADA, Angel, Fray Bartolomé de las Casas a la luz de la moderna crítica histórica, Madrid 1970.

Juan Ginés de Sepúlveda a través de su «Epistolario» y nuevos documentos (Consejo superior de investigaciones científicas), Madrid 1949.

LLORENTE, Juan Antonio, Colección de las obras del venerable Obispo de Chiapa, Don Bartolomé de las Casas, Defensor de la libertad de los americanos, París 1822.

MAHN-LOT, Marianne, Bartolomé de las Casas et le Droit des Indiens, París 1982.

MARTINEZ, Manuel María, O.P., Fray Bartolomé de las Casas. El gran calumniado, Madrid 1955.

MEMORIAL anónimo de Yucay, 1571 (Colección de documentos inéditos para la historia de España, Tomo XIII). Madrid, págs. 425-468.

MENDIBIL, Pablo de, Noticia de la vida i escritos de D. fr. Bartolomé de Las-Casas, Obispo de Chiapa (Miscelanea Hispano-Americana de Ciencia, Literatura i Artes, Tomo II), Londres 1829.

MENDIETA, Jerónimo de, Historia eclesiastica indiana (La pública por primera vez Joaquín García Icazbalceta, 2 volumenes), Madrid 1970.

MENENDEZ PIDAL, Ramón, El Padre Las Casas. Su doble personalidad, Madrid 1963.

El Padre Las Casas y la Leyenda negra (Trabajo publicado en la revista «Cuadernos Hispanoamericanos», Enero de 1963, Número 157, Tirada aparte), Madrid 1963.

El P. las Casas y Vitoria con otros temas de los siglos XVI y XVII, Madrid 1958.

MENENDEZ Y PELAYO, Marcelino, Estudios de crítica literaria, Tomo II, Madrid 1895.

MERIE, Marcel; MESA, Roberto (selección), El anticolonialismo europeo desde Las Casas a Marx, Madrid 1972 (MERIE, Marcel, L'anticolonialisme européen de Las Casas à Marx, París 1969).

NERUDA, Pablo, Canto General, México 1950.

ORTEGA Y MEDINA, Juan A., Bartolomé de las Casas en la historiogrfía soviética (Historia Mexicana, Vol XVI, Enero-Marzo 1967, Núm. 3), México 1967, págs. 320-340.

PAGDEN, Anthony, The Fall of Natural Man. The American Indian and the Origins of Comparative Ethnology, Cambridge 1982.

PEREÑA, Luciano, et alii, Estudio preliminar (Casas, Bartolomé de las, De regia potestate), Madrid 1969.

PEREZ FERNANDEZ, Isacio, O.P., Inventario documentado de los escritos de Fray Bartolomé de las Casas (Centro de estudios de los dominicos del Caribe, CEDOC), Bayamon, Puerto Rico 1981.

PEREZ DE TUDELA BUESO, Juan, El P. las Casas desde nuestra época (Publicaciones de la Universidad internacional Menéndez Pelayo, 26), Santander 1966.

Significado histórico de la vida y escritos del Padre las Casas, Estudio preliminar (Biblioteca de Autores Españoles, Tomo 95), Madrid 1957.

QUINTANA, Manuel Josef, Fray Bartolomé de las Casas (Vidas de españoles ilustres, Tomo III), Madrid 1833, págs. 255-510.

REMESAL, Antonio de, O.P., Historia general de las Indias Occidentales y particular de la Gobernación de Chiapas y Guatemala, Madrid 1619.

SAINT-LU, Andre, Introducción (Casas, Bartolomé de las. Brevísima Relación de la Destruyción de las Indias), Madrid 1982.

La Vera Paz. Esprit évangelique et colonisation, París 1968.

SERRANO Y SANZ, Manuel, Introducción (Casas, Bartolomé de las, Apologética historia sumaria (Nueva Biblioteca de Autores Españoles, Tomo XIII), Madrid 1909.

Orígenes de la dominación española en América (Nueva Biblioteca de Autores Españoles, Tomo XXV), Madrid 1918.

SIMPSON, Lesley Byrd, The Encomienda in New Spain. Forced native labor in the Spanish Colonies, 1492-1550, Berkeley 1929.

Many Mexicos, Berkeley y Los Angeles 1967.

SIQÜENZA, Joseph de, Tercera parte de la Historia de la Orden de San Geronimo, Madrid 1605.

TORQUEMADA, Juan de, Monarquía Indiana, Sevilla 1615.

WAGNER, Henry Roup; PARISH, Helen Rand, The Life an Writings of Bartolomé de las Casas, Alburquerque 1967.

ZAVALA, Silvio, La Encomienda indiana, Madrid 1935.

II

POBLACIÓN Y SOCIEDAD EN LA AMÉRICA DE BARTOLOMÉ DE LAS CASAS
[13 de febrero de 1985]

LA HISTORICIDAD EPOCAL DEL P. LAS CASAS (IMAGEN Y CONTENIDO DEL HUMANISMO ESPAÑOL)

Mario Hernández Sánchez-Barba

La figura del padre Las Casas, se la han repartido por igual la crítica difamatoria y el panegírico desbordante. El sentido original de los textos –que ha sido el punto de partida para los grandes estudiosos de Las Casas, sin ser «lascasistas», tales como Losada, Saint-Lu, Bataillon, O'Gorman– se oscurece ante los ditirambos retóricos, de quienes sólo ven en Las Casas la figura arcangélica, o los denuestos condenatorios, de quienes sólo han sido capaces de apreciar en él lo malévolo. Es evidente, sin duda, la permanente presencia de contradicciones en la obra lascasiana. Saint-Lu[1] lo ha podido comprobar en tres niveles de su actuación histórica: como testigo, la contradicción entre informes y juicios; como protagonista, entre sus actitudes y sus comportamientos; por último, como doctrinario entre sus planteamientos teóricos y las categorías de sus ideas. También ha sido evidente la presencia innata en él de lo hiperbólico. Lo estudió con empeño Ramón Menéndez Pidal[2] y, desde el punto de vista literario Avalle-Arce,[3] que lo considera una función del apriorismo ético dualista de Las Casas. La *Brevísima,* en efecto, toda íntegra, es una introducción al mundo de lo superlativo, que ya puede apreciarse incluso en el título, donde el superlativo gramatical (*brevísima*) se enfrenta al superlativo conceptual (*destruición*). Debe considerarse como una extremosidad que argumenta y llama la atención sobre una polarización específica de la actitud mental del autor. Todo ello resulta evidente y está comprobado, pero ni una ni otra posición pueden considerarse suficientes para caracterizar en profundidad su significado histórico, ni tampoco hoy puede pensarse que simples rasgos biográficos puedan servir para definir suficientemente una función histórica. Para conseguirlo la «figura», debe ser puesta en relación dialógica con la *época,* debe ser comprendida en la coherencia *generacional* que la inscribe, explicada en su función *persona,* en la antítesis conciencia/inconsciente y, finalmente, comprenderse desde el profundo significado de la cultura española en América que le inscribe, que es la polémica.

LA ÉPOCA

La entendemos en cuanto estructura histórica, es decir, pervivencia, o resistencia al cambio, capaz, por consiguiente, de condicionar en el tiempo largo, la integración en ella de las personas. Como tal época tiene un deslinde cronológico muy difícil, porque en España no se da, clara y tajante la separación entre Medioevo y Renacimiento. Lo que suele considerarse el Renacimiento español[4] discurre entre dos grandes empresas: la unidad de España y la incorporación de América a la Corona. A la muerte, en 1474, de Enrique IV de Castilla y de Juan II de Aragón, comienza una etapa acelerada de unidad, que era un propósito histórico desde que, en 711 se produjo la caída del reino visigótico. Los años que van de 1474 a 1492 –año del viaje colombino al servicio de «Sus Altezas», de la edición de la *Gramática* de Nebrija y de la publicación de *Tirant lo Blanch*– constituyen la frontera que separa el mundo medieval del renacentista. El tránsito del siglo XV al XVI fue extraordinariamente duro y de increíble riesgo para España. 1492, fue el año en que culminó la conquista del Reino de Granada, que se expulsó a los judíos y en que emprendió Colón su arriesgado viaje hacia el Occidente del Mar Tenebroso. En 1495, Fernando el Católico se vio obligado a enviar a Italia a Fernández de Córdoba, iniciando un nuevo y costoso capítulo de guerras en la península mediterránea; en 1504, la muerte de Isabel la Católica, produjo un cambio dinástico de gran envergadura y considerable riego; en 1517, al año de morir D. Fernando, Lutero clava sus 95 tesis en Wittemberg y, poco después, Carlos I empuja irremisiblemente a España al centro candente de las guerras de religión y compromete seriamente el futuro, con la idea integracionista del imperio alemán, hasta su abdicación en 1556.

En esa época –que es la del Renacimiento español– ¿cuáles son los *núcleos estructurales epocales?*:

– En primer lugar, el *humanismo,* que ha cristalizado con fuerza y originalidad como consecuencia del firme puente con Italia establecido desde el reinado de Alfonso V de Aragón (muerto en 1458).

– La relación dinástica con Flandes, ayuda a explicar que España se convierta en el principal centro europeo de *erasmismo,* como ha demostrado Bataillon.[5]

– La intervención en las guerras de religión europeas, como defensora del *catolicismo,* exacerba las actitudes beligerantes y mesiánicas en defensa de los valores militantes religiosos.

Estos tres núcleos estructurales, tuvieron una importante plataforma de manifestación, que estuvo supuesta por la fundación de una sociedad nueva en América, a través de la denominada conquista,[6] que otorgó la posibilidad de que los españoles dispusieran de un mundo nuevo para integrar a un planeta que se consideraba finiquitado desde la creación. Ello origina dos actitudes contradictorias y de larga manifestación histórica: por una parte, la posibilidad de que el genio español impregnase de modernidad creadora toda la línea de integración, lo que explica, por ejemplo, los tonos de la descripción geográfica, la aparición de la antropología cultural, la economía política y la metafísica;[7] por otra parte, el surgimiento de la polémica o filosofía de la negatividad, que tuvo dos distintos orígenes: el de algunos españoles, insatisfechos con lo que se hace y como se hace, porque no han sido ellos quienes lo han hecho; y, por otra parte, los europeos, enzarzados en sus cruentas guerras de religión, que nunca aceptaron la posibilidad de que esa modernidad creadora tuviera sus orígenes en españoles anacrónicos, por el hecho de ser católicos.

La integración epocal de Las Casas, se encuentra esencialmente caracterizada por esos tres núcleos estructurales, pero, ante todo, por el humanismo. Esa fue la época dorada de la Universidad, en la que se favorecía de modo considerable la formación humanista. El humanismo español fue muy variado y rico, aunque por desgracia siempre ha sido muy mal estudiado y lo poco que se conoció quedó despedazado por las despiadadas polémicas culturales de liberales y conservadores en el siglo XIX. Dentro de ese humanismo, constituyendo con él íntima unión, el erasmismo español fue, sin duda, la primera filosofía de la tolerancia, entendida muy a la española como una defensa y apología de la conciencia y postergación de lo externo. Ejemplos importantes son Juan Luis Vives, Alonso Fernández de Madrid, los hermanos Alfonso y Juan de Valdés. Ese humanismo, produjo una brillante constelación literaria de los modos de expresión epistolar, teatral, épico y pastoril. En el campo de la literatura renacentista, al menos cuatro zonas del Renacimiento europeo, son españolas y de ellas salieron casi todos los temas posteriores de otras literaturas:

– la literatura de la *conquista*, histórica, narrativa y poética, que fue literatura de frontera, de novedad, pero también de identificación.[8]

– el *pícaro* como tipo literario

– el formidable impulso dado a la *mística*

– la literatura caballeresca

Como se ha dicho, con insuperable precisión, estos cuatro robustos troncos literarios, produjeron una auténtica plus-valía intelectual que influyó con fuerza y persistencia, sobre los más recónditos núcleos de la realidad vital, de la realidad social y de la realidad ideal, incrementando hasta límites muy dilatados las posibilidades y las energías de una sociedad que, con medios económicos y técnicos más bien cortos, consiguió las más altas y asombrosas cotas de creación. El valor suplementario del humanismo no cabe duda que influyó de un modo muy positivo en fray Bartolomé de Las Casas, pero no, indiscriminada y homogéneamente, en toda su vida y en su obra, sino en aquéllos que influyeron de un modo más permanente en sus años de permanencia en España. En este sentido debe llamarse la atención sobre sus dos grandes obras: *Unico vocations modo*[9] y *Apologética Historia*[10]

LA GENERACIÓN

Se trata del tiempo medio de la historia. El radio generacional lo entendemos de veinticinco años, de modo que cada siglo ofrece cuatro generaciones: 1505, 1530, 1555, 1580. Se entiende que cada «generación» se centra en un eje-coherencia, que se corresponde con una edad-generacional (niñez, adolescencia, madurez) de la persona representativa. En la generación 1505/1530, el tema-eje, sin duda, que produjo un efecto considerable sobre quienes fueron capaces de apreciar su importancia, fue la iniciación y el proceso de la Reforma protestante. La más grande catástrofe que ha sacudido a la Iglesia Católica a lo largo de toda su historia, pues hizo surgir, de su seno, una forma de cristianismo esencialmente distinto, destruyendo por primera vez –y manteniéndolo hasta hoy– la unidad de la cristiandad. Debemos tener perfectamente claro: la Reforma no fue un acontecimiento fácil y transparente. Por el contrario fue un proceso extraordinariamente complejo en sí y en sus orígenes, por sus múltiples elementos confluyentes. Constituye un heterogéneo fenómeno social, que es, al mismo tiempo, espiritual, político, económico. Aunque primordialmente fuese religioso-teológico, se encuentra profundamente relacionado con todos los arduos problemas que atañen a la reiigión, al cristianismo, a la Iglesia y al Pontificado y muy fuertemente ligado con el movimiento indi-vidualista-filosófico, que conocemos como humanismo.[11] Se trata de una peligrosa disconformidad con la situación y plantea la imperiosa necesidad de proceder a una reforma radical en la cabeza y en los miembros de la Iglesia. Esta es la mentalidad específica del P. Las Casas respecto al Estado en Indias. Del mismo modo que, en el sentido indicado, la Reforma protestante es una lucha por alcanzar la forma verdadera del cristianismo, toda la vida del P. Las Casas en América, fue una lucha constante por alcanzar lo que él consideraba la forma verdadera del cristianismo misionero.

Este posibilismo es, sin duda, generacional y se manifiesta en una doble vertiente. Por una parte, en relación con la *duda*. ¿Era la Iglesia católica que existía entonces la verdadera? Esta duda fue surgiendo poco a poco en una línea que está perfectamente clara: el despertar de la piedad personal en el siglo XII; los procesos de desintegración anti-pontificios de la Baja Edad Media (nominalismo, conciliarismo, galicanismo, valdenses, cátaros, Wicliffe, Huss,), finalmente, las discusiones sobre la prioridad de poderes, en la llamada «querella de las Investiduras». Por otra parte, la propagación de esa duda fue una realidad extraordinariamente lenta, y aun más lento todavía fue que el Occidente tomase conciencia de ella, ya que en la vida filosófica, religiosa, política y económica, las relaciones con la Iglesia son cada vez más inconscientes y menos absolutas debido a la secularización. La consecuencia de ambas vertientes, es que, al principio de la Edad Moderna, la disolución de la idea de la realidad católica inconmovible, amenazaba fuertemente la vida de la Iglesia. Pese a ello, la Iglesia, era el poder que dirigía la época, pues aparecía como guardina y la directora natural de toda la vida pública y privada. La misma vida del Estado era inconcebible sin que estuviese basada en el orden y el pensamiento de la Iglesia.

Si este gigantesco problema representa la coherencia generacional, es decir, era lo que daba sentido y empapaba todas las actitudes como una referencia específica a la que conducían todos los caminos, todas las ideas,[12] el factor del cambio radica en la figura de Martín Lutero. Puede afirmarse, con absoluta evidencia, que apenas dio expresión a idea alguna que no pueda demostrarse que se encontraba ya en teólogos anteriores a él.[13] Lo peculiar, lo característico en él, fue la *energía*. Su paralelismo con el P. Las Casas es impresionante, pues, sin duda, están integrados en una misma *coherencia generacional.* De 1501 a 1505 realiza estudios en la Universidad de Erfurt; de 1505 a 1506 ingresa en los Ermitaños de San Agustín. De 1507 a 1510 se ordena en Erfurt, estudia en Wittemberg, va a Roma, para establecerse en Wittemberg de 1511 a 1517, fecha de sus «noventa y cinco tesis». En esta época se delínea el reformador, del cual emerge un nuevo concepto de Iglesia, que se caracteriza, sobre todo, por su condición subjetivista y enérgica. Las Casas se ha ordenado en 1510, en 1516, en España, redacta su «Memorial de los catorce remedios», en el que delínea un gobierno igualitarista, perfectamente utópico, marcha de nuevo a América interviniendo en lo que se ha denom·nado «El plan Cisneros-Las Casas para la reformación de las Indias» y tras su tremendo fracaso de Cumaná, en la isla Española, comienza su reconversión, ingresando en la orden de Santo Domingo y comenzando lo que debemos considerar sus tres grandes obras, prácticamente, sus tres únicas obras de conciencia: el *Unico vocationis modo,* el tomo primero de su *Historia de las Indias* y su gran obra personal: La *Apologética Historia* En la retina del P. Las Casas todavía estaba fija, la imagen del P. Montesinos pronunciando su famoso sermón condenatorio en 1511. Al ingresar en la orden de Santo Domingo, sin duda tenía muy fija en su conciencia, aquello de lo que se había dado cuenta Santo Domingo: en el cristianismo la verdad no puede ser impuesta por la fuerza, sino por la predicación. Pero aquello lo había concluido Santo Domingo en el centro mismo del movimiento herético y, para ello, había entrado en línea con las órdenes mendicantes, que aparecieron simultáneamente, y por similares motivos, en el siglo XII: franciscanos, dominicos, carmelitas y agustinos. En la elaboración de la doctrina que será peculiar de la Orden de Santo Domingo, existen dos fuertes apoyos, ninguno de los cuales, fue ciertamente peculiar en el P. Las Casas: el estudio crítico universitario y el impulso de la mística.

LA PERSONA

Aquí se toca un tercer plano, centrado fundamentalmente en el problema de la realidad. Se trata del tercer nivel histórico: el de la conciencia personal, del que emana cualquier de las dos actitudes posibles respecto a una coherencia generacional o una época: la *disidencia* o el *consenso*. En el plano historiográfico, aparece aquí el gran tema de la «verdad histórica», matizada por la conciencia personal, lo cual origina que puedan darse diversas concepciones y que, detrás de ellas, existan diferentes corrientes ideológicas.[14] De modo, pues, que la conciencia debe dilucidarse –conceptualmente– en la relación de la *verdad* con la *realidad.* Según la clásica definición de Aristóteles, la verdad es «la conformidad de un juicio con la realidad objetiva a que este juicio se refiere». Pero, cabe plantear inmediatamente, ¿en qué consiste esa realidad con la que el juicio debe coincidir? Porque, sin duda, ofrece un amplio haz de posibilidades: puede ser la realidad empírica, la realidad de la cosa individual, la realidad metafísica, la realidad inteligible, la forma interior de la misma. Por otra parte, ¿cuál es la concepción sobre la verdad histórica? En principio, consecuentemente con lo anteriormente establecido, la adecuación de la verdad histórica con la realidad histórica. Pero esa realidad se encuentra matizada en razón al principio de la creciente distancia de los hechos históricos individuales, lo cual ha llevado a Víctor Frankl a la elaboración de cuatro *modos* posibles:

– *la verdad histórica en cuanto recuerdo fiel,* copia narrativa del hecho individual que aparece en su forma más pura en la reproducción de lo «visto y vivido» por el autor mismo de la experiencia. Corresponde este *modo* al realismo de la Antigüedad clásica y a la renovación del mismo en el Renacimiento.

– *la verdad histórica espiritual,* oculta a los ojos de los hombres vulgares y carnales y sólo accesible a los dotados de una visión poética, ya que se refiere a los valores ideales que orientan las acciones de los héroes. Este *modo* corresponde al individualismo y personalismo del Renacimiento, acentuados por las corrientes neoplatónica, pauliniana y joaquinita.

– la comprensión y exposición adecuada del coeficiente de la *«fama»* de algunos hombres por encima de la realidad bruta de los hechos. Corresponde este *modo* a la corriente romántico-cabelleresca y arcaizante de la época prerrenacentista.

– *la comprensión de la actividad de Dios en la Historia* y la referencia inevitable de los actos humanos a Dios; es decir, el reconocimiento del fondo teológico del acaecer histórico, que puede ser entendido de tres maneras: por la continua conducción por Dios de los destinos humanos; por el continuo «agon» entre las potencias divinas y las satánicas; como irrupción de lo divino en el mundo temporal. Corresponde este *modo* (y sus tres maneras) al Agustinismo medieval, renovado por el Contrarreformismo del siglo XVI.

En este último *modo* –con toda evidencia en la *manera* dos– se sitúa el pensamiento historiográfico y casi diríamos, la condición personal íntegra, del P. Las Casas: la verdad histórica como comprensión de la historia en cuanto campo de batalla entre los dos ejércitos místicos, el de Dios y el de Satanás. Se trata de una interpretación de la historia *agonal-dualista* y entraña la concepción de que la realidad histórica es el campo de lucha entre dos Reinos o ejércitos místico-sobrenaturales. En consecuencia de ello, todo hecho histórico tiene un doble significado: empírico-concreto y metafísico-religioso. Y esto es así, desde los orígenes del cristianismo (Profeta Daniel y San Pablo), en que se produce la identificación de los dos Reinos sobrenaturales con realidades histórico-temporales. San Agustín y, posteriormente, Santo Tomás, centran la tesis de la «guerra santa» como centro del acontecer histórico. A ella se opusieron tres ideas: la del «humanismo caballeresco», en torno al año 1200 en la época de los Stauffen, cuya mayor expresión se encuentra en la «oración de la tolerancia» de la condensa Gyburg: *respetad las criaturas de Dios;* la idea de tolerancia e igualdad, opuesta a «la guerra santa» en la España del siglo XIII, especialmente, en torno al círculo de Alfonso X «el Sabio», en la que fue posible la convivencia de cristianos, moros y judíos; la idea del «Derecho Natural», arraigado en la Razón divina y reflejado en la Razón Humana , de la que surgió una ética humanista, cuya primera manifestación se dio cabalmente, en la época de la conquista.[15] En América, en efecto, el choque entre la «teoría de la guerra santa», que inscribió a Las Casas y las ideas tradicionales de tolerancia, convivencia y ética humanista, que caracterizó la sociedad castellana, se produjo la gran llamarada de la «guerra justa»:[16] todo un esquema de duda luterana.

En el ambiente cultural formativo español del siglo XVI,llegaron las dos concepciones de la guerra a expresiones de enorme grandiosidad debido a la presión del doble problema: de los turcos y de los indios americanos. Ello implicó la formación de una conciencia política fuertemente comunitaria en los reinados de los Reyes Católicos y de Carlos I, es decir, comunitaria en los reinados de los Reyes Católicos y de Carlos I, es decir, toda la primera mitad del siglo XVI. Esta conciencia política dispone de una larga tradición, entre cuyos componentes han sido destacados[17] dos: el discurso de Alonso de Cartagena, Obispo de Burgos, ante el Concilio de Basilea (1434) para conseguir la precedencia del Rey de Castilla sobre el de Inglaterra: «El Señor Rey de Inglaterra, aunque faze guerra, pero non es aquella guerra divinal... ca nin es contra los infieles, nin por ensalzamiento de la fe catolica, nin por extensión de los términos de la Cristiandat, masfazesse por otras cabsas». El otro componente de la tradición que ha sido destacado se encuentra inserto en los conceptos de Juan de Mena en su *Laberinto de Fortuna* (1444), donde dice que la guerra justa es, exclusivamente, la guerra contra los moros: Esta visión místico-agonal aparece, con toda fuerza, en la época de Carlos I, revestida de formas humanistas y aristotélicas, pero sin perder su carácter dualista. Juan Ginés de Sepúlveda[18] en su *Democrates alter* (1547) y en su disputa con Las Casas (1550), aplica los conceptos aristotélicos del eterno antagonismo entre libres y esclavos por naturaleza, al contraste entre españoles e indios americanos, uniéndolo al ideario de la «guerra santa», por ejemplo, contra pueblos idólatras que viven en el pecado «contra naturam». Las Casas sostuvo la tesis paulina de la esencial igualdad de todos los hombres, uniéndola a la tesis jusnaturalista tomista de que los indios americanos poseen, pese a su infidelidad, verdaderos y válidos órdenes políticos y sociales que los españoles tenían que respetar. Encuentra, sin embargo, como vía conciliatoria la posibilidad de una transferencia por el Papa de la dignidad de Emperador de las Indias Occidentales a los Reyes de Castilla, en sus «Treinta Proposiciones muy jurídicas» (1549).

LA POLÉMICA

En cuanto plano de manifestación de esta triple estructura, destaca, desde luego, lo existencial. Porque, los que intervienen, aprecian, más que la trasmisión de la noticia, la acción misma, la grandeza de la realidad vivida, en definitiva, valoran la verdad existencial considerada como una identidad total del hombre con sus existencia concreta, dentro de una acción efectiva. Ello se manifiesta en un doble plano: por una parte, el impulso básico de la gloria: orgullo y soberbia en la defensa de la fama; por otra parte, el sometimiento a una ética de conducta que puede tener el filo de la moral católica, afirmada en una lucha reconquistadora de ocho siglos y en una defensa inmediata del ideal contrarreformista, que de hecho se manifiesta en la impresionante fidelidad y lealtad a la Corona, cristalizando todo ello en lo que debe considerarse la base dela cultura y la identidad españolas: la polémica.[19] Ofrece el contrasentido de que, creando las bases de un nacionalismo cultural transatlántico, se presente éste cuajado de resabios, antagonismos, rivalidades y posiciones discordantes. En una palabra, falto de unidad, fuertemente individualizado en su sentido y comprensión, carente de consistencia, en definitiva, polémico. En ella se inscribe, nada menos, que la polémica del Nuevo Mundo,[20] cuyo momento más espectacular fue el enfrentamiento de las tesis en Valladolid (1550), por orden del Rey, entre Ginés de Sepúlveda y el P. Las Casas, que tienen, respectivamente dos antecedentes personales altamente hiperbólicos: el dictámen desfavorable al *Demócrates Álter* de Sepúlveda, entre 1547-48, en vista de lo cual escribió, en Roma, su apasionada *Apología* (1550). En Las Casas, el antecedente está representado por su furibundo *Confesionario* (1546), en el cual da avisos y reglas para confesores que son o han sido en cargo a los Indios del Mar Océano, para queno absuelvan a los conquistadores. Posteriormente a la polémica la *Brevísima relación de la destruyción de las Indias* (1552), hipérbole máxima, enormización absoluta, que sería condenada por la Inquisición por «ser ofensiva al honor de la nación española». ¿Por qué estas hipérboles tan tremendas?; sin duda, porque busca lo absoluto de lo moral, porque se enfrenta y vive la angustia de una dualidad de absolutos opuestos: el bien y el mal.

Las Casas llevado por un idealismo de típico cuño medieval sublima otra dualidad: lo óptimo y lo pésimo. Ni la *Brevísima* ni el *Confesionario* son historia, pues en ellos no se trabaja con los datos concretos de la realidad objetiva; sino que existe en ellos una apriorística y subjetiva intención moralizante, determinada por su fundamental dualidad antagónica, en las que se moraliza en relación con unas circunstancias históricas, de por sí polémicas. Se trata, en consecuencia, de un moralización con *fundamento in re.*

En consecuencia –y como conclusiones– la *época* influye fuertemente en Las Casas, en cuanto humanista. No se ha estudiado esta dimensión fundamental de Las Casas como tal. Se aprecia un cierto temor a la afirmación específica de su humanismo, que resalta de un modo absoluto en sus obras importantes, verdaderamente históricas, como es la *Apologética*.

La *generación* influye de un modo esencial en la problematización que hace Las Casas de la necesidad de la reforma de la Iglesia –coincidiendo generacionalmente con Lutero– aunque para él se produzca una necesidad vital y absoluta de contrarreformismo, dentro del ordenancismo de la orden dominica. Sin embargo, su enorme energía, la enfocará hacia la idea del reformismo del Estado, cuyos derechos pone en duda, e implica un reformismo sobre la base del Reino de Dios.

La *conciencia* personal le sitúa en una posición agonaldualista, comprendiendo la historia como una manifestación de la continua actividad de Dios.

Por último, se manifiesta como una expresión vital y enérgica del sentimiento hispánico de polémica, apuntando hacia losmás relevantes sectores, recurriendo a una ética autoritaria, claramente agustiniana, pero fuera de la tradición española más pura, en oposición abierta a la gran novedad de alta índole modernizadora introducida por los españoles en América, que fue la ética humanista. Ello origina una fuerte discordancia entre Las Casas y los españoles, que puede, sin embargo, ser comprendida en las coordenadas más intimistas y profundas de la situación epocal, de la síntesis y contenido de la grande, única y decisiva obra de España en América.

NOTAS

[1] ANDRE SAINT-LU: «Acerca de algunas contradicciones lascasianas», en *Estudios sobre Fray Bartolomé de Las Casas*, Sevilla, 1974. Se trata de un verdadero estudioso lascasista, acreditado por su fundamental estudio La Vera Paz. *Esprit evangelique et colonisation*, Paris, 1968.

[2] RAMON MENENDEZ PIDAL: *Una norma anormal del P. Las Casas*, Madrid, Espasa-Calpe, 1949.

[3] JUAN BAUTISTA AVALLE-ARCE: *Dintorno de una época dorada*, Madrid, Porrúa-Turranzas, 1978

[4] JOSE ANTONIO MARAVALL: «Sobre naturaleza e historia en el humanismo español», *Historia de España de Arbor*, Madrid 1953.*Estudios de Historia del Pensamiento Español*. Serie segunda: El Renacimiento. Madrid.Edic. Cultura Hispánica. 1984.

[5] M. BATAILLON: *Erasmo y España. Estudios sobre historia espiritual del siglo XVI*, México, 2ª ed. 1966.

[6] El ilustre historiador chileno MARIO GONGORA, fue el primero que habló de la «Fundación».Cfr. *El Estado español en el Derecho Indiano*, Santiago de Chile, 1946.

[7] JOSE LUIS ABELLAN: «*Historia crítica del pensamiento español*, tomo II, Madrid, 1976.

[8] MARIO HERNANDEZ SANCHEZ-BARBA: *La versión intelectual de la experiencia americana. Historia y Literatura de Hispanoamerica, 1492-1820*, Madrid, Castalia, 1978.

[9] «Unico vocationis modo...»,ed. moderna *Del único modo de atraer a todas las gentes a la religión de Cristo*, México, 1942.

[10] La *Apologética Historia*, es la obra más importante de Las Casas. En principio iba a ser una parte de su *Historia* pero tomó tal entidad que decidió escribir una obra aparte, constituyendo una auténtica antropología indígena.

[11] JOSEPH LORTZ: *Historia de la Iglesia*, desde la perspectiva de la Historia de las ideas, Madrid, Guadarrama, 1962.

[12] En relación con la madurez de la situación, Vid. op. cit. de LORTZ, pgá. 398 y sigs.

[13] LORTZ, op. cit. proporciona abundante bibliografía y críticos e inteligentes puntos de vista perceptivos sobre Martín Lutero.

[14] VICTOR FRANKL: *El «Antijovio» de Gonzalo Jimenez de Quesada y las concepciones de realidad y verdad en la época de la Contrarreforma y del Manierismo,* Madrid, Cultura Hispánica, 1963.

[15] Cfr. MARIO HERNANDEZ SANCHEZ-BARBA: «Actitud del conquistador ante la Etica de la Conquista», *Actas del I Simposio sobre la Etica de la Conquista,* Salamenca, 1984.

[16] LEWIS HANKE: *La lucha por la justicia en la conquista de América,* Buenos Aires, Sudamericana, 1945 y JOSEPH HOFFNER: *La Etica colonial española del Siglo de Oro. Cristianismo y dignidad humana,* Madrid 1957.

[17] AVALLE-ARCE, op. cit. Apud. AMERICO CASTRO: *España en su Historia.*

[18] El máximo historiador de Sepúlveda ha sido ANGEL LOSADA: *Juan Ginéz de Sepúlveda a través de su «Epistolario» y nuevos documentos,* Madrid, 1949.

[19] MARIO HERNANDEZ SANCHEZ-BARBA, op. cit. (1978).

[20] ANTONELLO GERBI: *Viejas polémicas sobre el Nuevo Mundo,* Lima 1946, 3ª ed. Nueva Edición muy aumentada: *La disputa del Nuevo Mundo,* Milán-Nápoles, 1955.

LA POBLACIÓN DE LAS INDIAS EN LAS CASAS Y EN LA HISTORIA

Nicolás Sánchez-Albornoz

En la defensa que fray Bartolomé de Las Casas hizo de los indios, un argumento recorre obsesivamente las cartas, memoriales y libros en los que recogió cuanto de viva voz adujo ante las instancias más altas y los auditorios más variados. Con abierta pasión y vehemencia hizo cargo allí a los conquistadores de la despoblación de las Indias, caída demográfica sin precedentes en la historia: «que nunca jamás otra oída, ni acaecida ni soñada», escribe el propio dominico.[1] Aislada de su contexto argumental, esa visión catastrofista de la conquista ha dado pábulo para la llamada Leyenda Negra. Las Casas ha gozado por este alcance fortuito de sus alegatos del gran renombre que atestigua el centenar largo de ediciones en varios idiomas de su libro más popular, la *Brevísima relación,* aunque también ha sufrido recriminaciones o censurantes silencios. Por siglos Las Casas no ha cesado de ser una personalidad controvertida. La magnitud del descenso de población provocado por la Conquista tampoco ha dejado de ser aún tema polémico.

Dimensiones de la población original y de su mengua se encuentran esparcidas en numerosos pasajes de su extensa obra. Los historiadores las han aducido a menudo como testimonio fehaciente. El propósito de este trabajo es confrontarlas entre sí para descubrir si responden a un criterio consistente y compararlas luego con las consignadas en otras fuentes o con las que proporcionan los estudios modernos. Las cantidades espigadas entre los escritos de Las Casas son las siguientes.

En su *Historia de las Indias,* escrita en los últimos años de su vida, Las Casas dice: «han perecido hasta hoy que es el año de 1560 sobre 40 cuentos de almas».[2] En dos tercios de siglo, de 1492 a 1560, la población indígena del Nuevo Mundo habría perdido, según esta afirmación, 40 millones de individuos. En carta escrita en 1555 al maestro fray Bartolomé Carranza de Miranda decía: «sobre veinte cuentos y veinte y cinco de ánimas han sin fe y sin sacramentos perescido».[3] En su libro anterior, de 1542, el dominico no daba cómputo general, sino cantidades parciales que sumaremos.

De la Española señala en la *Brevísima relación* que se hallaba habitada, antes de la llegada de los castellanos, por 3 cuentos de aborígenes, de los que restaban a la sazón unas centenas. En San Juan (Puerto Rico) y Jamaica, los naturales habían sido reducidos de 600.000 a un par de centenares en cada lugar.

Las Lucayas estuvieron habitadas, por su parte, por medio millón de indios, de los que restaban tan solo once.[4] En Tierra Firme, la merma fue, al cabo de cuarenta años, de «doce cuentos de ánimas, hombres, mujeres y niños; y en verdad que creo, sin pensar engañarme, que son más de quince cuentos».[5] Esta retracción se descompone en 4 ó 5 cuentos en las costas de la América del Sur septentrional, entre los cuales dos fueron esclavizados y arrancados de las costas de las Perlas, Paria y Trinidad, 4 ó 5 también desaparecidos en Guatemala y 4 en Nueva España.[6] Entre ellos se cuenta el millón que Las Casas asigna, en otro documento, a Castilla del Oro. Perú queda excluido de la cuenta o le es otorgado escaso margen, si la retracción expresada en la frase «quiero decir tres o cuatro no más» se aplica acaso a los 4 ó 5 millones de óbitos localizados en el norte de Sudamérica.[7]

Sumadas estas cantidades, las pérdidas humanas habrían ascendido hacia 1542 a 16,1 ó 19,1 millones, según se cuente, en suma menos que las que se habrían producido, entre 1542 y el cómputo de 1560 (de 20,9 a 23,9 millones). Esta sangría, mayor en dieciocho años que en los primeros cuarenta, supone una agravación tardía de la mortalidad que Las Casas habría debido señalar. Es más; esta aceleración contradice el meollo de su argumento, según el cual la catástrofe demográfica se asocia con la etapa bélica y, por lo tanto, la inicial de la conquista. La pérdida de 4 cuentos de almas en Nueva España se extiende –precisa– por los doce primeros años de la ocupación, entre 1518 y 1530, igual que la de los 4 ó 5 millones de Guatemala abarca los 16 años posteriores a 1524, y la asolación de Yucatán, para el que no da cifras, se localiza en el septenio de 1526 a 1533.[8]

Al redactar su último libro, Las Casas entendió bien que desde que había escrito la *Brevísima relación,* el número de aborígenes que habían perecido en Indias se había agrandado y que por consiguiente debía actualizar las cifras. El dominico no rectificó sin embargo los parciales, sino que redondeó el total por lo alto. Lanzó la hipérbole sin cuidarse de que casara con los escritos anteriores. La afirmación de 1560 fue pues hecha a la ligera y no hay por que tomarla al pie de la letra.

¿De qué tipo son los datos de población que aporta en la *Brevísima relación* así como en varios documentos? Los hay de tres clases. En primer lugar, hay estimaciones del tamaño de la población que entró en contacto con los primeros españoles: las ya mencionadas de la Española, San Juan, Jamaica, las islas Lucayas y Castilla del Oro. Son ellos los territorios que el dominico conoció directamente y donde los naturales casi desaparecieron. El volumen inicial sirve de punto de comparación imprescindible para apreciar el rigor de la caída. En 1518, en el *Memorial de remedios* Las Casas refiere por cierto que «de un cuento y cient mill ánimas que había en la isla Española no han dejado los cristianos sino ocho o nueve mill, que todos han muerto». La misma cantidad es repetida en 1531 y en 1535.[9] La última se aplica a indios de cuya matanza el fraile dice ser testigo. A partir de 1542, la suma asciende a tres millones y sube eventualmente a 3 ó 4 millones.[10] En 1560, el millón cien mil almas reaparece, pero en boca del propio Almirante, y Las Casas agrega: «pero éstas fueron sólo aquéllas que estaban alrededor de las minas del Cibao».[11] En esta postrer referencia, la autoridad de Colón reemplaza al testimonio propio y circunscribe por primera vez el área a la que se atribuye el dato. La triplicación, o casi, de la población inicial de la Española, hasta tres cuentos, parece así justificarse. Nótese por último que Las Casas no aporta cantidad alguna para Cuba, a cuya despoblación dedica sin embargo comentarios detallados.

El segundo grupo de datos corresponde a pérdidas absolutas; faltan valores para la población de partida y la final. La cantidad aproximada de indios que estos lugares perdieron consta, pero no la proporción de población que ellos representan. En estos territorios continentales los indios, aunque disminuyeron, no se extinguieron. El declive cobra además un perfil nitido en el tiempo: los 4 millones de desaparecidos en Nueva España menguaron en doce años, a razón pues de un tercio de millón anual: en Guatemala, la caída de 4 ó 5 millones se extendió por dieciocho años, resultando en consecuencia menos pronunciada.

La tercera clase de datos son de orden local y se componen de decenas o centenas de millares. En Tierra Firme, Pedrarias Dávila mató alrededor de 40.000 individuos, según testimonio que recoge de Fray Francisco de San Román.[12] De Cuba señala Las Casas que en tres o cuatro meses murieron cien mil almas por falta de mantenimientos y por sobreexplotación en las minas; en igual período, 7.000 niños fallecieron por faltarles los padres y las madres llevados a las minas.[13] En Nicaragua, por otra parte, de 20 a 30.000 personas murieron de hambre. De allí mismo fueron sacados, entre 1523 y 1533, medio millón de esclavos para ser vendidos en Panamá y Perú.[14] Sin embargo, en un texto anterior, la extracción reviste una envergadura más modesta: a Panamá fueron remitidos, dice allí, 25.000 esclavos y al Perú 15.000. Al referirse a la saca de 12.000 esclavos al Perú en un par de años previos, declara «y éstos están escriptos en los libros del Rey!»[15] Alusión a otra extracción: de Sevilla dice que residían entonces nada menos que unos 10.000 indios.[16]

En relación con el número de lugares y regiones citados, los datos son pocos. Las Casas no abusa pues de la información cuantitativa. Unos datos los toma de testigos como Fray Francisco de San Román, o de documentos oficiales como los registros de Panamá. Otros parecen más bien conjeturas. El total de medio millón de esclavos indios transportados de Nicaragua a Panamá y Perú según la *Brevísima relación* supera con creces los parciales que él da en otro lugar. Las seis cifras lucen en este grupo un aire especulativo; las decenas de millares parecen en cambio menos discutibles, pero faltan apoyos para tener certeza.

La historia de América latina ha dedicado muchos esfuerzos, desde hace varios decenios, a escrutar una y otra vez, en general y por territorios, teorías y materiales acerca del descenso de la población indígena en el siglo XVI. Hay acuerdo en que ésta se contrajo, pero las opiniones difieren en cuánto y en por qué.

Cuantos indios habitaban la Española a la llegada de Colón ha sido tema de frecuentes polémicas. En el debate las noticas de Las Casas nunca han faltado. El balance se inclina hoy por hoy en favor de una fuerte densidad de la isla en el momento del primer contacto. Ahora bien, ¿cuánto es «fuerte»? Aquí las posiciones se hallan distanciadas. En un estudio ejemplar para la ecología histórica, C.O. Sauer concluye, después de observar el aprovechamiento que hicieron los indígenas de los recursos naturales, que la población de la isla era alta, sin entrar en números. Los únicos que se juega son los del repartimiento de 1514, pero éste es tardío.[17] Cook y Borah basan en cambio su análisis en textos. A partir de varias referencias documentales, entre las que dan pleno crédito a las citas lascasianas, proyectan hacia atrás el tamaño cambiente de la población, concluyendo que el año de 1492 bien pudo estar ocupada la isla por 8 millones de habitantes, a razón de 105 por kilómetro cuadrado.[18] Estas cantidades teóricas no han recibido plena aceptación.[19] Si los tres millones de Las Casas siempre fueron resistidos, más lo sería una suma varias veces mayor. Las reservas no se han hecho esperar, como tampoco las contrapropuestas. Partiendo de la lista de cacicazgos del repartimiento de 1514, Moya Pons ha proyectado hacia atrás las únicas cantidades desagregadas disponibles para la isla y ha estimado a continuación el presunto tamaño de cada provincia. El total que postula para la isla no alcanza al medio millón de indígenas.[20] Cualquiera sea la cantidad que se tenga por más convincente, la más alta o la más baja, lo cierto es que cuando Las Casas redactaba la *Brevísima relación,* los indios no llegaban a tres centenas, un declive catastrófico.

Los mismos Cook y Borah habían propuesto antes una población para México central de unos 25 millones de habitantes en el momento en que Hernán Cortés desembarcó en sus costas. Esta ingente masa humana se habría contraído hacia 1548 a unos 6,3 millones, según la *Suma de tributos,* con pérdida por consiguiente de unos 19 millones de habitantes.[21] Dentro de este número caben con holgura los 4 millones que Las Casas echaba en falta. Los valores de Cook y Borah han sido ampliamente divulgados en la literatura histórica, pero han suscitado un replanteo reciente. Las propuestas alternativas proceden, más que del campo de la historia, del de la arqueología. Relevamientos sistemáticos de sitios han sido emprendidos para varias zonas de México central, en las que se han efectuado luego excavaciones por muestreo para determinar el grado de ocupación del suelo y de explotación de los recursos naturales por épocas. De estos datos se han extraído secuencias locales de densidad humana, que han servido a su vez de base para estimar la población total de extensas áreas. De esta manera, W. Sanders ha concluido que el Valle de México no pudo sustentar una población del tamaño preconizado por Cook y Borah. Todo México central quizá albergara 15 millones al empezar la conquista.[22] A pesar del recorte que esta nueva cifra implica, la retracción demográfica, de 15 a 6,3 millones, no deja de ser catastrófica. En los casi nueve millones de diferencia caben todavía a sus anchas los cuatro mencionados por fray Bartolomé. Las Casas de cualquier modo se había quedado corto.

Sobre la población de América central, la Guatemala del siglo XVI, no disponemos de una estimación general, sino que hemos de sumar datos parciales, no siempre fundados en informaciones de un mismo rigor. El máximo a que llegamos, siguiendo a McLeod, es de unos 3 millones de indios para toda la región, por debajo, por consiguiente, de los 4 ó 5 millones de pérdidas que Las Casas declaró.[23] Al revés que en México, se le fue la mano.

Frente a las cifras de población modernas, las del fraile no pecan, está visto, de un sesgo en una sola dirección. Al dominico, unas veces se le va la mano y otras se queda corto. De todos modos, no parecen dignas de que se las aduzca como prueba. La disminución de la masa indígena no deja, sin embargo, de estar plenamente demostrada hoy. No necesitamos de esas cantidades para apreciar la magnitud del descalabro. Los números del fraile, más que de la problación de las Indias, nos hablan de la cultura de la época que empezaba a necesitar apuntalar sus argumentos con cuantificaciones.[24]

¿De qué modo explica Las Casa la catástrofe? en la *Brevísima relación,* el dominico escribe que «los cristianos» tienen dos maneras de «estirpar y raer de la faz de la tierra a aquellas miserables naciones»: una es «por injustas, crueles, sangrientas y tiránicas guerras» y otra «oprimiéndolas con la más dura, horrible y áspera servidumbre».[25] Las Casas otorga la máxima responsabilidad a la acción militar de la Conquista. Sus textos están plagados de relatos de matanzas, individuales y colectivas, a punta de espadas o por el fuego.

La violencia impregna sus páginas con una repetición monótona, «ad nauseam» en el sentido más literal de la expresión. A esta explicación se suman sin embargo otras no menos brutales, como la frecuente captura y venta de esclavos en Paria, Yucatán y Nicaragua[26] y otras derivadas de la opresión instaurada. Más esporádicas, éstas últimas merecen ser detalladas.

Las Casas refiere varias veces las requisa de subsistencias como causa de mortandad, «porque no suelen tener más de lo que ordinariamente han menester».[27] En un caso especifica cómo murieron entre 20 y 30 mil almas en Nicaragua, porque los indios no pudieron sembrar y el maíz que tenían para su manutención les fue confiscado.[28] Otras veces la dieta se empobrece. A los indios que cargan de trabajos, los conquistadores no les dan de comer, se queja el fraile, «sino yerbas y cosas que no tenían substancia» (cazabe y ají, precisa).[29] La mala alimentación secaba, relata, los pechos de las mujeres recién paridas y todas sus criaturas se morían.[30].

La desnutrición se combina con trabajos extenuantes que conducen a los indios hasta la muerte en minas y en estancias.[31] Las cargas, contra las que la Corona promulgaría leyes rigurosas, son también para el fraile responsables del agotamiento de los indios. Las Casas narra, por ejemplo, cómo los indios de Nicaragua fueron obligados a transportar pesados troncos por más de 30 leguas para tablazón de las embarcaciones en construcción en la costa.[32]

La conquista desató también lazos sociales. Apartados los maridos por razones de trabajo, las mujeres dejaron de procrear. Los abortos se multiplicaron. Cesó la generación, comenta taxativamente el dominico.[33] La huida a los montes o a las islas desbarató asimismo las comunidades.[34] Al colmo se llegó con el suicidio. Las Casas detalla actos en que los indios se dieron voluntariamente la muerte para escapar a la opresión: algunos ingirieron el veneno destilado de la yuca, otros se ahorcaron en grupo, incluso familiar (marido, mujer e hijos).[35]

Entre todas estas causas, falta destacar una a la que la investigación moderna concede gran relieve: la panoplia de epidemias (viruela, sarampión, tifus, gripe...), poco letales en Europa, pero contra las cuales los indios no se hallaban inmunizados. Estas epidemias, se ha comprobado, fueron extremadamente mortíferas en cada brote de los que de modo periódico asolaron a América.[36] Las Casas alude en cambio de pasada a las enfermedades de los indios, como queriendo quitar fuerza a ese argumento.[37]

Los textos de Las Casas son adrede polémicos. Sus historias no son productos atemperadosos, sino obras militantes. Sus objetivos están claros. No los oculta. Su propósito es lograr que se modifiquen las normas sobre las cuales se ha edificado la dominación española en Indias. Aspira a resultados y algunos obtienen en el curso de sus insistentes campañas. Para su fin lo mismo recurre a admoniciones morales, o religiosas, como a información histórica. Hace hincapié en la acción bélica e ignora otros factores, como las epidemias. Las elude quizá para no dar pie a una excusa, para no diluir responsabilidades y detener la intervención de la corona.

Que las cifras sobre la despoblación que salpican sus textos no sean seguras, que sólo sirvan para argüir honestamente, de acuerdo con las exigencias de la época, en favor de su tesis, que la ponderación de los factores no sea equilibrada, todas estas deficiencias, ¿acaso implican que Las Casas desfigure los hechos básicos? La población de las Indias como consecuencia de la Conquista es un punto incontrovertible. Las Casas habrá cometido yerros, habrá medido imperfectamente y explicado parcialmente las muertes, pero no se equivocó en la envergadura ni en la raíz del problema. Sobre la base de cifras inexactas, el fraile dibuja la línea que siguió el proceso y si insiste en uno de los motivos, éste es por cierto el fundamental. Los recursos empleados presentan fisuras, pero el núcleo del argumento es correcto. Las Casas hace a lo largo de su obra una apreciación justa del hecho colonial. Las Casas, testigo presencial, no será tenido por historiador o antropólogo incontestable, pero en cambio será siempre recordado, por su formidable labor, como figura precursora del anticolonialismo.[38]

NOTAS

[1] Las citas se harán según la edición de *Obras escogidas*, publicada en cinco volúmenes por la Biblioteca Autores Españoles, tomos 95 y 96 *(Historia de las Indias)*, 105 y 106 *(Apologética historia)*, 110 *(Opúsculos, cartas y memoriales)*, que incluyen la *Brevísima relación de la destrucción de las Indias*, Madrid, 1957-1958. En homenaje a la brevedad figurarán sólo las siglas BAE, acompañadas del número del volumen y de las páginas. El texto anterior procede de BAE, 96, pág. 549.

[2] Id.

[3] BAE, 110, pág. 431.

[4] BAE, 110, págs. 136 y 146.

[5] BAE, 110, pág. 137.

[6] BAE, 110, págs. 147, 153 y 163.

[7] Castilla el Oro: BAE, 110, «Memorial de Fray Bartolomé de Las Casas y fray Rodrigo de Andrada al rey», 1543, pág. 188; Venezuela: pág. 164.

[8] BAE, 110, págs. 147, 152 y 156. Si tomáramos en consideración los 20 ó 25 millones mencionados en la carta a Carranza, la presunta aceleración de la mortalidad entre 1555 y 1560 sería aún mayor, pero no queremos forzar el argumento.

[9] BAE, 110, pág. 33; «Carta al Consejo de Indias», 1531, pág. 48; y «Carta a un personaje de la Corte», 1535, pág. 65.

[10] Además de la referencia en la *Brevísima relación* citada (nota 4), véase BAE, 110, «Entre los remedios», pág. 75, y «Carta al maestro Carranza», 1555, ut supra, pág. 435. Asimismo, BAE, 105, pág. 65.

[11] BAE, 96 pág. 51.

[12] BAE, 110, pág. 143.

[13] BAE, 110, «Representación a los regentes Cisneros y Adriano», 1516, pág. 3; y 110, pág. 143.

[14] BAE, 110,pág. 146.

[15] BAE, 110, «Carta a un personaje de la Corte», 1535, pág. 64.

[16] BAE, 110, «Memorial de fray Bartolomé de Las Casas y fray Rodrigo de Andrada al rey», 1543, pág. 195. Sobre la presencia de exclavos indios en Sevilla, véase también la «Carta al Consejo de Indias» del año siguiente», pág. 207 (anécdota en pág. 210).

[17] C.O. Sauer, *The Early Spanish Main*,Berkeley, 1966 (ahy trad. esp.).

[18] S.F. Cook y W. Borah, *Essays in Population History: Mexico and the Caribbean*, Berkeley, 1971, pág. 408 (hay trad. esp.).

[19] D. Henige, «on the Contact Population of Hispaniola: History as Higher Mathematics», *Hispanic American Historical Review*, 58 (1978), págs. 217-237, y R.A. Zambardino, «Critique of David Henige's 'On the Contac Population of Hispaniola: History as Higher Mathematics'», id., pág.s 700-708.

[20] F. Moya Pons, *Datos para el estudio de la demografía aborigen en la Española*, Valladolid, 1977.

[21] W. Borah y S.F. Cook, *The Population of Central Mexico in 1548: An Analysis of the Suma de visitas de pueblos*, Berkeley, 1960.

[22] W.T. Sanders, «Population, Agricultura History and Societal Evolution in Mesoamerica», en B. Spooner (comp.), *Population Growth: Anthropological Implications*, Cambrigde (Mass.), 1972,págs. 101-153. Para la aplicación de estas técnicas para la estimación de poblaciones prehistóricas, léase también W.T. Sanders, J.P. Parsons y R.S. Stanley, *The Basin of Mexico, Ecological Processes in the Evolution of Civilization*, Nueva York, 1979, en especial cap. 6; W.T. Sanders y C.N. Murdy, «Cultural Evolution and Ecological Succession in the Valley of Guatemala: 1500 B.C.-A.D. 1524», en K.V. FLannery (comp.), *Maya Subsistance*, Nueva York. 1982, págs. 19-63; y R.E. Blanton, S.A. Kowalewski, G. Feinman y J. Appel, *Ancient Mesoamerica. A Comparison of Change in ThreeREgions*, Cambridge, 1981.

[23] M.J. MacLeod, «Modern Research on the Demography of Colonial Central America: A Bibliographical Essay», *Latin American Population History Newsletter*, 3 (3 y 4) 1983, págs. 23-39.

[24] Las Casas cuantifica a menudo al uso coloquial, como cuando exclama que algunos de los conquistadores merecían perder la vida «cada uno diez mil veces» (BAE, 110, «Representación al Consejo de Indias», pág. 291), o cuando escribe «de los innúmeros millares que había en la isla Española, mayor que toda España, y Cuba, y Jamaica, y otras más de cuarenta islas, que de gentes rebosan (BAE, 110, «Carta a Carranza», pág. 433). Otras veces califica de «infinito» el número de muertes (BAE, 110, pág. 137). Las precisiones numéricas del dominico deben entenderse dentro de la laxitud de su lenguaje.

[25] BAE, 110, pág. 137.

[26] BAE, 110, «Tratado sobre los indios que se han hecho esclavos», 1552, pág. 260. Las Casas traza aquí dos flujos de la trata, de las islas de las Perlas, Honduras, Yucatán, Pánuco y Venezuela a la Española, Cuba y San Juan, y, por otra parte, de Guatemala y Nicaragua a Panamá y Perú. En total estima en tres millones los indios vendidos. y agrega: «... ninguna vez traían en un navío trescientas o cuatrocientas personas que no echasen en la mar las ciento o las ciento y cincuenta muertas, por no dalles de comer y de beber». Más adelante, pág. 265, precisa: «...en la de NIcaragua anduvieron cinco o seis navíos tres o cuatro años al trato, sacando indios e llevando a vender a.otras tierras por esclavos». Sobre la saca de esclavos de Yucatán, véase BAE, 110, pág. 156.

[27] BAE, 110, pág. 137. La incautación de las reservas de alimentos en el norte del Perú en BAE, 110, pág. 168. El despilfarro de comida entre soldados y auxiliares en BAE, 110, pág. 177.

[28] BAE, 110, pág. 146.

[29] BAE, 96, pág. 139; y 110, pág. 105.

[30] BAE, 110, pág. 141.

[31] BAE, 110, pág. 141.

[32] BAE, 110,pág. 146.

[33] BAE, 110, pág. 141. Asimismo, «Entre los remedios», págs. 103 y 104.

[34] «Sabida esta matanza por toda la provincia no quedó mamante ni piante, que, dejados sus pueblos, no se fuese huyendo a la mar y a meterse en las islas, que poraquellas costas del sur hay infinitas»: BAE, 96, págs. 246-247; asimismo pág. 364; «... y algunos escondían sus comidas; otros sus mujeres e hijos; otros huíanse a los montes por apartarse de gente tan dura y terrible conversación»: BAE, 110, pág. 185. La huida a los montes en Jalisco en BAE, 110, pág. 155.

[35] «Y acaecía ahorcarse toda junta una casa, padre e hijos, viejos y mozos, chicos y grandes, y unos pueblos convidaban a otros que se ahorcasen, porque saliesen de tan diuturno tormento y calamidad»: BAE, 96, pág. 364; «... y por las crueldades de un español muy tirano (que yo conocí) se ahorcaron más de doscientos indios»: BAE, 110, pág. 143. Asimismo, BAE, 110, «Entre los remedios», pág. 97.

[36] A.W. Crosby, *The Columbian Exchange: Biological and Cultural Consequences of 1492*, Westport, 1972.

[37] «Toda la miseria y calamidad hubo de caer sobre los mismos indios, porque como anduviesen tan corridos y perseguidos con sus mujeres e hijos a cuestas, cansados, molidos, hambrientos, no se les dando lugar para cazar o pescar o buscar su probre comida, y por las humildes de los montes y de los ríos, donde siempre andaban huidos y se escondían, vino sobre ellos tanta de enfermedad, muerte y miseria, de que murieron infelice-

mente de padres y madres y hijos, infinitos»: BAE, 95, pág. 293. Y prosigue: «Por manera que con las matanzas de las guerras y por las hambres y enfermedades que procedieron por causa de aquéllas, y de las fatigas y opresiones que sucedieron y miserias y sobre todo mucho dolor intrínseco,angustia y tristeza, no quedaron de las multitudes que en esta isla de gentes había desde el año 94 hasta el de 6, segun se creía, la tercera parte de ellas». Para Las Casas, las enfermedades de los indios eran una secuela de la colinización, no de una imprevista transmisión de gérmenes europeos. En varias ocasiones emplea la palabra «pestilencia» con un significado más de maldad o violencia que de morbo: BAE, 110, «Entre los remedios», pág. 107 y BAE, 110, pág. 146. En un texto de 1516, el *Memorial de los remedios,* revela una temprana preocupación proponiendo la erección de hospitales para indios: BAE, 100, pág. 19. En los escritos ulteriores el tema sin embargo no reaparece.

[38] J. Friede, *Bartolomé de Las Casas: precursor del anticolonialismo,* México, 1974.

LA CULTURA INDÍGENA EN EL PENSAMIENTO DE LAS CASAS

Claudio Esteva Fabregat

«Sería tejer historia inacabable y salir de nuestro propósito, que es tocar solamente aquello que muestra ser todas las gentes deste universo orbe prudentes tener sus policías y repúblicas por sí mismas suficientes y muy bien ordenadas, cuanto lo pudieron ser por razón natural e industria humana, careciendo de hambre cristiana,...»

Las Casas, *Apologética Historia Sumaria,* 1967, II, 498.

ACTITUD INTELECTUAL ANTE EL MUNDO INDIGENA

Aunque éstas son palabras textuales que indican la voluntad lascasiana de ponderar elogiosamente las formas de vida indoamericanas a lo largo de los tiempos prehispánicos conocidos, y especialmente de los que pudieron ser observados en el momento de los Descubrimientos y sucesivas Conquistas, enfrentamientos y poblamientos españoles, y si bien es cierto que Las Casas reitera, a menudo, esta intención a lo largo de su obra vindicativa, aparece que su pensamiento sobre estas culturas resulta estar dominado por el deseo de producir descripciones de costumbres que, cualquiera que haya sido el grado de progreso, material y político, conseguido por las poblaciones indoamericanas en la época prehispánica, tendían a exaltar el desarrollo de una condición moral que, en el contexto de lo que reconocía como ingenuidad racional del indio, era en sí una racionalidad superior a la que habían alcanzado las demás naciones del mundo precristiano, sobre todo por el representado en las culturas bárbaras del Viejo Mundo, e incluso, y comparativamente, por lo que habían sido algunas formas morales exhibidas por las civilizaciones antiguas clásicas.

A tenor de las referencias lascasianas sobre el carácter de las culturas indígenas americanas, podemos destacar algunos aspectos: 1) la ponderación elogiosa de su religiosidad; 2) el reconocimiento en ellas de valores equitativos en sus relaciones sociales; y 3) la idea de que sus formas de vida correspondían a desarrollos inteligentes adaptativos altamente evolucionados en términos de su racionalidad.

En general, aquí no incluiremos transcripciones textuales de lo dicho por

Las Casas sobre las culturas indígenas, pues son en extremo detalladas y prolijas, aparte de las numerosas comparaciones a que las somete respecto de las instituciones culturales y comportamientos morales de las naciones del Viejo Mundo.

Especialmente inclinado a moralizar, Las Casas frecuentó mucho el pensamiento de los clásicos greco-latinos, tanto como el de los padres de la Iglesia y del Catolicismo en particular. Y para sus demostraciones, adució con frecuencia al exordio, a la apología, y a la condenación de todo cuanto no encajaba con su esquema moral crítico.

Fundamentalmente sensible a todo cuanto se manifestara fuera del Cristiano, Las Casas demostró gran indulgencia hacia lo que estimaba errores que cometían los indígenas americanos por no haberse encontrado con la doctrina católica, pero salvaba sus consecuencias a partir de lo que él consideraba ser atribuible a causas de ingenuidad original.

Este sería uno de los motivos del aprecio que tuvo por el indígena americano, aunque también, ciertamente, cabe atribuir dicho aprecio al hecho de que la misma «ingenuidad» del indio la entendió como escasamente competitiva para el Cristianismo y proclive, por lo tanto, a no ser conflictiva en términos religiosos. Si acaso, ciertas formas de culto y algunas creencias indígenas al margen de la teología católica, podían considerarse errores derivados de influencias diabólicas ejerciéndose sobre la ingenuidad indígena.

Al tener como centro de su estimación positiva de las costumbres indígenas la reflexión de que éstas actuaban penetradas de una profunda dimensión religiosa, Las Casas entendió, desde el comienzo de sus escritos contra militares y civiles españoles, que era desde la perspectiva de los principios morales donde se podían pronunciar juicios sobre la calidad de las cultural. En este sentido, más que evangelizador, Las Casas fue un vindicador de la razón cristiana en su más pura versión intelectual, y convirtió el combate moral en el arma decisiva de su concepción del mundo.

De hecho, entonces, el que los indígenas americanos exhibieran una raíz religiosa tan densa, como la que advirtiera Las Casas, servía para desmentir por la vía de la moral cualquier intento de justificación de dominación civil y político-militar sobre el indio. Y por eso, en la medida en que lo religioso permanecía como un núcleo de atracción espiritual decisivo en el indio, determinó que Las Casas se identificase con éste en lo que era para él el sentido último de la vida. La admiración de Las Casas por los indígenas americanos no fue, además, cuestión sólo de estrategia personal para acceder al poder de control sobre sus mentes, sino que, por otra parte. acabó siendo una forma de identificación, por transferencia, con la moral y la ética entendidas como recursos a la vez primeros y últimos de la consciencia humana.

Cabe entender, por ello, que Las Casas, en nuestra opinión, actuó dentro del sistema de identificación con la moral como forma de dominación sobre las consciencias ingenuas del mundo social americano. Y en este punto, se produjo por su parte un acto de transferencia de identidad con lo moral y lo religioso entendidos como valores supremos de la vida. Por esta razón, el discurso lascasiano representa ser el discurso psicoanalítico de la culpabilidad personal liberada; viene a ser un recurso para la redención de sí mismo en la misma razón existencial de los sujetos hacia los que dirigiera su penitencia moral: los indios.

Esta sería una primera reflexión sobre nuestro modo de ver a Las Casas. Sin embargo, y por razones de exposición y análisis de otro signo, nos ocuparemos de su visión de la cultura indígena, en cuanto ésta constituyó el asunto fundamental en la vida del P. Las Casas.

Conforme a esta perspectiva, entendemos por nuestra parte que las culturas indígenas americanas provocaron en el pensamiento lascasiano una cierta metamorfosis de consciencia. Esta se expresaría tanto como una forma de condena de comportamientos anticristianos, como una forma de posición evanescente de su propio conflicto interno: el de su culpabilidad como creyente cristiano ante Dios y ante su Iglesia, pero también en la realidad de su consciencia ante sí mismo.

En este extremo, al mismo tiempo que Las Casas contemplaba su primer protagonismo como esclavista de negros y reflexionaba sobre sus debilidades morales como encomendero económico de almas indígenas, también asumía la inmoralidad de la historia como una forma de entropía, esto es, como una desorganización derivada de la expresión expansiva o centrífuga de los fuertes, entre los cuales él mismo era uno más entre otros millares.

Cabe entender, pues, que la fuerza verbal que imprimía Las Casas a sus alegatos y escritos podría haberse, pues, originado en su propio complejo cristiano de culpabilidad, entendiendo que su vida, por carecer del sentido de aquella inocencia que observaba, sobre todo, entre los indígenas de las Antillas Mayores, necesitaba dirigirse hacia su reconstrucción moral significándose en la misma defensa del indio. En este punto, Las Casas transformaba su interioridad de culpable sufriente, en otra: en la de hombre causante de moral cristiana desde la identificación con la inocencia sutil de las personas indígenas. Así, en la proyección de este estímulo, español, que era también el suyo propio, aunque distinto en sus niveles de acción, podía reconocerse como sujeto dentro de la dimensión sublimada del mensaje cristiano, en el caso de la Conquista mal transmitido al indio por corrupción pragmática.

Para nosotros, Las Casas representa la traducción de una consciencia culpable capaz de convertir sus obligaciones morales para consigo mismo en obligaciones de aquéllos que, como él, los cristianos, adquirían consciencia creciente de sus deudas morales para con aquellos, los indios, que se habían convertido en sujetos vicarios de un profundo resentimiento contra sí mismo.

Como dijimos, esta no es precisamente la ocación de referirnos, de modo analítico, a la conjura del yo lascasiano contra la corrupción pragmática del consciente colectivo de su tiempo, pero sí nos es dable conocer que en lo profundo de dicha consciencia dicho yo lascasiano se nos aparece encajando un inquieto resentimiento concreto por no haber entendido en su mismo interior la superioridad moral del débil frente al fuerte en el contexto de una derrota material y política. En el fondo, Las Casas se manifestaba más que como un revolucionario de la Iglesia de su tiempo, como un revulsivo moral destinado a constituir la inocencia del débil en culpabilidad del fuerte, en tal caso del español; en suma, todo ello se convertía en debilidad del mismo Las Casas dentro de lo que podríamos entender como un estado de participación individual en el contexto del reconocimiento de las culpas del *pathos* colectivo.

Las Casas era, a nuestro entender, un especimen del humanismo que había exteriorizado, hasta el límite verbal, las culpas de su consciencia cristiana, y en el hecho de sus denuncias lo que parece proclamarse es el sentimiento de la indignidad trascendente de la violencia física de la Conquista trasformada por él mismo en violencia verbal activa.

En lo profundo de esta actitud, se declara no sólo una denuncia de actos anticristianos; mas también se expresaba la afirmación de un deseo de expulsar de sí mismo el demonio dramático de la interioridad culpable. Al descubrir en su propio seno dicha culpabilidad, y al sentirla como propia de su contexto cultural de origen, Las Casas se denunciaba a sí mismo en lo que podríamos reconocer como un acto indirecto de contribución. Es en este contexto que nosotros asumimos la versión que elaborara Las Casas de la cultural indígena americana. Sin embargo, aquí nuestra tarea es otra: se trata de considerar cómo vio Las Casas estas culturas indígenas en aquellos dramáticos episodios de la primera mitad del siglo XVI, y se trata, asimismo, de significar qué aspectos subrayaba de entre las posibles categorías culturales que constituían el modo de vivir indígena.

Es aquí, en este punto, donde procuraremos detenernos, y es aquí donde advertimos que la razón lascasiana se fundaba, sobre todo, en categorías morales capaces de sublimar hasta el extremo cualquier rezago evolutivo, en lo religioso y en función del Cristianismo, o de progreso material y político, que pudiera haberse objetivado por parte de otros estudiosos contemporáneos del mundo indígena.

ESTRATEGIAS Y SITUACIONES MORALES PRIMERAS

Es importante señalar desde el comienzo que Las Casas utilizó, con cierta profusión, el método de comparar los modos y costumbres indígenas con los del mundo antiguo, y en general siempre concedió ventaja moral a los primeros sobre el del Viejo Mundo, especialmente con el precristiano. El hecho de haber sido nombrado defensor de los indios influyó, desde luego, en lo que atañe a la indulgencia que demostrara hacia éstos en cualquiera de sus manifestaciones más dramáticas, entre otras el mismo sacrificio humano y la antropofagia.

Desde el punto de vista del valor de su conocimiento etnográfico sobre las culturas y sociedades indígenas americanas, representa una fuente más bien secundaria, y cabe señalar al respecto que sus noticias más importantes procedían de personas con las que conversó, o fueron resultado de informes y de documentos a los que tuvo acceso por su posición oficial dentro del contexto misionero más crítico de la época que vivió. Dichos documentos constaban de cartas que le contestaban otras personas, generalmente religiosa y otras que conseguía por medios también epistolares de carácter particular.

En lo fundamental, sus conocimientos directos fueron mejores para las Antillas Mayores, y para la Nueva España, sobre cualquiera otras regiones americanas. Son, sobre todo, predominantes las informaciones sobre La Española, Cuba, Puerto Rico, Jamaica y la parte del Continente que fuera primero explorada y conquistada, tanto como pobladas después por españoles. Por estas razones, cabe atribuirle informaciones directas, basadas en residencias prolongadas en La Española y en Mesoamérica, especialmente en el Sur de ésta.

Dado su interés básico por las cuestiones morales, las informaciones que nos proporciona Las Casas sobre las culturas indígenas, mantienen un carácter puntual: etnográficamente son incompletas y dispersas, y siempre fluctúan entre la idea de lo que existió, como si lo indígena ya fuera pasado, y lo que aún estaba presente en el momento en que escribía. De hecho, las culturas indígenas aparecen casi siempre en pretérito, como si ya no existieran, pues en el propósito de Las Casas parece manifestarse la idea de que la forma de vida indígena había dejado de existir en las Antillas. En cualquier extremo, sus noticias estrictamente etnográficas, tienden a generalizar hasta el exceso, y carecen del valor descriptivo tan directo y específico cmo el que aprecia en otros autores de su tiempo. Por eso, etnográficamente Las Casas no tiene parangón con otros informadores del siglo XVI. Es inferior, por ejemplo, a Sahagún, a Motolinia, a Remesal, a Torquemada, a Durán, y a muchos otros que escribieron sobre las culturas indígenas.

Asimismo, y dentro de la relatividad de sus técnicas de observación, las aportaciones etnográficas de Las Casas son válidas hasta finales de la primera mitad del siglo XVI. Fueron familiares para él, como dijimos, las Antillas, pero las culturas de estos grupos se describen de manera dispersa y discontinua, desconectadas de lo que ahora designamos como etnografía. Por lo demás, y debido a su preocupación por los asuntos religiosos, su contribución principal cabe reconocerla en estos puntos. Sin embargo, sus tendencias moralizantes afectaron al valor objetivo de sus descripciones.

Acuciado por la presión de un enfoque esencialmente crítico en materias de conducta moral, más que un etnógrafo Las Casas representa ser una reducción antropológica en un sentido filosófico: lo que debe ser prevalece sobre lo que es. El cómo debe ser constituye un eje moralista cuyo foco de referencia es el Cristianismo. Esta última categoría antropológica permanece en actitud críticamente exaltada cuando refiere a los comportamientos españoles, y es grandemente indulgente respecto del vivir moral indígena. Por eso, se trata de juicios de valor que mientras destacan a Las Casas como ideólogo representativo de un sector importante de la Iglesia de su tiempo, semejante a la militancia de un Savonarola, al mismo tiempo le descartan como observador acucioso de la etnografía indígena.

Conforme a ello, las costumbres indígenas parecen ir destinadas a ejemplificar el hecho de que todo error en ellas es moralmente perdonable cuando se origina desde la inocencia racional que les atribuía Las Casas. Por lo mismo, los «errores» indígenas en materias morales había que atribuirlos a un factor eje: el de su ignorancia del mensaje cristiano como plenitud mística y filosófica, mensaje que, además, y según Las Casas, no rechazaban cuando les era comunicado por la vía de la paz misionera.

La confianza de Las Casas en las virtudes cristianas de los misioneros, entendidos como vehículos de transformación del indígena al Catolicismo, eran prácticamente absolutas, y a tenor de este convenciomiento pugnaba por desacreditar el pragmatismo adaptativo de los conquistadores, su enfoque señorial y esclavista, mientras, por la misma razón de la humildad moral de los indígenas, adoptaba el principio general de que su resistencia a los actos españoles, cualquiera que fuese el modo de resistirlos, era legítima. Pero, además, y como expresión de su planteamiento ético, en cuanto a la relación de los españoles con los indígenas, Las Casas convirtió en virtudes todo cuanto, en términos de evolución cultural, obtendría una clasificación comparativamente inferior a la que demostraban tener los españoles.

Las Casas admiró desde el comienzo el sistema político de los indígenas de las Antillas Mayores, no tanto porque fuera superior al de la monarquía española, sino porque advertía en él cualidades de simplicidad estructural propias de una organización comunitaria más próxima a los modos de conveniencia de la Iglesia misionera que a los ideales aristocráticos y jerarquizados de los europeos y, por ende, de los españoles.

Al respecto, pues, Las Casas era tanto un cristiano como un ideólogo socialmente inscrito en el espíritu de una crisis de transición, la que provocara en él la observación del Nuvo Mundo, que le llevaba a considerar el simplismo estructural en que se fundaban los sistemas sociales del mosaico étnico indígena como formas capaces de transformarse fácilmente en lo que eran ideales cristianos del misionero. Si comparativamente, y desde el punto de vista del progreso tecnológico y cultural, estos indígenas de comunidad quedaban muy atrás respecto del alcanzado por los españoles, en cambio, la comprobación de su misma simplicidad estructural constituía un estudio social ideal para el desarrollo de las opciones cristianas fundadas en la vida austera y en el desenvolvimiento de los estilos éticos de la hermandad universal proclamados por el Cristianismo.

Para nosotros, no hay duda de que las formas comunitarias de los indígenas, basadas en señoríos simples que aseguraban la paz social interior de los diferentes pueblos, tanto como su solidaridad para la supervivencia, representaban, al mismo tiempo, condiciones de existencia muy caras a las mismas órdenes misioneras en la medida en que éstas vivían dentro de estos principios de solidaridad y de simplicidad en su organización social y en sus necesidades materiales.

Dentro de estos términos, y correspondiendo a la simplicidad social indicada, Las Casas, como otros misioneros, entendió rápidamente que la acción religiosa entre pueblos económicamente sencillos, era más fácil prodigarla con métodos de comunicación y de disuasión filosóficos, que con métodos de imposición y de violencia organizada como se manifestaban en el contexto de la misma expansión geopolítica por conquista. Para Las Casas era más decisiva y profunda una conquista espiritual que una conquista militar. Y acontecía, además, que mientras el poder espiritual practicaba la infusión doctrinaria y lo hacía dentro del discurso de la convicción de la fe revelada y de su misma superioridad intelectual y cognitiva, también era consciente de que la razón política de la Iglesia era más universal que la misma razón del Estado, aunque éste fuera el de la monarquía española en expansión.

El humanismo lascasiano se concentró en la defensa del principio de que la fe era, a la vez que una forma de la razón cognitiva superior, un acto moral que debía imponerse sobre cualquier otro interés, y ciertamente, además, la fe cristiana representaba un medio de salvación individual que estaba por encima de cualquier estrategia geopolítica, en tanto ésta constituía un mero suceso temporal sin contrapartida de redención de la culpabilidad original y de la que resultaba de cualquier aventurerismo violento.

Para Las Casas a los misioneros la oportunidad de difundir el Evangelio a los indígenas se manifestaba relativamente fácil, en el contexto de un diálogo directo con éstos, y sobre la base de asumir su hospitalidad y hasta sus costumbres en una primera relación. Cabalmente, además, los indígenas ofrecían a los misioneros las ventaja de su propia simplicidad estructural, lo cual cabía prolongarlo hasta la idea de asociarlos con una equivalente simplicidad discursiva. En toda polémica ideológica sobre religión, los misioneros se pensaban más racionalizados, y al considerar eso como una ventaja dialéctica decisiva, también advertían que la conquista como medio de disuasión invertía las posibilidades de relación misionera en varios sentidos: por una parte, desarrollaba la emocionalidad y el resentimiento, y por otra inducía al rechazo de los mismos predicados simbólicos de la religión cristiana paradójicamente, en este caso, basados en el desprendimiento, la paz y la bondad.

La idea de que el Evangelio sólo podía predicarse por medio de la paz, aun a costa del sacrificio personal de los misioneros, fue predominante en éstos desde el principio, de manera que el obstáculo principal lo representaban más los españoles laicos que los indígenas. La entrada intelectual de la filosofía cristiana estaba, en todo caso, relativamente abierta a las ventajas del diálogo y constituia el medio de persuasión más directo teniendo en cuenta la disposición positiva demostrada por los indígenas hacia todo cuanto fueran experiencias religiosas.

En cada una de estas particularidades –simplicidad estructural y nucleación religiosa de la vida por parte de los indígenas, comparativamente con la superioridad discursiva y prestigio adscrito a la santidad por parte de los misioneros– radicaba la diferencia de estos últimos con los diferentes grupos españoles laicos, como podían ser descubridores, conquistadores, exploradores, fundadores, colonizadores y funcionarios. Prácticamente, Las Casas llegó al convencimiento de que las bases sociales de las poblaciones indígenas estaban culturalmente predispuestas a recibir el Cristianismo, e incluso sus señores ofrecían una predisposición receptiva semejante cuando se pensaba en la facilidad con que transmitían a sus pueblos las convicciones cristianas. Para ello, los misioneros disponían de otra no menor ventaja simbólica: la sugerida por los mitos ancestrales que indicaban la venida inevitable de los dioses blancos que, en el caso inicial del descubrimiento colombino de las Antillas, se confirmaba a partir de los españoles que habían venido del mismo cielo.

El indígena estaba, pues, inclinado a suscribir el Cristianismo porque sus bases intelectuales permanecían abiertas a su experiencia, y porque, además, su misma humildad existencial constituía materia plenamente receptiva a la reconstrucción de su personalidad religiosa. En cierto modo, no era difícil pasar del animismo antillano al catolicismo cristiano.

En este sentido, Las Casas vino a ser no sólo un abogado de los indios, sino también un estratega de la penetración misionera, por una parte, y un adelantado en América de las teorías críticas de aquel Cristianismo militante que se opinía, con la vehemencia de sus convicciones, al modelo de conversión del indígena por medio de la conquista y dominación previas impuestas sobre sus fuerzas de resistencia. En lo fundamental, Las Casas interpretaba dinámicamente la penetración del Cristianismo como el resultado de una confrontación intelectual con los indígenas, y consideraba que la superioridad del Cristianismo era intrínseca a sus valores trascendentes y éticos, y por lo tanto implicaba que sus recursos morales no podían quedar comprometidos en el discurso de una dinámica violenta.

Asimismo, en este planteamiento eticista, Las Casas percibía como una necesidad estratégica del Cristianismo el hecho de que su implantación en el seno de las poblaciones indígenas tenía que ser un resultado de la palabra divinizada, y por lo mismo de la razón mesiánica, más que de la espada y de la dominación. En gran manera, Las Casas, y otros como él, pensaba que la indispensable separación, étnica y social, de los indígenas respecto de los militares y de los civiles españoles, ya que si se formaba una sociedad única de éstos y aquéllos el mensaje cristiano perdía legitimidad y por contaminación con lo pragmático se confundía con una moral de situación que, finalmente, significaba esclavizar al indio y, por ende, conducía a convertirlo en un ser socialmente derrotado y desmoralizado.

Es evidente que Las Casas obtuvo esta consciencia a partir de la experiencia antillana, una en la cual las poblaciones indígenas, más que extinguirse como resultado de su lucha frontal contra los españoles, se extinguían por el hecho de convivir con éstos, y a medida que se veían obligados a seguirles en sus expediciones al Continente y sufrir aquí la agresión de los cambios climáticos y no poder superar el cansancio agotador de largas y penosas jornadas d marcha para las que sus cuerpos no disponían de recursos biológicos adecuados. En tal extremo, incluso es sabido que el mismo contagio con los resfriados de los españoles y las viruelas y el sarampión que para éstos resultaban benignos, para los indígenas, en cambio, conducían a la mortalidad.

Quienes, como Las Casas, observaron los resultados del primer proceso de contacto y de incorporación de los indígenas antillanos a las pautas de expansión españolas, pronto se convencieron de que esta asociación perjudicaba definitivamente al indio en varios sentidos: 1) ponía en crisis sus técnicas adaptativas tradicionales, 2) desorganizaba su existencia cotidiana, 3) era absorbido, sin decisión sobre sí mismo, por la nueva sociedad hispánica, 4) se convertía en servidor, cuando no en esclavo, del español, 5) dejaba de ser dueño político de su territorio y quedaba sometido a la autoridad del sistema español, 6) adquiría epidemias y enfermedades mortales que diezmaban sus poblaciones, y 7) entraba a vivir con gente racial, social y culturalmente extrañas que ni siquiera asumían hacia él obligaciones o responsabilidades paternales de participación como iguales en la consciencia y experiencia de un mismo destino.

De hecho, para nosotros está claro que las disminuciones demográficas indígenas ocurridas en este tiempo, no eran propiamente el resultado de confrontaciones directas de guerra ni de planteamientos conscientes genocídicos, sino que eran la consecuencia de los factores aludidos, además de los que se añadían cuando, por una parte, los indígenas huían o se ocultaban a la observación y utilización de ellos por los españoles y, en el proceso posterior, cuando eran éstos quienes los escondían en los censos para de este modo escapar a las tributaciones que se les inponían por parte de la Corona.

Dentro de estos particulares, para nosotros parece evidente que Las Casas recurrió a la hipérbole consciente sobre los hechos de los españoles, para de esta manera legitimar la disposición política para un cambio radical en las orientaciones oficiales o de la Corona relacionadas con la conversión de los indígenas al Cristianismo. Las hiperbólicas descripciones de los hecho españoles en sentido negativo, frente a las excelencias del vivir indígena, en nuestro entender, no tenían otra intención que justificar el traspaso o la entrega de los indígenas al control estrictamente misionero, además de obtener la separación social total de los españoles y de los indígenas.

El proceso era, sin embargo, irreversible, y aunque los intereses geopolíticos de la Corona no estaban desvinculados de los que impulsaba el Papado en su dimensión religiosa, empero de ello, las estrategias pragmáticas de la expasión española por América terminaron por prevalecer, por lo menos en un sentido: en el de no renunciar a la colonización y a la reproducción, en el Nuevo Mundo, de la sociedad española, sin por ello abandonar el papel religioso que correspondía desarrollar a las Misiones en materia de protección étnica de los indígenas. En lo fundamental, las Reducciones de Indios representaron el triunfo de la Iglesia misionera, mientras que las fundaciones civiles y los controles funcionarios correspondían al desarrollo de la idea política de expansión permanente del imperio español, aunque para este objetivo tuvieran que soportarse las contradicciones éticas de la misma Conquista.

Bajo tales supuestos, Las Casas contribuyó a producir un sistema de alarmas morales que mientras ponía en duda la legitimidad de los métodos violentos de expansión, conseguía corregir la influencia civil y militar, tanto como la de los mismos funcionarios, para así lograr también un estatus dominante de las Misiones en lo que se refiere a la exclusividad de su política religiosa respecto de los indígenas. Pronunciado en este contexto ético, Las Casas acudió a la hipérbole considerando que ésta constituía un medio moral, pues permitía alcanzar objetivos que, por su trascendencia espiritual, contribuían a desarrollar la obra de la Iglesia Católica en su más estricto sentido cristiano, esto es, en aquel que hacía posible trabajar la evangelización del indio dentro de la mayor separación que fuera posible entre éste y los españoles laicos.

Este planteamiento suponía, asimismo, ofrecer a la misma Corona, sin conflictos innecesarios, y a través de un proceso de aculturación progresivo, millones de indígenas integrados y cohesionados que, por su misma decisión, acabarían siendo súbditos leales de la monarquía española a lo largo del tiempo de su tutela por los misioneros. En el transcurso de este planteamiento, fueron muchos los misioneros que como adelantados espirituales de la expansión política abrieron el camino pacífico a los civiles y a los militares españoles, a base del sacrificio incluso físico de sus personas. Abundan los ejemplos en este sentido, en el Norte de México y en otros lugares, y son muchas las ocasiones en que la obra misionera frustró con sus consejos sublevaciones contra el poder español reforzándolo, precisamente porque el carácter protector de las Misiones separaba a unos y a otros y procuraba una diferenciación que, en el fondo, resultaría inestimable para la continuidad española en muchas latitudes americanas, al mismo tiempo que protegía la misma presencia indígena, hasta simultanearla con su preparación para su ingreso en la ya construida sociedad española.

Estas observaciones, y sus correspondientes concluisones, eran inevitables en el contexto de los planteamientos misioneros, y por eso fue también obvio que si los indígenas se disolvían en el seno de la sociedad española, sin experiencia previa de la fe explicada, también se perdía la causa del Cristianismo, a menos, por otra parte, que se abandonaran las estrategias violentas y se trajeran al Nuevo Mundo hombres y mujeres probados de toda virtud, y por eso sin que arriesgaran los españoles su credibilidad ante los indios ésta que sería moralmente más completa que la propia basada en la hazaña conquistadora.

Cabalmente, las conquistas estaban en marcha y un proceso de dominación por parte de un nuevo poder político y cultural, el español, se ponía en movimiento haciéndolo ya históricamente imparable. Para Las Casas, la experiencia antillana fue suficiente información en el sentido de que le permitió articular la consciencia de que si los indígenas continuaban siendo sujetos de violencia o de asimilación social sin efectuarse una experiencia religiosa del Cristianismo en su plenitud de fe ritualizada y convencida, el resultado sería, en unos casos, su inevitable extinción, por las causas ya indicadas, y en otros sería víctima de un proceso de degradación moral propia del destino que aguarda a quienes, como perdedores desarraigados, apenas podían percibir las consecuencias de su desorganización étnica, social y cultural.

Al igual que otros misioneros, Las Casas se percató muy pronto de la responsabilidad moral de la Iglesia católica ante el mundo indígena en crisis, y desde esta perspectiva presentó el caso de éste como el propio de poblaciones que difícilmente podían convertirse a una doctrina, la del Cristianismo, que basaba la salvación del hombre en la gracia de la fe y en la paz espiritual, mientras, al mismo tiempo, quienes lo representaban apenas perseguían este objetivo en sus comportamientos. En lo fundamental, Las Casas, y los que como él trataban de evitar la catástrofe moral y, en ésta, la contradicción entre el poder espiritual y el temporal y que, de hecho, intentaban resolverla por medio de la praxis religiosa, pugnaban por impedir que el Cristianismo se identificara con el poder político y militar.

El espacio americano constituía, pues, en aquel tiempo un territorio de prueba para el humanismo cristiano, y Las Casas, después de pasar por un período de crisis personal, entró a militar en el grupo de quienes advertían la necesidad de transformar la prueba político-militar en una experiencia de cristianización de un continente que, por las características de ingenuidad que advertía en el mismo simplismo existencial, le permitían considerar como óptimas para el cumplimiento de un destino organizado en Repúblicas de Indios controladas por misioneros.

La protección física y étnica del indio no sólo era, por lo tanto, un acto de humanización de la expansión española por América, sino que era también un modo de construir en realidad la utopía de conformar una clase de hombre, el indígena, que sería educado en el seno de una sociedad plenamente cristiana a partir del reconocimiento de su primera ingenuidad racional, asimismo basada en el simplismo estructural de sus comunidades y culturas. Este sería el caso de los indígenas americanos contemplados desde la óptica de la ascesis, y desde la crisis moral que sigue a las abreacciones éticas[1] propias de todo desplazamiento de energías hacia puntos de resistencia étnica y política extraños a las obligaciones de solidaridad que uno puede asumir en la medida que corresponden a confrontaciones de guerra y de enfrentamiento por el poder y la dominación, contemplados, asimismo, desde la óptica de la observación de un converso que necesita exaltar el fervor de su pasionalidad para así requerir de otros, pero singularmente del poder, el beneficio de la restitución de su crédito moral, a la vez ante otros y ante sí mismo.

Para esta restitución era indispensable que el predio moral de la época obtuviera el prestigio de la credibilidad que sólo proporcionaban la fama militar y caballeresca o la vehemencia de la fe institucionalizada entendida como sentimiento y racionalidad de la libertad última del cristiano para condenar toda fama que no se ajustara a la condición de una previa religiosidad como medio de los triunfos personales consagrados.

Desde luego, Las Casas contribuyó a producir un sistema de alarma para la Corona en la medida en que sus menciones críticas sobre el comportamiento de los españoles no integrados en el pleno espíritu religioso de los misioneros permitían establecer consciencia sobre los peligros del triunfalismo personal y, por lo tanto, desarrolló la noción de que la condición primera del triunfo de las estrategias expansionistas de la Corona pasaba por el control previo de la realidad indígena, en tanto ésta era también parte de la justificación para la legitimidad de dicha expansión.

El pulso histórico lascasiano podemos entenderlo, pues, dentro del supuesto de su propia crisis moral, una que comienza en sentimientos de culpabilidad y que incluyen su misma experiencia esclavista de negros y que, asimismo, se integra en la identificación con el sistema de poder monárquico y funcionario, a través del ejercicio de los mismos empleos eclesiásticos. La confrontación crítica que sostuviera con españoles de su época, no le libraba de responsabilidad histórica en aquellos puntos donde mientras detentaba funciones oficiales, demostraba sentirse atraído hacia el ejercicio del poder. Sus tensiones dialécticas serían también tensiones psíquicas propias de un personalidad llevada a la hipérbole del juicio, precisamente porque necesitaba enfrentarse a la consciencia de la culpabilidad mediante la catarsis que suponía la debelación contra todo desviacionismo moral.

El drama lascasiano consistiría, en nuestra opinión, en el hecho de que la dialéctica del proceso español de arraigo en América incluía el desbordamiento de sus propios controles éticos en muchos particulares, sobre todo conquistadores y encomenderos, y se imponía políticamente por medio del pragmatismo adaptavio, un pragmatismo que por serlo incurría en contradicciones morales inevitables. Estas contradicciones eran, por otra parte, la condición para que los individuos de este tiempo alcanzaran el triunfo y la fama. Quizá sea en este punto donde residió la hermenéutica de la crisis ideológica que llevó a Las Casas a la condena indirecta de sí mismo a través de la condenación de conquistadores y encomenderos, pues en el caso cuanto mayor fuera la hipérbole, mayor·era la catarsis que se producía en su personalidad. Fundamentalmente, las hiperbólicas descripciones que hizo de las situaciones de conquista y encomienda fueron, en el fondo, descargos de consciencia que necesitaba expresar desde la legitimidad de su discurso moral indiscutible.

EVALUACIONES CULTURALES DEL MUNDO INDIGENA

A la vista de lo que entendemos fueron las estrategias y actitudes personales de Las Casas ante la Conquista y las Encomiendas, y especialmente en relación con el tratamiento que recibían los indígenas por parte de muchos españoles, parece indispensable que atendamos a otros aspectos del problema, en particular los que refieren a su enfoque y visión de las culturas indoamericanas.

Desde un punto de vista estrictamente etnográfico, sus observaciones son grandemente subjetivas y desconexas, pues no siguen un método sistemático en cuanto a la reducción de los datos a categorías organizadas. Pasa indistintamente de una temática a otra, y en sus descripciones pasan muchísimo las referencias comparadas al mundo antiguo clásico, sobre todo Grecia y Roma, cuando no Egipto. Sus versiones etnográficas sobre los indígenas son, esencialmente, pretextos para efectuar críticas sobre las cualidades morales del Viejo Mundo Antiguo, y con frecuencia se detiene a considerar elogiosamente, y por contraste, lo indígena frente a lo español.

A diferencia de Fray Bernardino de Sahagún, modelo de investigador de campo, quien se interesó por la religión mesoamericana, en particular por la nahua-mexica, Las Casas emerge ante nosotros como un panegirista de moral pragmática, interesado, sobre todo, en describir las debilidades morales de los civiles y militares españoles, y en este contexto la incapacidad que éstos demostraban en lo que atañe a transmitir a los indígenas el Evangelio que les había sido encomendado comunicar.

El fuego condenatorio que se produce en la literatura lascasiana es, por lo tanto, más propio de un discurso moral ribeteado de argumentos filosóficos, que una etnografía coherente. Conforme a eso, Las Casas nos ha transmitido versiones de carácter etnográfico impregnadas de juicios de valor que mientras son adversos para los españoles, por contraste son altamente positivos para los indígenas.

Con independencia de que uno pudiera sentirse solidario con las exposiciones éticas de Las Casas, especialmente en lo que refiere a la defensa del derecho indígena a reproducir su identidad y a que le fueran respetadas sus formas de vida frente a las que puedieran venirle impuestas por extraños, en este caso por los españoles, lo cierto es que como fuente etnográfica puede considerarse una versión escasamente aceptable. No sólo cabe caracterizarlo como incompleto, sino que también el sesgo de sus noticias parece inclinarse por su interés en demostrar, de modo polémico, que los pueblos del Viejo Mundo clásico representaban estilos de degradación moral que jamás se habían alcanzado entre los indígenas americanos.

En estas versiones, y sobre estos últimos, se nos advierten las siguientes cualidades:

1) Tendencia a relacionar con las bondades de los climas americanos (generalmente refiriéndose a las Antillas y a la Nueva España) la lucidez e inteligencia que reconocía en los indígenas.

2) Descripción de los rasgos somáticos indígenas consistente en definirlos como dotados de magníficas proporciones corporales, agilidad, estilo y porte graciosos, y naturaleza armonizada con su medio.

3) Atribución a los indígenas de falta de pasiones y prudencia discreta en sus relaciones interpersonales.

4) Reconocimiento en ellos de un profundo espíritu de libertad.

5) Sencillez espiritual, humildad en el trato, honestidad y entendimiento despierto de la vida.

6) Pobreza material voluntaria y austeridad debida a su equilibrada sensualidad.

») Espiritualidad profunda basada en el sobrenaturalismo y en el animismo trascendentes, incluso reconociéndose en su misma infidelidad o paganismo religiosos.

8) Sentimientos pacíficos y hospitalarios hacia sus semejantes.

9) Obediencia a sus jefes, señores y divinidades, señal de un buen regimiento social y moral, y dentro de un espíritu de respeto mútuo y digno.

Dentro de este contexto admirativo, Las Casas destacaba la importancia de las influencias ambientales sobre el modo de ser indígena, y en esta consideración parecía mostrarse identificado con una profunda ideología ecologista, en el sentido de afirmar la relación de interdependencia armoniosa entre el paisaje americano y el equilibrio moral de los indígenas.

En gran manera, incluso, el buen entendimiento cognitivo que atribuía a los indígenas, Las Casas lo relacionaba con la influencia climática, en el caso a la dulzura de los paisajes que contemplaba y a los productos naturales que este medio les proporcionaba. Por añadidura, este contexto ecológico Las Casas lo racionalizaba como altamente positivo para el desarrollo de la personalidad y de la inteligencia. En este extremo, Las Casas era propenso a generalizar en materias ecológicas, pues lo que podía ser propio de una región, el Caribe, lo asumía como carácter de lo indoamericano.

Sintiéndose atraído por estos paisajes, Las Casas intuía que éstos se manifestaban en las buenas cualidades morales y culturales en general que distinguían a los indígenas, y en tal caso pensaba, incluso, que esta naturaleza sería altamente pródiga en bienes para los mismos españoles en la medida que se adaptaran a dicha naturaleza y la trabajasen de modo conveniente, sin excesos.

Estos particulares de la ecología americana como influencia causal del buen hacer moral y del entendimiento positivo que atribuía a los indígenas, los prolongaba Las Casas a otros aspectos de la cultura indígena. Por ejemplo, el sentimiento religioso indígena, en lo que tenía de comportamientos místicos y de obediencia estricta a los mandatos sobrenaturales, le parecía tanto un hecho atribuible a su discreción e inteligencia como en todo caos, facilitado desde la misma naturaleza benigna de que dependían. Para Las Casas el hecho de que los héroes culturales fuesen transformados en divinidades tribales o clánicas, tenía un valor altamente positivo, pues aparte del utilitarismo que pudiera derivarse de esta asociación mística, lo cierto es que permitía advertir en ello la necesaria actitud religiosa, de signo reverencial, que debe tenerse hacia lo que, teniendo al comienzo un origen terrenal, sin embargo, por desplazamiento místico, se convertía en identidad divinizada. En este sentido, para Las Casas la divinización de los antepasados benéficos constituía un signo de humildad y de respeto grandemente positivo, porque significaba el desarrollo de un valor ontológico, esto es, demostraba en ellos una propensión hacia la recepción del mismo Cristianismo en sus más variadas derivaciones. Por eso, además, Las Casas anotaba de manera admirativa la devoción que observaba en los indígenas cuando asistían a la práctica de algún ritual, y le impresionaba sobremanera las penitencias a que se sometían los indígenas en ocasión de sentirse en deudas con las divinidades, tanto como, además, el sentido sacrificial que marcaba sus relaciones con lo sobrenatural (cf. Las Casas 1967, II, 199).

Aunque, por otra parte, condenaba las prácticas relativas al sacrificio humano (Ibid, 211), reconocía en éste el predominio de una generosa concepción, por significar en sí la ofrenda máxima de entrega humana, pues en tal caso lo que podía verse era el ofrecimiento trascendente del mismo hombre a la divinidad. De hecho, para Las Casas ésta era la comunión más perfecta.

En esta línea de admiración hacia los modos culturales indígenas, Las Casas no ocultaba su condena por lo que él designaba como malevolencia del «diablo», especialmente cuando ciertos actos rituales evocaban direcciones mágicas más que propiamente religiosas. Al respecto, las funciones de hechicería y brujeriles en particular indicaban, para Las Casas, la intervención de intereses diabólicos y significaban, de hecho, la presencia de desviaciones en el conocimiento y en la fe propiamente religiosos, si bien podían justificarse por la misma ingenuidad indígena, equivalente a su ignorancia del Cristianismo. Sin embargo, lo importante para Las Casas consistían en reconocer que el indígena estaba profundamente predispuesto a recibir en su espíritu el cuerpo de Cristo, y en tal caso era su fe en la existencia de un más allá, de una inmortalidad, la condición que favorecía la fácil impregnación cristiana que se suponía propensa entre los indígenas.

En cualquier caso, Las Casas se manifestaba intolerante en materia de religión (cf. 1967, II. 176ss.), pues a menudo invocaba los errores de interpretación del mundo divino a que llevaban las prácticas mismas de la brujería, el sacrificio humano y las apariciones de espíritus provocadas por inducción y seducción a cargo de brujos y sacerdotes nativos a los que atribuía la cualidad de estar poseídos por el mismo diablo.

Desde luego, las acciones religiosas propiamente derivadas del autosacrificio, la penitencia y la ofrenda eran estimadas por Las Casas como comportamientos regidos por una fe producida por la idea de la existencia de un más allá, condición ésta muy necesaria para poder ingresar en las nuevas realidades del Cristianismo que se les anunciaba.

Las Casas admiraba la arquitectura religiosa indígena y la gran cantidad de templos dedicados al culto, hasta el extremo de calcular un total de dos millones de templos (Ibid I, 684) como evidencia de su devota formación moral y del arraigo de la religión en el pensar de las sociedades indígenas.

Cuando Las Casas sometía a examen crítico las configuraciones culturales indígenas, es indudable que pensaba, sobre todo, en la capacidad de éstas para ser convertidas muy pronto al Cristianismo, desde el momento en que practicaban de por sí el sacrificio como acto permanente de reconciliación y de salvación del yo culpable, aunque esta culpabilidad tuviera su origen en el error moral del mismo comportamiento incorrecto, y aunque fuera simplemente la manifestación de una elección institucionalizada de víctimas que lo eran por determinadas cualidades sománticas. Es asimismo evidente que, a partir de este enfoque, y por reconocer en los valores indígenas una identidad honesta y humilde ante la divinidad, pensba también en lo que sería fácil conversión a partir de tales supuestos sacrificiales. Para Las Casas sólo era necesario utilizar su bondad activa y revelarles, a través de la predicación del Evangelio, la más verdadera racionalidad del Cristianismo

Las Casas aparece grandemente dispuesto a manifestarse indulgente respecto de los «errores» que los indígenas pudieran cometer en lo que hace a su interpretación del sacrificio y de los tipos de invocación ritual a que acudían para cumplir con sus obligaciones culturales. Y en lo fundamental, se demostró más propicio a creer en el efecto de la honestidad y humildad comunitarias de los indígenas, que en la soberbia y codicia que parecían demostrar los españoles de la época hacia lo material de los placeres y de las riquezas.

De este modo, y a sugestión, especialmente, de sus observaciones sobre los indígenas antillanos, admiraba en éstos su pacifismo y lo contemplaba desde la perspectiva de que careciendo de guerreros profesionales, debían ser considerados como elegidos para la solidaridad y para el bien común. Incluso, esta condición particular de los isleños la prolongaba, a menudo, a Tierra Firme, aún reconociendo profesionalidad a los incas en materias de guerra.

Conforme a esta acentuada identificación con la religiosidad indígena, Las Casas acudió a considerar para su juicio escrutinios detallados, de carácter comparado, en los que otras culturas del Viejo Mundo precristiano y «bárbaro», resultaban ser moralmente inferiores a las americanas. Y en cualquier caso, asumía su justificación entendiendo que permanecían en estado latente de gracia merced a la misma ingenuidad de sus sistemas teológicos, más que a la malevolencia de sus discursos intelectuales.

Al respecto, es también cierto que su moralismo le hacía condenar (cf. 1967, II, 206) con cierta energía los comportamientos sexuales libres y las uniones plurales, así como la homosexualidad. Se mostraba crítico ante las mujeres que no practicaban la castidad y que no se ofrecían vírgenes ante el matrimonio. En este sentido, admiraba la castidad sacerdotal, pero en estas actitudes críticas optaba por comparar los pecados indígenas con los de otras naciones del Viejo Mundo, y en tal extremo aquéllos resultaban exonerados de culpa, precisamente porque ésta la podían compensar mediante la práctica cultural y la misma fe religiosa.

Cabalmente, además, la antropofagia, como forma ritual, era racionalizada por Las Casas como exceso sensual de unos pocos, pero no la consideraba una condición universal en las Indias. En cada caso, no obstante, y para contrarrestar cualquier opinión contraria a los indígenas, y en cuanto a las condenas que estas prácticas pudieran suscitar, sobre todo entre los españoles de la época, Las Casas siempre acudía a las comparaciones con otras naciones, lo cual permitía disminuir el impacto de rechazo que estos hechos podían producir en el desrrollo de políticas represivas, sobre todo, de aquellas que pudieran conducir a la esclavitud del indio.

En lo fundamental, pues, Las Casas mantuvo una posición no sólo indulgente hacia los llamados excesos humanos, sino que también su observación de las culturas indígenas destacó, generalmente, por su tratamiento superficial de la etnografía mientras, al mismo tiempo, se destacaba por todo cuanto podía percibir en ellas como valor moral positivo que permitiera convencer a sus audiencias, españolas y eclesiásticas, acerca de la necesidad de interrogarse a sí mismas sobre el carácter de las conquistas, de las funciones y poblamientos españoles, tanto como ponerse en duda respecto del grado de acierto relativo que podía suponer la aplicación espontánea de políticas de adoctrinamiento de indígenas basadas en la idea de que éstos eran incapaces por sí mismos de desarrollarse hacia el Cristianismo en plenitud fuera de las sujecciones militares y de los reglamentos burocráticos. De hecho, y en tal extremo, la visión lascasiana de las culturas indígenas pareció corresponder más a un compromiso moral consigo mismo, entendido como una forma de expiación de su propia culpabilidad ante Dios, tanto como un medio estratégico de conducir el papel de la Iglesia católica por el sendero de una justificación más espiritual que pragmática.

Por estas razones, las culturas indígenas no fueron tratadas como etnografías solventes, sino como formas de vida que en ciertos de sus rasgos podían ser justificantes de racionalidad y de coherencia en materia social, ya que, en todo caso, es también indudable que a lo largo de su discurso cognitivo lo que prevalece es un marcado itnerés por ofrecer una cohesión significaba introducir factores de entropía y desorganización, sociales y psíquicos, en el proceso y en el contexto de la cristianización, era por lo que intentaba convencer, a través del argumento de la ingenuidad indígena, sobre la necesidad de conservar, sin trauma disolvente, el orden tradicional indígena, por lo menos su sentido de comunidad. De hecho, la Conquista como experiencia de evangelización, era negativa, pues destruía la cohesión social que era necesaria para los indígenas pudieran ser tomados en bloque y sin desconfianza, pero cabalmente para que no ofrecieran resistencias de actitud, inevitables si se introducían elementos de desorganización moral y psicológica, tanto como social y cultural, sin contrapartida de asociación equilibrada con el mundo español.

En nuestras apreciaciones, el moralismo lascasiano era tanto una estrategia de rolcultural, como era una convicción fundada en la misma experiencia de que el desastre indígena desbordaba y destruía, al mismo tiempo los niveles de resistencia psíquica de éste, hasta bloquear incluso su proclividad original a inscribir su fe en el Cristianismo.

Para nosotros, ésta sería la clave del porqué las Casas no podía considerarse un observador cultural objetivo, o por lo menos metodológicamente correcto, de su época, pues para serlo careció de técnicas de trabajo y de enfoque adecuados. En cambio, sí demostró tenerlas Sahagún, y otros de su tiempo. Cabalmente, en cambio, sí fue necesario disponer de una fuere convicción para sostener críticamente una operación como la que intentó respecto de la defensa de los indígenas. En este punto, Las Casas puede considerarse un humanista, un antropólogo de las formas morales del deber ser que, por lo mismo, apenas estaba en condiciones de situarse con igual subjetividad ante un hecho religioso que ante un hecho político. Por este su prejuicio ético y por el predominio de una teleología estratégica, su visión de las culturas indígenas pecó de exceso de generalización, y cabe atribuirle una desorbitación descriptiva que, por lo mismo que podía ser etnográfica, resultaba ser un examen de ética de situación. Finalmente, acabó siendo un proceso de abreacción verbal simbólicamente tan violento como lo fuera el de la misma Conquista. En este sentido, sus datos culturales sobre las comunidades indígenas son mezclas de estimación e impresionismo, y apenas pueden ser aprovechados como fuentes etnográficas. Paradójicamente, sólo es objetiva su hiperbólica subjetividad.

BASES BIBLIOGRAFICAS

LAS CASAS, Fray Bartolomé de
1958 Opúsculos, Cartas y Memoriales. Ilustración Preliminar y Edición por Juan Pérez de Tudela. Madrid, Biblioteca de Autores Españoles, Tomo CX.
LAS CASAS, Fray Bartolomé de
1965 Historia de las Indias. 3 tomos. Edición de Agustín Millares Carlo. Estudio preliminar de Lewis Hanke. México, Fondo de Cultura económica.
LAS CASAS, Fray Bartolomé de
1967 Apologética Historia Sumaria. 2 tomos.
          Estudio de Edmundo O'Gorman. México, Instituto de Investigaciones Históricas. UNAM.

DERECHOS CIVILES Y POLÍTICOS EN EL PENSAMIENTO DE BARTOLOMÉ DE LAS CASAS

Luciano Pereña

El V Centenario del nacimiento de Bartolomé de las Casas se ha convertido en un acontecimiento internacional. Distinguidos especialistas tratan de proyectar luz sobre si figura polémica y sancionalista. Entre el ditirambo y el anatema Bartolomé de las Casas adquiere proporciones de equilibrio. Si hay quienes buscan en Las Casas un pretexto de hostilidad política y de resentimientos históricos, para la mayoría de los historiadores y políticos Bartolomé de las Casas ha dejado de ser el padre de la leyenda negra para convertirse en un timbre de gloria para España, que hizo posible y hasta alentó su libertad de crítica como no sucedió en ninguna otra nación de europa. Hemos empezado a asumir el fenómeno Las Casas. Curiosa metamorfosis. El obispo de Chiapas que durante siglos fue utilizado para atacar a España, se convierte ahora en testimonio formidable para defender a esa misma España.

Políticos y humanistas se empeñan hoy por descubrir lealmente el mensaje democrático de Bartolomé de las Casas para una formulación más exacta de la conciencia de la humanidad. Se le ha idealizado universalmente para convertirlo en el profeta de la liberación iberoamericana. La literatura moderna ha transformado a Bartolomé de las Casas en poderoso reactivo contra el racismo, el colonialismo y el imperialismo de nuestra época. Esta metamorfosis histórica constituye uno de los símbolos más sugestivos de la propaganda. Las Casas encarna la conciencia revolucionaria hispanoamericana de hoy.[1]

Sin preocuparse las más de las veces de la exacta realidad histórica, los escritores hispanoamericanos le han convertido en protagonista de la revolución iberoamericana y en héroe de su libertad democrática. Y esta transfiguración está contribuyendo a disminuir el valor y el sentido de la leyenda negra antiespañola. Pablo Neruda dedica el gran poema a Bartolomé de las Casas en su Canto general (1950).[2] Su homenaje rendido a Batolomé de las Casas no tiene otro alcance que el de un trbajo moral al fervoroso defensor del elemento autóctono. Para Miguel Angel Asturias, Las Casas se convierte en el personaje central de «La Audiencia de los Confines», que se representa en Guatemala a finales de 1961: «a la injusticia presente del imperialismo ha querido oponer la antigua justicia española».[3]

La «Tragedia indiana» del cubano Luis A. Baralt (1969) ensalza al protector de los indios y evangelizador que representa a España.[4] Para el mexicano

Rodolfo Usigli, «Corona de luz» (1965), la figura de Bartolomé de las Casas es imprescindible como protector de los indios por antonomasia y típicamente española.[5] En Enrique Buenaventura, «Un requiem por el padre Las Casas» (1963), ha culminado esta transfiguración: «Muchas han sido mis equivocaciones y profundos han sido mis errores. Por ello pido perdón a Dios y a los hombres humildes que defendí. No fui más que un precursor. Otros vendrán que trás de mí y quizá no sea yo digno de desatar la correa de su calzado». El escritor colombiano no esta conforme con la leyenda negra: ¿No es extraordinario que para hablar mal de España tengan que repetir lo que dijo un español? ¿Queréis ahogar con gritos y aspavientos la conciencia de España? ¿Tenéis miedo de que por algunas verdades se desmorone un gran imperio?».[6]

Sin embargo en un exceso de exaltación y apología se le ha desconectado con frecuencia de su contexto histórico. Bartolomé de las Casas no fue un héroe solitario. Formó parte de todo un movimiento de pensamiento y de acción, de misioneros y de teólogos, con proyección internacional y de actualidad impresionante. Precisamente en su carta de 1562 a los dominicos de Guatemala Bartolomé de las Casas se gloriaba de formar parte de esa Escuela de paz y de libertad que nación en Salamanca.[7]

Con Francisco de Vitoria nace en Salamanca la doctrina más revolucionaria del protectorado político cuando trató de definir y valorar el fenómeno americano de la conquista y colonización española en América. Bartolomé de las Casas contribuyó con su mejor aportación a la Escuela al formular el primer proyecto de Carta de derechos del indio. Y por sus fórmulas y por su testimonio humano de justicia y de libertad se ha hecho acreedor al título de uno de los predecesores más destacados de la Declaración Universal de derechos humanos de las Naciones Unidas en 1948. El plan de este artículo es el siguiente: 1º El mito Bartolomé de las Casas y las condiciones que lo determinan. 2º Fundamentos democráticos del proyecto Las Casas para la Carta de derechos del indio. 3º Valoración y aportación de Bartolomé de las Casas a la filosofía política en función de la tesis de la libertad definida por la Escuela de Francisco de Vitoria.

1. DETERMINACIONES DEL MITO BARTOLOME DE LAS CASAS

Bartolomé de las Casas se convirtió en un mito y a través de él ha influido en la historia. Habrá que separar lo que hay de mito y de realidad en el fenómeno Las Casas. Empecemos por conocer como se forja el mito y las causas que lo determinan. Queremos adelantar que el mismo Las Casas fue el principal determinante de su mito. Lo científico y lo profético culminaran en la exaltación democrática de su carta de derechos del indio. Su filosofía política forma parte de ese mito, y sobre todo su proyección histórica.

El mito que se forjó Las Casas pasa por una serie de fases de pura estrategia. Primero, Las Casas trata de mentalizar a los maestros de Salamanca que formulan científicamente la tesis de la libertad, pero incorporando al obispo de Chiapas como una de sus fuentes académicas. Segundo, apoyándose en su experiencia y en la doctrina de estos maestros Las Casas pretende concienciar al Rey y al Consejo de Indias para neutralizar la influencia política de los encomenderos. Y sólo en una tercera etapa, cuando él cree haber fracasado en su proyecto, recurre a S.S. el Papa Pio V y a la conciencia de Europa con la publicación de su obra cumbre de filosofía democrática «De Regia Potestate».

La ciencia termina por convertirse en un medio de especulación política al servicio de su denuncia profética. Es la clave para la interpretación del mito y el alcance de su influencia.

Francisco de Vitoria está presente en la polémica de Valladolid cuando Bartolomé de las Casas cita en su *Apologia* al catedrático de Salamanca (Doctissimus Pater Franciscus Victoriensis) en el momento en que no se habían publicado todavía las relecciones. Pone empeño epecial en señalar la identidad de actitudes. Y reacciona violentamente contra Sepúlveda cuando invoca la relección *De indis* en apoyo de su tesis:

«En la segunda parte de la relección sobre las Indias aduce Vitoria ocho títulos por los que podían venir los pueblos de América en poder de los espñoles. Para demostrar la justicia de aquella guerra parte de supuestos completamente falsos, que incluso había sido propalados por los mismos saqueadores que estaban devastando ampliamente todo aquel continente. En algunos títulos actuó Vitoria con demasiada timidez, queriendo suavizar lo que a los cesaristas parecía que había dicho con excesiva dureza, a pesar de que a los amantes de la verdad no era duro sino hasta católico y verdadero. Lo da él mismo a entender el hablar en hipótesis, temiendo no fuera a dar o decir lo falso por verdadero. Siendo falsas, por tanto, las circunstancias que supone aquel muy sabio maestro y teniendo en cuenta la timidez con que habla a veces, no tiene derecho ciertamente Sepúlveda a enfrentarnos con la opinión de Vitoria apoyada en falsas informaciones».[8]

Bartolomé de las Casas se imponía el deber de mentalizar a los maestros de Salamanca con el hecho de América, pero tal como él mismo lo interpretaba. Se nombraba a sí mismo experto en el hecho y en el derecho de las Indias, pues «ha sesenta y un años que vi comenzar esta tiranías y ha cuarenta y ocho años que trabajo en inquirir a estudiar y sacar en limpio e derecho».[9] Poco a poco va ganando a los principales maestros para su causa hasta convertirse en el «testigo» fidedigno de la experiencia americana.

El informe que envió a Bartolomé de Carranza y que él calificó de «carta grande» llegó a ser el instrumento más importante de mentalización lascasiana.[10] Carranza terminaba por rendirse: «Vi vuestra carta y me ha parecido muy bien, y digo que tengo lo que vos tenéis y deseo lo que vos deseáis».[11] Y con orgullo mal disimulado aseguraba Las Casas que «el maestro y padre fray Domingo de Soto todo lo que acaecía ver y oir de mis escritos lo aprobaba y decía que él no sabría en las cosas de las Indias mejor que yo, sino que lo ponía en otro estilo».[12] E inmediatamente añade: «Vino en estos días el maestro Cano a ser regente superior del Colegio; le di la carta, la vio, la leyó y me dijo: basta que Vuestra Señoría tenga evidencia de ello».[13] En coloquios y disputas, Pedro de sotomayor y Juan de la Peña, que se resistían a ser convencidos, hasta que «vieron la carta y me vinieron a conceder que yo tenía razón».[14]

Todavía no se ha señalado la influencia de aquel equipo de teólogos, mentalizados por Las Casas, en el proceso teológico de la polémica que eran entonces profesores de San Gregorio de Valladolid, y fueron después catedráticos de Salamanca. A través de ellos logró infiltrarse Las Casas en las cátedras universitarias. En su carta a los dominicos de Chiapas y Guatemala llegó en 1563 a decir que sus libros eran leídos a la letra en las cátedras de la Universidad de Salamanca y Alcalá. Surge así el mito de su magisterio.[15]

Hemos podido reconstruir todas las lecciones, hasta ahora inéditas, que se explicaron durante este período en las universidades españolas. Y desde luego puede concluirse que se identificaron totalmente con la tesis lascasiana los catedráticos salmantinos Juan de la Peña, Pedro de Sotomayor, Mancio de Corpus Christi, Bartolomé de Median, Juan de Guevara, Domingo Báñez y Pedro de Aragón. Bartolomé de las Casas es citado como una fuente científica al nivel de Vitoria, Soto y Covarrubias.[16]

En sus lecciones de 1559 Juan de la Peña inicia este proceso de integración de Las Casas en el magisterio de Salamanca. Desde la cátedra de Teología intentó sistematizar las conquistas logradas durante la polémica de Valladolid que él mismo había vivido con angustia cuando era profesor de San Gregorio. Peña es muy duro al valorar la política española, pero supo moderar las conclusiones amargas que de la conquista dedujo el obispo de Chiapas. Su paralelismo absoluto con el ideario de la apología, que cita varias veces, denuncia la importancia que daba al testimonio de Las Casas que queda convertido desde entonces en nueva autoridad académica para la interpretación de la «tutoría» o del protectorado político de España en América.[17]

El prestigio científico de Peña, que se convierte en el maestro de mayor influencia científica en aquel período, provoca la sucesión automática de Las Casas en el magisterio de la Escuela. Juan de Guevara acudió a la apología para interpretar el alcance político de las bulas alejandrinas.[19] Pedro de Sotomayor aconsejaba a sus discípulos la lectura del libro de Las Casas sobre el imperio de los reyes de España en el nuevo mundo.[19] Mancio de Corpus Christi remitía a Francisco de Vitoria al «doctísimo en esta materia, obispo de Chiapas».[20] Bartolomé de Median hacía referencia a los muchos tratados que escribió Bartolomé de las Casas.[21] Domingo Béñez rendía homenaje desde la cátedra de Prima de la Facultad de Teología al «Protector infatigable de los indios hasta su muerte».[22]

Agustín Dávila Padilla completó el mito. Su autoridad académica era rodeada de una aureola de sabiduría. A finales del siglo XVI hace la apología del gran jurista y teólogo, «que había estudiado con mucho cuidado cánones y se había dado muy de veras al estudio de la Corte para asuntos de América».[23]. Antonio Remesal le hace licenciado en Derecho por Salamanca.[24]. Miguel Agia y Juan de Torquemada se apoyan en su saber jurídico «como hombre muy docto y leído en todas las buenas letras».[25] Hasta Jacobo Quetif y Echard hacen a Bartolomé de las Casas estudiante de derecho en Salamanca para marchar, ya licenciado en ambos derechos, a las Indias, donde sigue cultivando la ciencia jurídica.[26] Esta imagen idealizada de jurista y teólogo, se proyecta rápidamente por Europa hasta nuestros días con Roberto Levillier[27] · y Miguel Méndez Plancarte.[28]

Pero el mito provocó la contradicción. En su carta al emperador Carlos V advertía ya Toribio de Motolinia, desde Guatemala en 1555 que «por cierto, con unos poquillos cánones que el de Las Casas estudió, él se atreva a mucho».[29] El gran jurista Bartolomé Frias de Albornoz, catedrático de derecho civil en la recién fundada universidad de México, repetía: «Bien sé que leyes (en que se titulaba licenciado) no las oye en Salamanca, ni en Valladolid, ni fuera de España».[30]

El informe de Juan de Matienzo, jurista y oidor de la Audiencia de Charcas, sobre la conquista y el gobierno del Perú es la antítesis objetiva a la interpretación por Bartolomé de las Casas del fenómeno americano.[31] Y García de Toledo se reveló contra aquella deformación de los hechos. Nos parece hoy sensacional aquel texto del *Verdadero y legítimo dominio de los Reyes de España sobre el Perú:* «Fue tal el influjo de Bartolomé de las Casas' y tal el escándalo que el Emperador puso y también a los teólogos que seguían a aquel

Padre por la falsa información, que quiso S.M. dejar estos reinos a los incas tiranos, hasta que Francisco de Vitoria le dijo que no los dejase, que se perdería la cristiandad, y prometió dejarlos cuando estos (pueblos) fueran capaces de conservarse en la fe católica.[32]

2. PROYECTO DE CARTA DE DERECHOS DEL INDIO

La conciencia del Rey y del Consejo de Indias formaba parte de su profetismo. En su memorial al Rey y al Consejo de Indias se esfuerza por llevar a la conciencia de los gobernantes el sentido y el alcance de sus derechos y deberes para la protección política de los pueblos de América.[33] Y en este proceso de conciención se descubre y aflora una auténtica filosofía democrática. Los derechos políticos de los pueblos protegidos, exaltados hasta el paroxismo, se convierten en la nueva arma de estrategia apostólica.

Bartolomé de las Casas partía de un dogma democrático formulado con una claridad sensacional. El poder del Rey de España en América se fundaba sobre el voluntario consentimiento de los indios. Dice textualmente: «El Rey de Castilla ha de ser reconocido en las Indias descubiertas por supremo príncipe y como emperador de muchos reyes, no por violencia ni por fuerza sino habiendo precedido tratado y convenio entre el Rey de España y los príncipes indios, en los que prometiera el Rey de Castilla con juramento que les sería buena y útil su soberanía, que respetaría y conservaría su libertad, señoríos, dignidades, derechos y leyes razonables; y en los que los reyes y pueblos indios prometerían y jurarían a los Reyes de Castilla reconocer aquella soberanía de supremo príncipe y obedecer sus leyes justas».[34] Y concluía: «Sin su propio consentimiento y el beneplácito de sus ciudadanos no puede dárseles (a los indios) un nuevo rey».[35]

Y aun cuando la donación de Alejandro VI justificaba el monopolio de intervención, por lo que se refiere a los demás príncipes cristianos, este títulos era válido y eficaz en relación con los pueblos indios, cuando éstos y sus gobernantes hubieran libremente aceptado y ratificado este principado de los reyes de España. Y en buena lógica concluía Las Casas: «Luego si nuestros reyes tienen la concesión papal y carecen del consentimiento y aceptación voluntaria de tal donación por parte de aquellos pueblos, les falta el derecho más principal».[36] En consecuencia para Bartolomé de las Casas las Indias descubiertas y conquistadas por los españoles, deberían formar una confederación pacífica de pueblos libres bajo la soberanía de un emperador que sería el Rey de Castilla.

Este consentimiento libremente pactado no sólo justificaba en última instancia, el dominio de España en América, sino que condicionaba también su política colonial: «Los españoles debían pasar a las Indias por bien de los mismos indios».[37] Esta función de servicio constituyó el segundo axioma democrático, dogmático e incuestionable, para Bartolomé de las Casas. La presencia de España en América tenía sentido únicamente en cuanto se hacía necesaria para el bien espiritual y el progreso material de los mismos indios, posponiendo los españoles su propio interés y el de toda España.[38] Porque «por esta causa final se concedió a los reyes de Castilla aquella honorífica dignidad real y cuasi como imperial de ser soberanos sobre muchos reyes.[39]

En consecuencia, concluía Las Casas en buena lógica democrática, «Es necesario hacer un tratado entre los embajadores de nuestros reyes y aquellos

113

pueblos y sus jefes políticos sobre el modo de gobernar, y además llegar a un acuerdo sobre la forma de sumisión y los tributos que se deben prestar, confirmándolo todo con juramento».[40] Su catálogo de abusos y crueldades cargaba, en definitiva, la conciencia del rey y de sus consejeros. Se había actuado contra la voluntad de los mismos indios.

Bartolomé de las Casas intentaba paralizar aquel proyecto sobre la perpetuidad de las encomiendas. Y en su dialéctica se incorpora un nuevo dogma democrático: «Según la ley natural y divina deben ser llamados y citados, oidos y escuchados los indios para que informen sobre su derecho cuando se trata de un principio grande».[41]

El principio ha quedado perfectamente formulado: «Se requiere el llamamiento, citación y consentimiento de todos aquellos que pretenden tener algún interés o temen algún perjuicio futuro, siempre que de cierto pueblo o gentes se exige obediencia, sujeción y demás derechos regios. Es, pues, manifiesto que en este negocio deben ser convocados todos y cada uno; deben prestar su consentimiento tanto los poderosos como son los gobernantes y potentados, príncipes, magnates, magistrados o cabezas de ciudades y pueblos, como los simples ciudadanos y gente sencilla. Si no se da este consentimiento general, nada valdrá cuanto en contra se hiciere».[42]

Y concluía con estas palabras: «No basta sólo el consentimiento del rey para gobernar o su voluntad de reinar, sino que es necesario el consentimiento del pueblo para que este contrato tenga valor y el rey pueda reinar en derecho».[43] En estos términos era proclamado el derecho de autodeterminación y se formulaba el principio del control democrático en los asuntos importantes de gobierno.

Y a estos principios jurídicos y morales añadía Las Casas argumentos de carácter político para convencer al rey y a sus ministros de que no podían ser vendidas a perpetuidad las encomiendas y enajenar de la Corona a los indios. Estaben en juego los derechos fundamentales civiles y políticos de aquellos pueblos. Invocando el deber de respetar la voluntad de los pueblos libres y el riego para la paz y la soberanía de España en las Indias, Bartolomé de las Casas abre el camino a la consulta popular para presionar sobre la conciencia del rey. Era otro argumento inusitado hasta entonces.

El 15 de julio de 1559, reunidos en la ciudad de San Juan de los Reyes los caciques principales en representación de los indios del Perú, nombraron por representante a Bartolomé de las Casas, y le otorgaron ante notario poder total como procurador ante el rey de España, señalando los objetivos concretos y las condiciones de esta comisión.[44]

En virtud de estos poderes concedidos legalmente, el Protector de los Indios presentó un nuevo memorial ante el rey de España[45] y ante el Consejo de Indias en 1560.[46] En definitiva era el antiproyecto a la propuesta de Antonio de Ribera que había presentado en nombre de los encomenderos. La oferta era realmente sensacional. Ofrecían a Su Majestad cien mil ducados más de los que prometían los españoles por la venta de las encomiendas a perpetuidad. Pero iba condicionada por una serie de obligaciones que se imponían a la Corona, y el rey debía pactar con los pueblos indios.

De sobra sabía Las Casas que los indios no podían cumplir aquella promesa a pesar de las facilidades que se estipulaban para la amortización de la deuda. Pero formaba parte de su estrategia. La especulación democrática debía terminar en un pacto entre el rey de España y los pueblos libres de América sobre las condiciones del buen gobierno.

Cuando en aquella puja de ofertas económicas y discusiones políticas dentro del Consejo de Indias, parecía fracasar o se dilataba la solución de aquel negocio que atentaba contra la libertad de los oprimidos, Bartolomé de las Casas recurrió al Papa, como árbitro supremo, ya que el Rey tenía el imperio de las Indias por conceisón de la Sede apostólica. Esta demanda abrió la última etapa de su profetismo.[47]

En su informe pedía Las Casas la intervención inmediata de la Santa Sede en favor de los «oprimidos con sumos trabajos y tiranías». Denuncia y protesta contra los abusos de los conquistadores y exige reformas inmediatas en el gobierno. Y no es aventurado suponer que con ello provocó aquel programa de política colonial «sobre la manera de tratar a los indios de América» que Pío V enviaba a la Corte de Madrid en su instrucción de 1566.[48] Documento, de cuño sorprendentemente lascasiano, representa un momento decisivo de la Iglesia al servicio de la descolonización. Es la manifestación suprema del profetismo de Bartolomé de las Casas que iba a culminar en su obra de exaltación democrática publicada poco después de su muerte fuera de España.

El trado *De regia potestate* constituye el mejor alegato de carácter científico elaborado por Bartolomé de las Casas en defensa de los indios.[49] Montado al final de su vida sobre los informes teóricos de 1552 y 1556 pretendía convertirse en un instrumento más al servicio de la denuncia profética contra la institución indiana de la encomienda. La primera y segunda parte alcanzaron el nivel de una declaración sensacional de principios democráticos. Tiene el valor de un verdadero manifiesto.

Partiendo de la libertad natural de todos los hombres[50] y del destino universal de todas las cosas,[51] Bartolomé de las Casas define el poder político como servicio para defender y promover los derechos de los ciudadanos.[52] Los reyes no tiene un derecho propio de soberanía para disponer de los bienes pertenecientes al dominio particular de los súbditos. No son señores absolutos del reino ni de sus ciudadanos. Las limitaciones a su libertad individual tienen su fundamento jurídico en un pacto del soberano con el pueblo.[53] No pueden imponerse a los ciudadanos más cargas que las pactadas libremente por el pueblo.

La potestad jurisdiccional de los reyes no es arbitraria.[54] El poder político tiene un origen esencialmente democrático. El pueblo es la causa eficiente del poder de los reyes. Los derechos de los gobernantes radican en la voluntad soberana de la comunidad política. Al elegir a sus gobernantes el pueblo no renunció a su libertad. Porque los ciudadanos no obedecen ni se sujetan a un hombre sino a las leyes libremente consentidas y en cuanto se ordenan al bien común. Al rey se le concede la potestad con el único propósito de promover el bien del pueblo. El poder político cumple así una función democrática. Tiene su razón de ser en esta función de servicio a la comunidad.

El gobernante, por tanto, –y la conclusión es sensacional– no es más que un administrador que ejerce su autoridad para bien del pueblo a través de un verdadero control democrático en los actos importantes de gobierno. El rey no puede mandar ni ordenar nada que pueda repercutir en perjuicio y sacrificio de los ciudadanos sin que éstos den su expreso consentimiento, justo y lícito. Sobre estos tres principios democráticos fundamentales define Bartolomé de las Casas, a manera de conclusiones prácticas, las relaciones jurídicas entre el Jefe del Estado y el pueblo, entre los gobernantes y los ciudadanos. Las fórmulas son relevantes.

Si no quiere degenerar en abuso de poder, el Jefe de Estado gobernará de acuerdo con las condiciones que constitucionalmente le impuso el pueblo en el momento de la elección. Sin el consentimiento expreso de los ciudadanos directamente afectados, el rey no puede imponer el sacrificio de una ciudad o territorio[55] para bien y prosperidad de todo el pueblo, ni puede sacrificar un reino contra la voluntad de sus ciudadanos para socorrer otro reino[56] de la comunidad de pueblos que gobierna un mismo rey.

Sin el consentimiento de los súbditos son inmorales las ordenanzas o leyes que son excesivamente gravosas para el pueblo.[57] Las leyes, como las demás instituciones, tienen el valor de medios o instrumentos para la realización del bien general en la promoción social de todos los ciudadanos. La tiranía constituye el mayor atentado a la libertad de los pueblos. El rey sólo puede mandar a sus súbditos de acuerdo con las leyes.[58] Obedeciendo a las leyes en cuanto mandan lo justo y conveniente para el bien del pueblo, los ciudadanos permanecen libres y conservan su libertad fundamental.

En consecuencia, concluía Bartolomé de las Casas, los reyes no tienen derecho a gobernar por el miedo y el terror,[59] ni lícitamente pueden disponer arbitrariamente de los bienes de los súbditos,[60] ni tienen capacidad jurídica para vender los cargos o empleos públicos,[61] ni los bienes del Estado[62] ni están autorizados para conceder exenciones tributarias.[63] No pueden enajenar el reino, ni totalmente ni en parte de su territorio, sin el consentimiento de sus habitantes.[64] Traicionarían entonces su función política y daría causa más que justificada para la rebeldía. Porque el derecho a reinar estriba precisamente en la voluntad popular.[65]

3. SU APORTACION A LA FILOSOFIA POLITICA

Desde esta perspectiva democrática es posible reelaborar el proyecto de la Carta de derechos de los indios en el pensamiento de Bartolomé de las Casas. Hemos logrado sintetizar estos principios democráticos integrando orgánicamente los textos más importantes de la *Apología, De regia potestate* y *Tratados jurídicos.* Estructurada en tres capítulos (Derechos y deberes del ciudadano, Derechos y deberes del Estado, y Comunidad internacional) presentamos por primera vez esta *Carta de derechos humanos según Bartolomé de las Casas* en el Congreso Internacional de Sevilla (1974), glosada en edición especial con ocasión del aniversario de la Declaración Universal de las Naciones Unidas (1975) y reimpresa recientemente (1984), a manera de apéndice, en la nueva edición *De regia potestate* del volumen VIII del *Corpus Hispanorum de Pace.*

Las fórmulas de esta carta son sensacionales. Nada más avanzado se formuló durante todo el siglo XVI en aquel proceso de teorización democrática. Pero su filosofía política quedó totalmente instrumentada a su estrategia de denuncia profética. La preocupación por buscar bases científicas a la denuncia ha sido siempre características del profetismo. Para Bartolomé de las Casas el recurso a la ciencia fue un medio más para presionar sobre las conciencias y comprometer la opinión pública en la lucha por los oprimidos.

El tratado sobre la potestad de los reyes desemboca con frecuencia en afirmaciones gratuitas sin argumentos sólidos que demuestren suficientemente su validez científica. Precisamente por esta falta de lógica se llega a fórmulas democráticas espectaculares. Las autoridades y las citas se amontonan indiscriminadamente de manera imprecisa y hasta inexacta. Se abusa del argumento de analogía y de la extrapolación de textos legales por falta de precisión técnica y de formación jurídica. Pero es un hecho que aquella nueva denuncia de Bartolomé de las Casas, acuñada con fórmulas democráticas, provocó en América principalmente en el Virreinato del Perú, un verdadero movimiento contestatario contra el poder central, y en Europa suscitó una nueva corriente de opinión contra la monarquía española.[65]

Juan Antonio Llorente lanzó la tesis de que la obra de Bartolomé de las Casas sobre «El poder de los reyes» fue denunciada al Consejo de la Inquisición por defender principios contrarios a la doctrina de San Pedro y San Pablo sobre la sumisión de los siervos y vasallos a sus señores y reyes. Esta tesis democrática, dice, «obligó a que fuera entregada la obra que se recogió manuscrita».[66] Por su tesis democrática sumamente avanzada consideran Guillaume François de Bure[67] y G. Peignot[68] que fue objeto de persecución y censura. Durante el siglo XVII Bartolomé de las Casas fue denunciado a la Inquisición por el Padre Minguijón.[69]

La politización de sus ideas se convirtió históricamente en un arma dialéctica de libertación democrática. Raynouard,[70] apoyándose en Touron, señala la influencia que pudo tener en la rebelión de Flandes. Valerio Fulvio Savoiano,[71] en nombre del obispo de Chiapas, atacaba la ocupación de Sicilia y Nápoles por los españoles. Pio Bolognese[72] le invocaba contra la conquista de la Valtelina y el norte de Italia.

Gilbert Chinard[73] demostró el uso que hicieron los franceses de Bartolomé de las Casas. Antonello Gerbi[74] señaló el uso y abuso de Las Casas en el umbral de la conciencia de América. Juan Antonio Llorente hace una interpretación «liberal» del obispo de Chiapas para demostrar la filiación lascasiana de la democracia moderna.[75] No en vano Otto Waltz hacía un paralelismo entre Las Casas y Rousseau.[76] Otra vez el mito Bartolomé de las Casas trataba de imponerse históricamente.

Es cierto que en Bartolomé de las Casas culmina la denuncia profética de misioneros y teólogos españoles en la conquista de América. No era un científico aunque se esforzó por integrarse en la Escuela de Salamanca y aparecer como maestro de derecho colonial. No era un innovador, aunque pretendía hacerse con la paternidad de las ideas que le prestaban el equipo de teólogos que colaboraban con él en la polémica.

Bartolomé de las Casas es un polemista y un apóstol. Fue el típico contestatario de su época. Y para hacer más eficaz su misión apostólica buscó fundamentación teológica y jurídica a sus denuncias proféticas en defensa de los indios. Porque Bartolomé de las Casas es el profeta de la liberación en América.

Fue un profeta en el sentido evangélico de la palabra. Su carisma fue una pieza esencial de la reconstrucción y de la vida de la Iglesia en América cuando la conciencia cristiana se creía sacudida por los descubrimientos y la conquista del nuevo mundo. Su profetismo, como denuncia y como palabra de salvación presuponía un compromiso social y hasta político. Se convirtió en el primer actor de esa apasionante lucha evangélica por la justicia en América. Con sus luces y sus sombras, sus éxitos y sus fracasos, aquella denuncia profética se realizó en fidelidad profunda a las exigencias evangélicas. No se puede dudar de sus intenciones ni de su celo apostólico. Denunciando abusos, sacudiendo conciencias y fulminando anatemas en defensa de los que él creía los derechos sagrados de los indios, Bartolomé de las Casas acudió a la exageración histórica, a la instrumentación científica y a la especulación política. Son características de su profetismo.

Por su falta de rigor científico, por intuición y por impulsos de exaltación humanista, llegó a conclusiones espectaculares y lógicamente no previstas por los maestros de la Escuela de Salamanca en los que pretendían apoyarse. Se convirtió en un teorizante de vanguardia al servicio de los oprimidos. Entre utopía y realidad, denuncias y anatemas, como signo de contradicción, Bartolomé de las Casas se convirtió en un mito y a través de él ha influido en la historia. Lo científico y lo profético son la clave de su mito.

¿Qué valor científico tiene pues, su filosofía democrática? Habrá que relacionar su carta de derechos humanos con las bases científicas sentadas por Vitoria y su Escuela en defensa de los indios. Sólo en función de este contexto histórico es posible valorar su aportación al pensamiento político.

La conquista del Perú con la denuncia de sus excesos y los gritos de protesta provocó en Vitoria una verdadera crisis de conciencia. La bula «Sublimis Deus» del Papa Paulo III definió solemnemente la racionalidad y la libertad de los indios descubiertos. Desde este doble compromiso –político y religioso–sometió Vitoria a juicio crítico la política colonia española en su estudio sobre los sacrificios que hacían los indios en el norte de México. Documentos sorprendente por sus conclusiones doctrinales y por su criticismo político.[77]

Francisco de Vitoria reconocía en la relección *De indis* de 1537 la soberanía de los pueblos indios: Constituían comunidades autónomas y cumplían funciones de soberanía. Eran dueños de sus bienes y tenían derecho sobre sus fuentes naturales para beneficio de la propia comunidad y bienestar de su población. El derecho de autodeterminación y el derecho a la paz y al progreso eran derechos fundamentales.

Y sólo en función de la libre elección de los pueblos indios y de la necesidad de protección de los derechos humanos justificaba Vitoria la intervención de España en América. Los españoles ocupaban los territorios americanos recientemente descubiertos en nombre de la comunidad del orbe para proteger a sus habitantes o para defender a sus aliados que libremente les habían elegido. Porque también para los indios existía el deber de solidaridad y colaboración.

El emperador Carlos V reinaba, por tanto, sobre una comunidad de pueblos libres. Sus leyes eran justas en cuanto conservaban y promocionaban cultural y socialmente las poblaciones indígenas. Los españoles no podían en consecuencia, sacar el oro de América o explotar sus fuentes naturales de riqueza en beneficio de la metrópoli contra la voluntad y en detrimento de los naturales. Los indios «protegidos» tenían derecho a la buena administración y a un buen gobierno de los españoles, pero gradual y progresivo, por medio de la tolerancia de leyes imperfectas, pero posibles y razonables.[78]

Algunos oyeron con escándalo aquel programa de política colonial y muy pronto desde la Corte llegó una orden de Carlos V al Prior de los dominicos mandando que se pusiera veto a doctrinas tan escandalosas que atentaban contra la dignidad del Emperador y del Papa.[79] El mismo Vitoria había denunciado el peligro de que fueran tachados de cismáticos los que pusieran en duda lo que el Papa hacía y fueran acusados de enemigos del Emperador los que se atrevieran a condenar la conquista de América.[80] Pocos años después el Papa Sixto V intentó poner las relecciones de Vitoria en el índice de libros prohibidos.[81] Y para defenderle Francisco de la Peña intentaba en Italia demostrar que las relecciones eran apócrifas.[82]

No cabe duda de que Vitoria tenía miedo de parecer como un revolucionario. Sabía que su crítica podía provocar una reacción violenta. Arrancó de aquella primera relección americanista los cinco folios que recogían la crítica política.[83]

La relección *De indis* es sólo una crítica indirecta de la política española. En 1539 Vitoria expone principios. Ni critica hechos. Los títulos de ocupación eran simples hipótesis. No habla de títulos por los cuales las Indias Occidentales eran de España, sino de causas por las cuales pudieron llegar o sería posible según las circunstancias históricas. Si justificaba el dominio de España en América, proclamaba también los derechos de los pueblos indios frente a España como miembros iguales de la comunidad internacional.[84]

El magisterio de Francisco de Vitoria abría así una nueva fase al criticismo político, científico y académico. Se impuso a teólogos y juristas. Nacía una verdadera escuela. Sus discípulos, aquella generación de maestros de 1540, sometieron a revisión el fenómeno colonial para configurar la intervención de España en América como un protectorado político en cumplimiento de un mandato de la Comunidad internacional y al servicio primordialmente de los mismos pueblos protegidos.

Domingo de Soto concebía a América como una comunidad de pueblos libres. España cumplía una función de tutela sobre aquellos pueblos que libremente le habían elegido o por mandato de Alejandro VI que actuaba en nombre de la Comunidad cristiana.[86] Su misión era el bienestar y la promoción de los protegidos: «No se habían conquistado los reinos de ultramar para que sus riquezas sirvieran al desarrollo de la metrópoli o se subordinarán sus habitantes exclusivamente a los intereses de España».[87]

Serían injustas, por tanto, las leyes del emperador que mandaran traer el oro de América a no ser que los mismos indios dieran su consentimiento o tuvieran por abandonadas aquellas riquezas naturales. El pueblo tiene derecho de soberanía sobre las fuentes naturales que existen en su territorio y los extranjeros no pueden explotarlas y apoderarse de sus riquezas sin el consentimiento de los habitantes que viven en el territorio nacional.[88] Y los pueblos descubiertos, en frases de 1540 todavía inéditas, son comunidades políticas soberanas y no son provincias de España. Por lo tanto su bien político no puede subordinarse al nuestro, concluía Domingo de Soto.[89]

En otras lecciones de 1546 afirmaba Melchor Cano que el subdesarrollo político no justificaba la conquista ni la dominación de España en América. No se les podía conquistar con el pretexto de ayudarles e incorporarles a la civilización cristiana. Frente a la política imperialista de ocupación permanente por las razas superiores oponía Cano la tesis de la descolonización a través del protectorado político.

España permanecía en América para defensa y protección de los derechos humanos, pero únicamente mientras fuera necesario y no más tiempo contra la voluntad de los protegidos. Esta política de protección progresiva si condicionaba la libertad política, exigía también una compensación económica a través de impuestos y tributos sobre los pueblos protegidos.[90]

Para el discípulo de Vitoria los títulos de emigración y de comercio eran títulos hipotéticos totalmente inválidos en el caso de América: «Inermes y pusilánimes los indios no han dado causa de guerra cuando los españoles se presentan no como peregrinos sino como verdaderos invasores. Han tratado inicuamente a algunos pueblos y estos les consta a los indios. Tienen, pues, razón para desconfiar. Tampoco los españoles se lo tolerarían a los franceses».[91]

Diego de Covarrubias logra una mayor precisión jurídica en sus lecciones autógrafas de 1548 que sirvieron de base a la Universidad de Salamanca para la censura del «Democrates Alter» de Sepúlveda. El catedrático y canciller que fue de Castilla, reconocía a los pueblos indios el derecho a su integridad nacional, el derecho de soberanía sobre su territorio y sobre los bienes que lo integraban. Desde esta perspectiva jurídica el catedrático de Salamanca había avanzado sobre la tesis de Vitoria. Libres y soberanos los pueblos indios podían con toda justicia prohibir a los españoles que explotaran y exportaran el oro de sus minas y pescaran perlas en los ríos públicos. Justamente podían limitar y hasta prohibir el derecho de emigración que tuviera por fin el comercio en cualquier clase de negocios o intercambios.

Y esto por la única razón de que aquellos territorios estaban bajo su soberanía y sus fuentes de riqueza debían servir al bienestar de la propia comunidad. Además de que la entrada de los españoles más poderosos, más hábiles y mejor armados podía poner en peligro la independencia nacional. El *ius peregrinandi* y el *ius negotiandi* no podían ser un pretexto de política imperialista. Quedaban condicionados por legítimos intereses nacionales.[92]

La intervención para Covarrubias tenía su fundamento jurídico en un pacto de colaboración y ayuda mutua o en un mandato internacional de protección y defensa de los derechos humanos. Pero esta sumisión no anulaba la libertad política sino que la completaba, garantizaba y promocionaba a través de un mejor desarrollo político. Y el jurista de Salamanca descubriría la posibilidad de que la protección evolucionara en integración a través de pactos libremente consentidos.

Este proceso dialéctico por llegar a una tipificación de la intervención de España en América como protectorado político culminó en el texto luminoso de Bartolomé de Carranza. En 1540 decía públicamente en el Colegio de San Gregorio de Valladolid: «puede España ocupar las Indias durante el tiempo que sea necesario para promover y defender los derechos humanos. Pero cuando estén ya seguros y la tierra esté llana y no haya peligro de que aquellos pueblos degeneren en su antigua barbarie, España tiene que retirarse y volver aquellos pueblos a su primera y propia libertad, porque ya no necesitan tutor. Esto podría suceder, concluía Carranza, dentro de 40 ó 50 años».[93]

Si falló la previsión histórica el concepto quedó perfectamente definido. La meta de una auténtica política colonial desembocaba en el autogobierno. Pero se fijaba también un plazo de mandato o protección.

Sólo desde esta perspectiva histórica se puede valorar científicamente aquella conclusión definitiva de Bartolomé de las Casas en su tratado sensacional de 1553: «Con este soberano imperio y universal principado y señorío de los reyes de Castilla en las Indias, se compadece tener los reyes y señores naturales de ellas su administración, principado, jurisdicción, derechos y dominios sobre sus súbditos y pueblos, o que política y realmente se rijan, como se compadecía el señorío universal y supremo de los Emperadores que sobre los reyes antiguamente tenían».[94]

Sobre este telón de fondo se proyecta la personalidad apasionante de Bartolomé de las Casas. Y solo desde él puede enjuiciarse exactamente el duelo ideológico de Valladolid entre Las Casas y Sepúlveda. Si el humanista cordobés encarnaba el imperialismo cristiano, dominante en Europa, y que había condicionado prácticamente la política colonial española, la tesis de la libertad, propugnada por el obispo de Chiapas, empezaba hacerse conciencia nacional.

Marcel Merle, internacionalista de la Universidad de París, en su libro «El anticolonialismo europeo de Las Casas a Marx», presenta a Bartolomé de las

Casas como el símbolo de la resistencia contra el imperialismo. Y aquí radica la presencia casi mítica de Bartolomé de las Casas en la conciencia de nuestro tiempo contra el nazismo en Alemania y contra el colonialismo en Argelia y Vietnam. Hasta soviéticos y orientales europeos lo han utilizado contra el imperialismo capitalista. Y no pocos iberoamericanos lo instrumentan hoy en la teología de la liberación. Por su profetismo evangélico y por criticismo político la UNESCO presentó a Bartolomé de las Casas como un ideal en el 25º aniversario de la Declaración Universal de los derechos humanos.

Asumimos el fenómeno Las Casas, pero distinguiendo claramente identidad y realidad histórica de lo que tiene de mito y de manipulación política. Aceptamos a Bartolomé de las Casas por su espíritu crítico, por su defensa de los oprimidos y por su pensamiento democrático. Es una gloria española y como tal lo asumimos. Pero nos resistimos a aceptar el mito Bartolomé de las Casas en lo que tiene de manipulación política o religiosa, de falsificación histórica y de atentado contra la verdad. Y esto por un simple deber de ética científica y también de patriotismo.

Sirva de colofón a todo lo que hemos dicho las palabras del Premio Nóbel, Miguel Angel Asturias, «La Audiencia de los confines». Diriguiéndose al Emperador Carlos V durante la controversia teológico-político que sostuvo en Valladolid con el doctor Juan Ginés de Sepúlveda, exclama Fray Bartolomé de las Casas, «¡No!... ¡No, Sagrado César, Invictísimo Príncipe!... ¡No existe el poder absoluto de los reyes para enajenar vasallos, pueblos y jurisdicciones, sin consentimiento de los súbditos!... ¡La voluntad de la Nación es el origen de la autoridad de los reyes, príncipes, magistrados, y éstos jamás deben considerarse superiores a la ley!... ¡Se me acusa de negar a los Reyes de Castilla su imperio y señorío en las Indias Occidentales, acusación gravísima y sin fundamento, pues lo que he negado y ¡Niego!, es el derecho de los Reyes de Castilla y León a hacer la guerra a los indios y a conquistarlos por medio de las armas, por ser las guerras de conquistas inicuas, tiránicas y condenadas por toda ley natural, divina y humana. ¿Por medio de las armas he dicho? ¡De las armas, no, del crimen! ¡Yo jamás vi la espada separada del crimen!... ¡No ha sido siempre así, pero yo, yo, ¿qué queréis, Majestad?, sólo vi la espada unida a la muerte, a la violencia, a la opresión, a la barbarie! ¡Vi su lengua de acero traspasar de parte a parte niños, mujeres y hombres indefensos!... ¡No me culpéis!... ¡Juzgo por lo que vi! ¡Doy testimonio por no ser reo callando de la forma en que han usado y usan la espada contra estas indianas gentes, pacíficas, humildes, mansas, los que tienen por nada derramar tan inmensa copia de humana sangre y despoblar de sus naturales moradores y poseedores, tierras vastísimas!... ¡Tomad, Majestad, tomad en vuestras reales manos esa maldita herramienta de la conquista, la espada en amarguísima hora desembarcada al par de la cruz en las Indias, y quebradla como la ha quebrado Dios, cuyas divinas manos nos arrojaron al rostro sus pedazos para marcarnos, herradores de esclavos, por todos los siglos venideros!... ¡Vos no lo sabíais, Majestad, y tan pronto como lo supisteis se empezó a disipar el mal, pero el mal ya estaba hecho y ahora sólo nos queda suplicaros que no accedáis a que se repitan las conquistas, empresas de destrucción y despedazamiento de gentes, pues tal vez así conjuremos la cólera divina, el castigo que caerá sobre nosotros por haber manchado nuestra verdadera misión, propagar el reino de Dios, por culpa de un puñado de aventureros peores que piratas, peores que turcos, peores que moros!». «¡Yo he venido a que las nuevas leyes se cumplan, y se cumplirán!...».

NOTAS

[1] *La transformación literaria de Las Casas en Hispano-América*, en «Anuario de Estudios Americanos» XXIII (Sevilla 1966) 247-265.

[2] *Canto General* (Buenos Aires 1963) Libertadores II, Fray Bartolomé de las Casas, p. 70-72.

[3] TEATRO. (Buenos Aires 1964), *La audiencia de los confines*, 230-248.

[4] *Teatro cubano* (Madrid 1959) p. 49-97.

[5] *Corona de luz. La Virgen* (México 1865) p. 225.

[6] *Un requiem por el Padre Las Casas*, en Teatro (Bogotá 1963) p. 7-84.

[7] CHP 8, 238.

[8] *Apología*, cap. 56, fol. 450 (ed. Madrid 1975, pp. 375-376).

[9] CHP 8, 237.

[10] Carta al Maestro Fray Bartolomé de Miranda sobre la perpetuidad de las encomiendas (CHP 8, 173-213).

[11] CHP 8, 236.

[12] CHP 8, 238.

[13] CHP 8, 238.

[14] CHP 8, 236.

[15] CHP 8, 238.

[16] LUCIANO PEREÑA, *La Universidad de Salamanca forja del pensamiento político español en el siglo XVI* (Salamanca 1954) pp. 17-92. CHP 9, 135-265; 605-612. CHP 10, 175-330. CHP 25, 661-702.

[17] CHP 9, 226-240.

[18] CHP 10, 213-272.

[19] CHP 10, 175.

[20] CHP 10, 273-280.

[21] CHP 10, 302.

[22] CHP 10, 320.

[23] *Historia de la fundación y discurso de la provincia de Santiago de México de la Orden de Predicadores* (Madrid 1596) pp. 37-425, 378, 381, 404, 383.

[24] *Historia General de las Indias Occidentales* (Madrid 1620).

[25] MIGUEL AGIA, *Servidumbres personales de los indios* (Sevilla 1946), p. 54. JUAN DE TORQUEMADA, *Monarquía Indiana* (Sevilla 1615), p. 49.

[26] *Scriptores Ordinis Praedicatorum* (Paris 1721) p. 192.

[27] *Quelques «Propositions juridiques» et la «Destruction des Indes» du P. Las Casas*, en «Revue d'Histoire Moderne» Paris mai-juin, p. 229-257.

[28] LEWIS HANKE, *Bartolomé de las Casas (1474-1566) Bibliografía crítica* nº 554. p. 192.

[29] *Historia de los indios de la Nueva España* (Barcelona 1914) p. 260.

[30] *Arte de los contratos* (Valencia 1573) p. 48.

[31] *Gobierno del Perú* (Buenos Aires 1910).

[32] *Verdadero y legítimo dominio de los Reyes de España sobre el Perú* (CDIHE XIII, 433). CHP 25, 163-198.

[33] *Memorial-sumario a Felipe II sobre la enajenación de los indios* (CHP 8, 214-227).

[34] Carta al Maestro Fray Bartolomé de Miranda (CHP 8, 111).

[35] *De thesauris* (Madrid 1958) p. 170.

[36] *De thesauris* p. 287.

[37] Carta al Maestro Fray Bartolomé de Miranda (CHP 8, 177).

[38] Carta al Maestro Bartolomé de Carranza (CHP 8, 193).

[39] Carta al Maestro Fray Bartolomé de Carranza (CHP 8, 448).

[40] *De thesauris*, p. 278.

[41] Memorial Sumario a Felipe II (CHP 8, 455).

[42] *De thesauris*, p. 174-176.

[43] *De thesauris*, p. 276.

[44] Para el texto original véase CHP 8, p. CII-CVI.

[45] Memorial del Obispo Fray Bartolomé de las Casas y Fray Domingo de Santo Tomás contra la perpetuidad de las encomiendas (CHP 8, 228-234).

[46] Memorial de Fray Bartolomé de las Casas al Consejo de Indias (CHP 9, 279-283).

[47] Petición de Bartolomé de las Casas a Su Santidad Pio V sobre los negocios de las Indias (CHP 8, 284-286).

[48] Instrucción pontificia sobre el modo de tratar a los indios de América (CHP 8, 287-292).

[49] De imperatoria seu regia potestate (CHP 8, Madrid 1984, CLVIII + 450).

[50] CHP 8, 16-20.

[51] CHP 8, 20-22.

[52] CHP 8, 23-32.

[53] CHP 8, 33-36.

[54] CHP 8, 37-39.

[55] CHP 8, 40-44.

[56] CHP, 8, 45.

[57] CHP 8, 47-49.

[58] CHP 8, 50-52.

[59] CHP 8, 52.

[60] CHP 8, 53-65.

[61] CHP 8, 65-75.

[62] CHP 8, 76-79.

[63] CHP 8, 79-82.

[64] CHP 8, 83-99.

[65] CHP 8, 23; 24; 28; 29; 33; 34; 36; 47; 48; 51; 53; 56; 58; 66; 67; 74; 87; 91; 94; 95.

[66] *Historia crítica de la Inquisición en España* (Barcelona 1835) vol. II, tomo IV, n. 24, p. 260-261.

[67] *Bibliographie instructive ou traité de la connaissance des livres rares et singuliers* (Paris 1763) n. 1355, p. 22.

[68] *Dictionnaire critique, litteraire et bibliographie des principaux livres condamnés ou censurés* (Paris 1806), p. 231.

[69] Madrid, AHN, Inquisición, ms 424.

[70] *Oeuvres de Don Bartolomé de las Casas,* en «Journal des savants», janvier (Paris 1823) 42-45.

[71] *Castigo essemplare dei Calumniatori* (Antopoli 1618).

[72] *Discorsi sopra le ragioni della rivolutione fatta in Valtelina contra la tirannide de grisoni et heretici* (Roma, Bibl. Vaticana, Borg. Lat. 200).

[73] *L'exotisme Américain dans la littérature française au XVI siècle* (Paris 1911).

[74] *Viejas polémicas sobre el Nuevo Mundo* (Lima 1946) p. 59-66.

[75] *Oeuvres de Don Bartolomé de las Casas* (Paris 1822).

[76] *Fray Bartolomé de las Casas:* ein historisches Skiss (Bonn 1905) p. 5-6.

[77] LUCIANO PEREÑA, *La Escuela de Salamanca y la duda indiana,* en CHP 25, 291-344.

[78] *Quid possint hispanorum principes erga illos (indos) in temporalibus* et civilibus (Relectio de indis. CHP 5, Madrid 1967, p. 101-116).

[79] Carta de Carlos V al Prior de San Esteban de Salamanca (CHP 5, 152-153).

[80] Carta de Francisco de Vitoria al P. Arcos sobre negocios de Indias (CHP 5, 137-139).

[81] LUCIANO PEREÑA, *La tesis de la coexistencia pacífica en los teólogos clásicos españoles* (Madrid 1963, p. 44).

[82] Cfr. El texto de la «Relectio de indis» CHP 5, CLX.

[83] VICENTE BELTRAN DE HEREDIA, *Ideas del Maestro Fray Francisco de Vitoria anteriores a las Relecciones «De indis» acerca de la colonización de América, según documentos inéditos,* en «Anuario de la Asociación Francisco de Vitoria» II (1929-1930) 39-40.

[84] *Relectio de indis o la libertad de los indios.* Edición crítica bilingüe por L. Pereña y J.M. Pérez Prendes. Estudios de introducción por V. Beltrán de Heredia, R. Agostino Iannarone, T. Urdanoz, A Truyol y L. Pereña (CHP 5, Madrid 1967).

[85] *De iustitia et iure* (Salmanticae 1556) lib. I, quaest. 1, art. 1, p. 11; lib. V, quaest. 3, art. 3, p. 423.

[86] *Commentariorum Fratris Dominici Soto segoviensi Theologi Ordinis Praedicatorum... in quartum Sententiarum librum* (Salmanticae 1566) Dist. V, quaest. unica, art. 10, p. 272.

[87] *De iustitia et iure*, lib. I, quaest. 1, art. 1, p. 11.

[88] *De iustitia et iure*, lib. V, quaest. 3, art. 3, p. 423.

[89] *De legibus*, quaest. 90, art. 2 (Madrid, AHN ms 11.980).

[90] CHP 9, 555-581.

[91] CHP 9, 579.

[92] CHP 6, 343-363.

[93] CHP 9, 552-554.

[94] *Tratado comprobatorio del Imperio Soberano y principado universal que los Reyes de Castilla y León tienen sobre las Indias* (Sevilla 1553) y *Principia* (Sevilla 1553) Propositio XVIII.

ALGUNAS CONSECUENCIAS DE LA ECONOMÍA COLONIAL DEL TIEMPO LASCASIANO

Rafael Anes Alvarez

Muy poco tiempo después de producirse el descubrimiento de América comenzó la actividad colonizadora, que tuvo como móviles más importantes la búsqueda del beneficio mercantil y la posibilidad de emigrar para asentarse en las tierras nuevas. Para poder alcanzar esos objetivos, fue preciso se diesen unas condiciones previas. El beneficio mercantil no era posible aspirar a obtenerlo si no había actividad comercial amplia, lo que exigía comunicaciones seguras y una marina adecuada a las necesidades del transporte, además de regulación clara y precisa de esa actividad comercial. El asentamiento de emigrantes, de colonizadores, sería posible si había mano de obra eficiente y barata disponible, pues ello era condición necesaria para lograr el aprovechamiento de los recursos agrícolas y mineros, cuando se pudiesen alcanzar rendimientos crecientes.

A los imperios portugués y castellano, a la formación de esos imperios, corresponde el colonialismo del siglo XVI. En los años primeros del imperio portugués predomina el elemento mercantil, siendo el colonizador de asentamiento más tardío. Portugal, al tener que asegurar, que proteger, la vía marítima hasta el Extremo Oriente, se vió obligada a establecer factorías en las costas y será después de levantar esa estructura de factorías cuando comience el colonialismo de asentamiento, aunque con poca población de la metrópoli. Portugal no permaneció mucho tiempo en la vía comercial y quizá a eso se debió que al Estado le fuese más fácil organizar las cuestiones coloniales, tratando de ejercer la soberanía sobre los territorios de las colonias. La Corona será quien trate de monopolizar el comercio, con flotas compuestas por navíos reales, llegando las mercancías por cuenta del Rey. La mayor parte de las mercancías, con ese sistema, pasaban por la *Casa da Mina,* más tarde *Casa da India,* y los esclavos que no eran enviados directamente se subastaban en la *Casa dos Esclavos,* aneja a la de la India.

Castilla, al no tener los problemas de seguridad de las comunicaciones que tenía Portugal, desarrolló mucho menos la línea de fuertes y factorías, por lo que es muy rápida la emigración[1] y asentamiento de naturales de la metrópoli. La Corona castellana, al igual que la portuguesa, trató de controlar el comercio ultramarino y en 1503 establece la *Casa de Contratación de las Indias,* en Sevilla, imitación de la *Casa da Mina* de Lisboa. Debido al crecimiento del tráfico, en 1510 fue necesario abrir una delegación en Cádiz y en 1529 Carlos V permite que nueve puertos castellanos, del Mediterráneo, del Atlántico y del Cantábrico, se abran al comercio con Indias. Esa situación se mantuvo hasta 1573, en que las dificultades de la Hacienda Real obligan a renovar el monopolio de Sevilla, para un control mejor de las llegadas de metales preciosos tan necesarios para las arcas reales.

Los barcos que iban a Indias, con protección Real, a participar en el comercio ultramarino, eran en su mayor parte de propiedad privada y los mercaderes castellanos, y a través de ellos los extranjeros, tenían libertad plena de comerciar. La protección armada de las flotas cargaba sobre el comercio, al satisfacer la *avería*. En 1550 ya está establecido el sistema de convoyes entre España y América, así como reconocimiento y regulado el impuesto de la *avería*. La reglamentación de ese impuesto quedó codificada en 1573, con 43 órdenes dirigidas a la Casa de Contratación, órdenes que establecían que todos los artículos, sin excluir los pertenecientes a la Corona, quedaban sujetos al pago de la *avería*, así como los viajeros, también sin exclusión de ningún tipo. La *avería* no era una tasa fija, sino que las mercancías pagaban en función de su valor; para liquidar el impuesto, una vez establecido el coste total, se prorrateaba entre personas y mercancías.

El gobierno de las Indias estaba, en teoría, tan centralizado como el comercio, pero una cosa eran las leyes dictadas por la Corona y otra la realidad social de los territorios americanos y de hecho hubo autonomías locales amplias. Todo ello dentro del marco establecido, según el cual las Indias estaban ligadas directamente a la Corona y no tenían la consideración de territorios sometidos.

La actividad colonizadora,[2] que comenzó inmediatamente después del descubrimiento, estuvo estimulada por el oro aluvial encontrado en algunas islas del Caribe, así como por los bancos de perlas y la posibilidad del *rescate* o trueque de mercaderías con los nativos en las costas de Tierra Firme. En esos años primeros el comercio era privado prácticamente en su totalidad y estaba organizado siguiendo la filosofía de las Capitulaciones de Santa Fé. Recordemos que éstas establecían que los monarcas, a título personal, adquirían la mitad de todas las tierras que Colón descubriese; éste sería nombrado Almirante del Mar Océano, Virrey y Gobernador de los territorios descubiertos, títulos y cargos que tendrían el carácter de hereditarios; Colón, como socio de los monarcas, recibiría la décima parte de las ganacias netas que se obtuviesen en las tierras descubiertas, y podía aportar la octava parte de cualesquiera empresa que allí se organizase, participando en proporción igual en elos beneficios que obtuviese.

El aprovechamiento de los recursos agrícolas y mineros, con empleo de mano de obra indígena, contribuyó al descenso de la población,[3] cargo que pesó sobre la colonización. Hoy parece que se rebaja la culpa que se le imputó, pues las tasas altas de mortalidad fueron debidas más a las enfermedades que llevaron los blancos, especialmente la viruela. No obstante, el trabajo obligatorio en las minas, *mita*, afectó mucho a la mano de obra indígena. Eso, unido a que la Corona prohibió que fuesen sometidos al régimen de esclavitud, hizo que se buscasen negros como esclavos, para disponer de mano de obra eficiente.

El descubrimiento y explotación de las minas de plata del Perú y de Nueva España, hizo que la minería se convirtiese en la actividad principal de ia economía indiana y que, al ser destinadosa la exportación la mayor parte de los productos, aumentase mucho el tráfico comercial. Las minas de plata de Potosí (Perú), descubiertas en 1545, las de Zacatecas (Nueva España), descubiertas en 1546, y las rocas auríferas de Nueva Granada, descubiertas por esas mismas fechas, al ser puestas en explotación contribuyeron decisivamente a que la economía indiana se especializase en ese sector.

Para el aprovechamiento del rico mineral de las minas de plata, especialmente de las de Potosí, hubo cesión del subsuelo a los particulares por la Corona. A cambio de esa cesión, la Corona recibiría un porcentaje de la producción, porcentaje que pronto quedó establecido en el 10 por ciento de los rendimientos. La producción de plata aumentó considerablemente cuando comenzó a aplicarse la técnica de la amagalmación, técnica que ya se había empleado en las minas del Tirol. El introductor en América de dicha técnica fue Bartolomé de Medina, aplicándose en las minas de Nueva España, donde se difundió a partir de 1555, pasando a las del Perú en 1573. La técnica nueva,[4] *beneficio de patio,* consistía en la mezcla de la mena de plata con mercurio, sal y un catalizador, para separar, después del lavado y destilado de la amalgama, la plata del mercurio. El mercurio fue llevado de Almadén hasta que en 1563 se descubrió la mina de Huancavelica.[5]

La mayor parte de los metales preciosos obtenidos en América en el siglo XVI, tomaron el camio de Europa.[6] Desde 1543 cruzaban el Atlántico en convoyes con escolta armada. Arribaban al puerto de Sevilla, hasta 1580, esos metales preciosos y luego tomaban los caminos de Europa.

El descubrimiento de las minas de plata y el empleo de técnicas nuevas en ellas, especialmente la de la amalgamación, hizo aumentase mucho la productividad del trabajo aplicado a la obtención del mineral, que disminuyese el tiempo de trabajo medio socialmente necesario para su producción. Como ni en la agricultura ni en la producción de manufacturas españolas hubo innovaciones técnicas, no pudo aumentar la productividad del trabajo aplicado a ellas, no pudo disminuir el tiempo de trabajo medio socialmente necesario para obtener una unidad de producto. Por ello, el valor de las mercancías expresado en metales preciosos tenía que aumentar.

La consecuencia primera de la llegada de los metales preciosos de Indias fue promover un proceso inflacionista, con altas de precios desconocidas hasta entonces. También se vio afectada la balanza exterior, aunque el aumento del déficit tuvo que contribuir a la política exterior de los Austrias. La llegada de los metales preciosos, con el aumento consiguiente de la liquidez real, tuvo que llevar al incremento de la demanda de bienes, tanto nacionales como extranjeros. Esa demanda mayor, al no tener respuesta suficiente por el lado de la oferta, tuvo que provocar alza de los precios y una presión mayor sobre la balanza comercial. La política exterior, al no ser financiada por las Cortes, obligó a que se acudiese a los empréstitos de banqueros nacionales y extranjeros. La falta de respuesta, al aumento de los medios de pago, por la producción de bienes, tenía que hacer subir los precios y tenía que hacer aumentar la velocidad de circulación del dinero, pues ante las perspectivas de inflación el público trataría de descontarla. Eso incidiría también sobre las entradas y salidas de los metaes y llevaría a la sustitución de los medios de pago metálicos por los no metálicos.[7]

Los economistas y teólogos, aunque lógicamente estuviesen preocupados por los problemas jurídicos y morales de Castilla con las Indias, prestan su atención a la situación económica nueva, al alza de los precios y a las posibilidades de enriquecimiento que daban las tasas de inflación distintas de las diferentes plazas. Entre esos economistas cabe destacar al agustino Martín de Azpilcueta, el doctor navarro, nacido en 1493. Después de estudiar en Cahors y Toulouse, fue catedrático en Salamanca, trasladándose a Coimbra, en 1538, por decisión de Carlos V, donde publicó, en 1552, un *Manual de confesores y penitentes.* Reeditado el *Manual* en Salamanca, cuatro años más tarde, incluye, como apéndice, *Comentario resolutorio de cambios.* El Apéndice, publicado en 1556, contiene comentarios sobre la usura y los intercambios y en él se analizan los efectos de la llegada de los metales indianos. Azpilcueta, considerado el mejor economista de la época, explica las causas de la pérdida de valor del dinero y formula con claridad la teoría cuantitativa del dinero. Escribe: «siendolo al ygual en las tierras do ay gran falta de dinero, todas las otras cosas vendibles, y aun las manos y trabajos de los hombres se dan por menos dinero que do ay abundancia del; como por la experiencia se ve que en Francia, do ay menos dinero que en España, valen mucho menos el pan, vino, paños, manos, y trabajos; y aun en España, el tiempo, que avia menos dinero, por mucho menos se davan las cosas vendibles, las manos y trabajos de los hombres, que despues que las Indias descubiertas la cubrieron de oro y plata. La causa de lo qual es, que el dinero vale más donde y quando ay falta del, que donde, y quando ay abundancia, y lo que algunos dizen que la falta de dinero abate lo al, nasce de que su sobrada subida haze parecer lo al más baxo, como un hombre baxo cabe un muy alto paresce menor que cabe su ygual».[8]

Que el dinero vale más donde y cuando falta que donde y cuando abunda, la explicación monetaria de la inflación, unir el poder adquisitivo a la cantidd de dinero en circulación, fue dada posteriormente por otros escolásticos, como Diego de Covarrubias, Luis de Molina y Tomás de Mercado. El dominico Tomás de Mercado fue consciente también de la incidencia del tesoro americano sobre los precios, aunque sobre ello no tiene un desarrollo preciso, pues creía que ese era un conocimiento suficientemente difundido, que ya era un lugar común.[9] En la *Suma de tratos y contratos,* obra impresa en Salamanca en 1569, explica que la estima y aprecio del dinero dependen de su abundancia o escasez. Escribe, al tratar del fundamento y justicia de los cambios: «La tercera razón, que otros piensan ser fundamento, es la diversa estimación de la moneda. Y para entenderla, porque es muy buena, es de advertir no ser lo mismo el valor y precio del dinero y su estima. Ejemplo clarísimo es esto: que en Indias vale el dinero lo mismo que acá, conviene a saber, un real treinta y cuatro maravedís, un peso de minas trece reales, y lo mismo vale en España. Más, aunque el valor y precio es el mismo, la estima es muy diferente entre ambas partes, que en mucho menos se estima en Indias que en España. La calidad de la tierra y su disposición lleva de suyo que, en entrando uno en ella, se le engendra un corazón tan generoso en este tecla que no tiene una docena de reales en más que acá, a modo de decir, una de maravedís. Tras las Indias, donde menos se estima es en Sevilla, como ciudad que recibe en sí todo lo bueno que hay allá; luego, las demás partes de España. Estímase mucho en Flandes, en Roma, en Alemania, en Inglaterra. La cual estima y apreciación se causa, lo primero, de tener gran abundancia o penuria de estos metales, y como en aquellas partes nace y se coge, tiénese en poco, que aún los hombres, según el refrán, no se honran ni se estiman comúnmente en su patria».[10]

Es perfectamente explicable que fuese en la Castilla del siglo XVI donde apareciese la primera formulación de la teoría cuantitativa del dinero, teoría que trata de explicar los movimientos de un «nivel de precios», como quiera que este se defina, en relación al dinero existente en una economía. Ya antes de que la especialización de las Indias en la producción de metales preciosos hiciera aumentar mucho las remesas de esos metales a Castilla, los contemporáneos toman conciencia de sus efectos sobre los precios, de forma que una de las consecuencias fue su incidencia en el campo de la doctrina económica, con formulaciones originales.

LLEGADAS DE ORO Y PLATA DE INDIAS. SIGLO XVI

Años	Oro (toneladas)	Plata (toneladas)	Valor (millones de pesos)
1503-1510	5,0	–	1,2
1511-1520	9,2	–	2,2
1521-1530	4,9	0,1	1,2
1531-1540	14,5	86,2	5,6
1541-1550	25,0	177,6	10,5
1551-1560	42,6	303,1	17,9
1561-1570	11,5	942,9	25,3
1571-1580	9,4	1.118,6	29,2
1581-1590	12,1	2.103,0	53,2
1591-1600	19,5	2.707,6	69,6

Earl J. Hamilton, *El tesoro americano y la revolución de los precios en España, 1501-1650,* Editorial Ariel, Barcelona, 1975.

NOTAS

[1] José Luis Martínez, *Pasajeros de Indias. Viajes trasatlánticos en el siglo XVI,* Alianza Editorial, Madrid, 1983.

[2] Guillermo Céspedes del Castillo, «Las Indias en tiempo de los Reyes Católicos», *Historia social y económica de España y América,* vol. II, dirigida por Jaime Vicens Vives, Editorial Vicens-Vives, Barcelona, 1972, y *América Hispánica (1492-1898), Historia de España,* vol. IV, dirigida por Manuel Tuñón de Lara, Editorial Labor, Barcelona, 1983.

[3] Nicolás Sánchez-Albornoz, *La población de América Latina desde los tiempos precolombinos al año 2000,* Alianza Editorial, Madrid, 1977.

[4] Modesto Bargalló, *La minería y la metalurgia en la América española durante la época colonial,* Fondo de Cultura Económica, México, 1955.

[5] Guillermo Lohmann Villena, *Las minas de Huancavelica en los siglos XVI y XVII,* Escuela de Estudios Hispano-Americanos, Sevilla, 1949.

[6] Pierre Chaunu, *Seville et l'Amérique, XVIe - XVIIe siècles,* Flamarion, París, 1977.

[7] Manuel-Jesús González y Juan del Hoyo, «Dinero y precios en la España del siglo XVI. Una confirmación de la tesis de Hamilton», *Moneda y Crédito,* n° 166 (septiembre, 1983), pp. 15-46.

[8] Martín de Azpilcueta, *Comentario resolutorio de cambios,* Introducción y texto crítico por Alberto Ullastres, José M. Pérez Prendes y Luciano Pereña, Consejo Superior de Investigaciones Científicas, Madrid, 1965, pp. 74-75.

[9] Earl J. Hamilton, *El tesoro americano y la revolución de los precios en España, 1501-1650,* Editorial Ariel, Barcelona, 1975, p. 310.

[10] Tomás de Mercado, *Suma de tratos y contratos,* Edición y estudio preliminar por Nicolás Sánchez-Albornoz, Instituto de Estudios Fiscales, Madrid, 1977, pp. 388-89.

III

EL UNIVERSO JURÍDICO
DE BARTOLOMÉ DE LAS CASAS

LA VOLUNTAD DEL GENTIL
EN LA DOCTRINA DE LAS CASAS

Silvio Zavala

La expansión ultramarina de los españoles a fines del siglo XV y comienzos del XVI se proponía extender la fe cristiana entre los pueblos recién descubiertos en el Nuevo Mundo y someterlos a la soberanía de los Reyes de Castilla y León para hacerlos vivir en razón y policía como se decía en la época. Había naturalmente otros propósitos de orden económico, pero ellos no forman parte del examen que ahora nos ocupa.

Los pueblos que venían llegar a sus tierras a los descubridores, conquistadores y pobladores del Viejo Mundo quedaban precisados a someterse de grado o por fuerza, y ello implicaba cambiar sus antiguos cultos por la nueva religión, y obedecer a las autoridades del ocupante en vez de seguirlo haciendo a sus antiguos señores, a menos que éstos conservaran algún poder bajo la supremacía española.

Los teólogos y los juristas que examinaron largamente la cuestión de los justos títulos de la corona a la posesión de las Indias Occidentales tuvieron que prestar atención al requisito de la voluntad del gentil para admitir a los predicadores y para convertirse a la religión católica; y, de otra parte, para explicar cómo podía transferirse la soberanía de los señores indígenas a la de los monarcas de Castilla y León. Este delicado aspecto del razonamiento no escapó a la atención de Bartolomé de las Casas y las presentes líneas tienen por objeto mostrar cómo evolucionó su pensamiento ante el requisito de la voluntad del gentil para ingresar en el nuevo orden espiritual y temporal que implantaban los misioneros y los pobladores recién venidos de las distantes tierras del Viejo Mundo.

Veamos primero la fase espiritual que Las Casas expuso magistralmente en su tratado *De Unico Vocationis Modo* o *Del único modo de atraer a todos los pueblos a la verdadera religión*, editado por Agustín Millares Carlo, Lewis Hanke y Atenógenes Santamaría, en México, Fondo de Cultura Económica, 1942, utilizando la parte del manuscrito del siglo XVI conservada en Oaxaca.

Anticipemos que si bien Las Casas tiene presente la concesión de las Indias Occidentales a los Reyes Católicos por las bulas papales de Alejandro VI de 1493, en ningún momento flaquea la firmeza con la que sostiene la necesidad de que intervenga la voluntad del gentil para oír y aceptar la fe cristiana. Dice que Cristo concedió a los apóstoles solamente la licencia y autoridad de predicar el evangelio a los que voluntariamente quisieran oírlo, pero no la de forzar o inferir alguna molestia o desagrado a los que no quisieren escucharlos. No autorizó a los apóstoles o predicadores de la fe para que obligaran a oír a quienes se negaran a ello, ni los autorizó tampoco para castigar a quienes los desecharan de sus ciudades; porque no estableció para castigarlos ninguna pena corporal, sino una pena eterna (p. 177). El carácter persuasivo que debe tener la proposición de la fe queda claramente expuesto cuando afirma que es único, solo y el mismo, el modo que la divina Providencia estableció para notificar su verdad y para atraer e invitar a los hombres a la verdadera religión en todo tiempo; a saber, un modo persuasivo por medio de razones en cuanto al entendimiento, y suavemente atractivo en relación con la voluntad. Y que consiguientemente, ningún otro modo de predicar puede ser admitido por la costumbre de la Iglesia de Cristo (p. 339). En lo que respecta al acto decisivo de la conversión, comentó en su *Tratado comprobatorio,* ed. 1924, p. 482, que si los indios después de enviarles los predicadores no quieren recibir la fe, no los pueden compeler ni ejercitar en ellos por esta causa violencia, ni dar pena alguna. Porque Cristo no dejó mandado más de que se predicase, y se dejase a voluntad libre de cada uno creer o no creer si quisiese, y la pena de los que no quisiesen creer no fue corporal ni temporal en este siglo, sino que quien no creyere en la verdad se condena espiritualmente. Obligado era, como consecuencia de estos principios, el rechazo de Las Casas a la guerra y a la violencia para que los infieles oyeran o aceptaran la fe cristiana, ya que: «No correspondía, pues, ni a la bondad de Cristo, ni a su regia dignidad que estableciera su reino, ni que lo propagara y conservara con armas bélicas, con armas materiales, con matanzas de hombres, con estragos, violencias, rapiñas y con otras calamidades semejantes; sino por el contrario, con la dulzura de su doctrina, con los sacramentos de la Iglesia, perdonando y usando de misericordia, derramando beneficios, con la paz, con la mansedumbre, con la caridad y con la benignidad» (*De Unico,* p. 499).

Ahora bien, si Las Casas ve con claridad la situación del gentil y respeta de la manera dicha su voluntad en lo que toca al ingreso en la fe cristiana, no debe pasarse por alto que, como creyente, muestra el mayor respeto por la autoridad de la Sede Apostólica y piensa que: «El Romano Pontífice, canónicamente elegido vicario de Jesucristo sucesor de San Pedro, tiene autoridad de la Sede Apostólica y piensa que: «El Romano Pontífice, canónicamente elegido vicario de Jesucristo sucesor de San Pedro, tiene autoridad y poder del mismo Jesucristo hijo de Dios, sobre todos los hombres del mundo, *fieles o infieles,* cuanto viere que es menester para guiar y enderezar los hombres al fin de la vida eterna y quitar los impedimentos dél» (*Treinta provosiciones,* ed. 1924, Proposición I, y también la XXI). Y avanza a decir que puede privar a cualquiera señor o rey infiel de su señorío y jurisdicción y dignidad real o limitarlo o regularlo o restringirlo, en caso que viere ser necesario a la predicación y dilatación de la fe y vocación y dirección de los mismos infieles para que conozcan y aprehendan su verdadero y sobrenatural fin o para obviar y evitar los impedimentos ciertos o probables de la dilatación de la fe y de la conversión y salvación de ellos (*Tratado comprobatorio,* p. 500). Avanzando por esta vía en el orden temporal, admite Las Casas la variación del régimen político de los infieles una vez que han aceptado el cristianismo. Porque al aceptar libremente la fe católica, contraen la obligación de sujetarse a la jurisdicción política española, porque son ya miembros de la Iglesia y quedan dentro de su jurisdicción; y habiendo el Papa Alejandro por su bula creado el gobierno español sobre las Indias, deben necesariamente reconocerlo. Antes de convertirse los indios a la fe, la situación era distinta: ni estaban bajo la jurisdicción plena de la Iglesia, ni la donación de Alejandro VI tenía otro valor que el de un acto jurídico en potencia o *in habitu;* pero cuando los indios por su propia voluntad aceptan la fe y quedan en calidad de fieles cristianos, se actualiza el derecho de la bula, y los reyes católicos son desde ese momento subrogados en la soberanía de las Indias Occidentales, sin necesidad de nueva manifestación voluntaria de los indios. Siendo entonces los reyes de Castilla y León fuente y cabeza de toda la jurisdicción temporal indiana, los antiguos señores indios dejan de ejercer sus gobiernos por derecho propio para considerarse ministros de la realeza española (Véanse *Las instituciones jurídicas en la conquista de América*, 2a. edic., México, 1971, pp. 65-67). Citemos directamente las palabras de Las Casas a este respecto: «Todos los reyes y señores naturales, ciudades, comunidades y pueblos de aquellas Indias son *obligados* a reconocer a los reyes de Castilla por universales y soberanos señores y emperadores de la manera dicha, después de haber recibido de su propia y libre voluntad nuestra santa fe y el sacro bautismo, y si antes que lo reciban no lo hacen ni quieren hacer, no pueden ser por algún juez o justicia punidos» (*Treinta proposiciones,* la número XIX). «Después de recibido el bautismo y hechos cristianos los reyes y príncipes naturales y pueblos de aquellos reinos, cuando consigue su efecto plenamente la dicha apostólica concesión y donación, los reyes de Castilla son en aquellos reinos fuente de toda la temporal jurisdicción, de quien adelante mana y se deriva de *nueva manera* toda la jurisdicción y poder que los reyes y señores naturales [indios] tienen o tuvieren sobre sus pueblos y gentes en aquellas Indias». (*Tratado comprobatorio,* p. 621).

De suerte que hasta 1552 o sea el año en que Las Casas publicó sus *Tratados* en Sevilla, no separaba los fines religiosos de los políticos de la penetración española; respetaba cuidadosamente la voluntad del indio para su ingreso en el cristianismo, pero una vez operada la conversión religiosa libre, admitía de modo obligatorio el cambio de la soberanía política. Su interpretación de la bula lo llevaba a reunir en un solo acto la sujeción de los indios a la Iglesia y al rey de España, con menoscabo de la voluntad libre de éstos frente a la extensión del nuevo poder político. Lo que Las Casas subrayaba para mitigar dicha exigencia, era la finalidad religiosa del poder político español en el Nuevo Mundo y la naturaleza cuasi-imperial de éste. El poder temporal español sólo era un medio conveniente y necesario para la extensión de la fe; además este poder no aniquilaría las jurisdicciones indígenas porque habría una armonización de las antiguas jurisdicciones amparadas por el Derecho natural con la superior y nueva de los Reyes Católicos que se sobreañadiría a modo del poder que en Europa tuvo el Emperador del Sacro Imperio, que fue compatible con la soberanía de los príncipes que estuvieron bajo su jurisdicción. Por ello sostenía fray Bartolomé que: «Con este soberano imperial y universal principado y señorío de los reyes de Castilla en las Indias, se compadece tener los reyes y señores naturales dellas su administración, principado, jurisdicción, derechos y dominio sobre sus súbditos pueblos, o que política o realmente se rijan, como se compadecía el señorío universal y supremo de los emperadores que sobre los reyes antiguamente tenían» (*Treinta proposiciones,* la número XVIII). Además aclara que la concesión de la jurisdicción no la hizo ni la debe hacer el Sumo Pontífice para finalmente conceder gracia ni aumentar con honra y más títulos y riquezas los Estados a los príncipes cristianos, sino principal y finalmente por la dilatación del divino culto, honor de Dios y conversión y salvación de los infieles, que es el intento y final intención del Rey de los Reyes de Señor de los Señores, Jesucristo; antes se les impone carga y oficio peligrosísimo del cual han de dar estrechísima cuenta en el fin de sus días ante el juicio divino. Por manera que más es la dicha encomienda para el bien y utilidad de los infieles, que no de los cristianos príncipes (*Treinta proposiciones,* la octava).

Un rasgo señalado de Las Casas como tratadista fue su sincera preocupación por asegurar el descargo de su conciencia; de ahí que tratara de disipar las dudas fundadas que pudieran oponerse a sus proposiciones doctrinales. Por eso en su *Tratado comprobatorio* (ed. de México, Fondo de Cultura Económica, 1965, t. II, pp. 1135-37 y 1139-41), ante el argumento de que la transferencia del poder temporal sería en perjuicio de los señores naturales y de sus súbditos al ponerles la Sede Apostólica otro rey a quien reconozcan por monarca y superior, contesta que verdad es que perjuicio alguno viene a los reyes y súbditos en otro por superior cuando a la libertad, que tanto es amada de todas las criaturas; pero en este caso, el Sumo Vicario de Jesucristo pudo ponerles superior príncipe cristiano por dos razones.

La primera, que antes se les confiere mucha más libertad de la que ellos tenían, mayormente a los pueblos y comunidades. Porque como por la infidelidad padezcan muchos y grandes defectos en sus policías, por bien concertadas y regidas que las tengan, necesaria cosa es que muchas leyes tengan o no justas ni razonables, o no tan justas como deberían ser, y costumbres gruesas y barbáricas. (Y aquí tenemos al autor de la *Apologética historia,* que tanto ponderaba las virtudes y excelencias de los naturales del Nuevo Mundo, obligado a reconocer por el hilo del razonamiento, que ellos tenían defectos en sus policías derivados de la infidelidad y costumbres no del todo prudentes). Y pasa a admitir, en notable párrafo extraño en su lenguaje, que conviene reformar ese estado de cosas, predicándoles la fe y doctrina cristiana, y poniéndoles leyes justas y conformes a la natural y divina, y adaptables a la religión cristiana, quitándoles las del todo bárbaras e irracionales, apurándoles y reformándoles las que tuvieren alguna horrura de injusticia y barbariedad, dejando lo que tuvieren bueno, como tienen muchas buenas y otras en mediana manera buenas (p. 1137). Item, excusándoles algunas guerras que solían tener cuando algún cacique o rey suyo salía bullicioso. Item, quitarles las opresiones que [les causaban] algunos señores, cuando salían soberbios o codiciosos o no los regían tan moderada y justamente para utilidad y provecho del reino como según la razón natural eran obligados. Item, prohibirles los pecados públicos que aborrece la naturaleza, que [cometían] públicamente, creyendo que les es lícito, mayormente sacrificar los inocentes y comer carne humana, donde aceciere haberlos. (Hasta aquí el lenguaje se acerca al de Francisco de Vitoria o al de Ginés de Sepúlveda). Pero vuelve por sus fueros el defensor de los indios para asegurar que no es verdad, sino gran falsedad y testimonio perniciosísimo que les levantan quien los infama, generalmente, diciendo que son todos de estos vicios contaminados. Porque no en todas partes antes en muchas, nunca tal hicieron, como tenemos probado en nuestra *Apología* y en otros tratados, y esto todo el mundo lo sabe. Y son infinitas las gentes y los reinos grandes donde nunca se halló tal contaminación o plaga, como toda la isla Española, que es mayor que toda España, y la isla de Cuba, y Jamaica, y San Juan, y cuarenta o cincuenta islas de Los Lucayos, y el reino de Yucatán, que dura cerca de trescientas leguas; y a lo que hasta ahora creemos, toda la Florida, que tiene más de mil leguas, y grandes reinos en el Perú, y en otras muchas partes de aquella vastísima Tierra Firme. Así que, con tantos y tales bienes, provechos y utilidades que con la superioridad de los reyes de Castilla les pudieron y pueden venir, bien se les recompensa y mayor libertad se les confiere y da, que pesa el poco perjuicio susodicho, que parece quitarles algo de la misma libertad. Y después de citas de Santo Tomás y de San Agustín agrega: «Cuanto más que aun este perjuicio por la mayor parte no es del pueblo, sino del señor o rey que no tendrá tan suprema y absoluta licencia de mandar, el cual, por ser interés de uno, se ha de posponer, y dél no curar, por el bien púbico que se sigue al pueblo por la mayor parte, el cual siempre se ha de preferir e anteponer a todo particular».

La segunda razón de las ofrecidas es el favor y utilidad del bien público, el favor de la fe y las cosas espirituales que se han de preferir, por la conversión, salvación y salud de tantos millones de ánimas. O sea, de nuevo el fin espiritual se sobrepone a los escrúpulos o reparos de orden temporal tocantes a la autoridad de los antiguos señores. La cual, según ya se ha visto, Las Casas no destruye del todo sino que la mantiene bajo la soberanía de la corona de Castilla y León.

En su lucha contra las conquistas y la penetración violenta, Las Casas escribió tratados y memoriales conocidos. Aquí nos toca recordar que en Madrid, a 28 de febrero de 1543, en unión de fray Rodrigo de Andrada (Ladrada), presentó al Consejo de Indias una petición que incluia el punto de la revocación de las licencias para emprender conquistas en el futuro y el de contratar con los señores y pueblos que todos consientan de su propia voluntad y con libertad sujetarse a Su Majestad y pacten los tributos moderados que han de dar al rey. Los señores al someterse no perderían el señorío sobre sus vasallos, y las comunidades conservarían el goce de salinas, metales, alumbres, puertos y otras cosas semejantes en que se suelen construir los derechos reales (*).

En tales circunstancias se expide en Barcelona, a primero de mayo de 1543, la «Carta que Carlos V escribió a los Reyes y Repúblicas de las tierras del mediodía y del poniente», para darles a entender la ley evangélica. En la misma fecha y en el propio lugar, Su Majestad otorga la Instrucción para nuevos descubrimientos, que se entrega (junto con la carta ya citada) a fray Juan de Zumárraga, fray Domingo de Betanzos, fray Juan de la Madalena y otros religiosos que van a Indias (*Las instituciones jurídicas...*, 2a. edic., 1971, pp. 436-437). El tono de estos documentos es pacífico y de atracción a la fe y amistad. Dichos religiosos van a pasar como embajadores a las tierras del Mediodía y del Poniente, a fin de parecer ante reyes y otras autoridades (para quienes es la carta), con encargo de mostrarla y explicarla; se piocure atraerlos a la fe y también confederarlos en perpetua amistad con el rey (de España) y sus súbditos; asienten que entre ellos y los súbditos españoles pueda haber comercio y contratación; procuren por las mejores vías y maneras atraerlos *a ellos y a sus pueblos* a nuestra amistad y obediencia, dándoles a entender que el fin principal es traerlos al conocimiento de un verdadero Dios e introducirlos en la universal Iglesia, fuera de la cual no puede nadie salvarse; que ten-

---

(*) Halló el documento Lewis Hanke en el Archivo del Convento dominicano de San Felipe, Sucre, Bolivia, y lo publicó en su «Festón de documentos lascasianos», *Revista Cubana*, XVI (julio-diciembre, 1941), pp. 156-195, y lo comentó Angel Losada en su *Bartolomé de las Casas...*, (1970), pp. 342-343. Véanse asimismo, *Las instituciones jurídicas...*, (1971), pp. 290-294.

drán mucho bien espiritual y temporal gobernados por nuestra suave y cristiana y perfecta manera de gobernar como cristianos que somos; después de persuadirlos y reducirlos a la amistad y obediencia, traten con ellos y les ofrezcan el buen tratamiento que se les hará, guardándoles todos sus privilegios, preeminencias, señoríos, libertades, leyes y costumbres, y puedan celebrar escrituras pertinentes; y asentadas las paces, pongan cruces, pueblos de españoles y monasterios.

Puede pensarse que es uno de los textos de la realeza española en los que se perciben las ideas de Las Casas sobre el «cuasi-imperio» y la penetración pacífica. Y media el acuerdo voluntario ganado por persuasión y concertado con los señores y sus pueblos («atraerlos a ellos y a sus pueblos a nuestra amistad y obediencia»), por medio de escrituras. Es uno de los textos legales de la época de Carlos V en los que se advierte en mayor grado la influencia de las doctrinas de los religiosos que censuraban el ingreso violento por la conquista.

Hasta aquí hemos expuesto lo que fray Bartolomé pensó y escribió en el período anterior a la edición de sus *Tratados* en el año de 1552. Pero Las Casas vivió hasta 1566, y debemos y ahora podemos recoger el esfuerzo notable de autocrítica que realizó en el intervalo para depurar su doctrina relativa a la voluntad del gentil frente a la potestad temporal española derivada de la concesión de las bulas papales alejandrinas. Los elementos de apreciación se encuentran en el tratado *De Thesauris* de 1563 (editado por Angel Losada con traducción castellana, Madrid, Consejo Superior de Investigaciones Científicas, 1958), que consideraba fray Bartolomé como su testamento doctrinal, y en las *Doce Dudas* de 1564, que fueron su codicilo.

La novedad consiste en sostener netamente que no hasta la institución o promoción o donación de la Sede Apostólica para que la suprema jurisdicción temporal pase a los Reyes de Castilla y León, sino que se requiere necesariamente que intervenga el consentimiento de los reyes y de los pueblos de aquellas gentes (*De Thesauris,* párrafo 22). Es decir, que libremente consientan la institución o donación a los reyes de Castilla y León hecha por la Sede Apostólica; lo cual reclama el libre consentimiento de todo el pueblo. Para esto, los predicadores persuadan a los reyes y señores y a sus pueblos a que de su voluntad libre y graciosa, reciban a nuestros reyes por universales y supremos príncipes (principio sexto). Y así, consintiendo en la institución y promoción del Vicario de Cristo, queden los reyes y naturales señores suyos con sus propios reinos y señoríos que de antes poseían. Y que se celebren tratado, convención y pacto o contrato, entre Sus Altezas y los reyes naturales de aquellas tierras y sus pueblos, que darían tributo en señal del universal señorío y derechos reales y servicios que conviniesen. O sea, que presten consentimiento y acepten la promoción e institución que la Santa Sede Apostólica hizo a los Reyes de Castilla y León de aquel imperio universal.

Para entrar los Reyes de Castilla y León en el sumo principado de aquellas Indias, y para que aprehendan su posesión jurídica y tengan *actual* dominio y suprema o universal jurisdicción, se requiere esa expresión de voluntad, y hasta que lo susodicho [no] se haga no la han tenido (esa jurisdicción suprema) sino *in habitu* y el título desnudo solo *(jus ad rem, non autem jus in re),* y les falta el perdón y remisión de aquellas gentes (*).

(*) Después de la contribución de Angel Losada resumida en su obra, *Fray Bartolomé de Las Casas a la luz de la moderna crítica histórica,* Madrid, Editorial Tecnos,

De esta manera recurre Las Casas en el terreno temporal al mismo argumento que había empleado anteriormente para resolver la duda de orden espiritual: las bulas alejandrinas encargan a los Reyes de Castilla y León la predicación de la fe en el Nuevo Mundo, pero se requiere la voluntad del gentil para admitir a los predicadores y para que tenga lugar la conversión a la religión católica. Cuando los indios de su propia voluntad aceptan la fe y quedan en calidad de fieles cristianos, se actualiza el derecho de la bula y los Reyes Católicos son subrogados en la soberanía de las Indias Occidentales, pero el autor exige ahora un nuevo acto de voluntad de los naturales en cuanto a la mutación temporal para que el derecho se actualice. Será necesario un consentimiento de los señores y de los pueblos indios, que los predicadores tratarán de obtener por persuasión para llegar al acto de voluntad libre y graciosa o al pacto como dice en otro lugar. Sólo así las bulas causan efecto pleno en el orden temporal, pasando los Reyes de Castilla y León de tener sólo el derecho potencial o *in habitu* a ejercer también el dominio actual y la suprema o universal jurisdicción, encaminada siempre al buen espiritual y temporal de los nuevos súbditos. Los antiguos señores quedan con la parte de poder que les pertenece en el cuasi-imperio o nueva monarquía imperial de las Indias Occidentales.

Si se puede hablar de imperialismo cristiano y temporal español en aquella época, es de reconocer que en la doctrina de Las Casas se trata de un imperialismo bien mitigado, que concede un margen creciente de respeto a la voluntad del gentil tanto frente a la autoridad apostólica como ante el poder soberano de la monarquía española, dentro de los límites que impone al autor su doble condición de creyente y de súbdito bajo ambos poderes.

1970, pp. 311-328, 364-367, debo este avance en el conocimiento de la doctrina de Las Casas al profesor Raymond Marcus, de la Universidad de París, que me permitió consultar la tesis por él dirigida, todavía inédita, del señor Jacques Denglos, presentada en 1984 en la Universidad de París VIII, Institut d'Etudes Hispaniques et Hispano-Américaines: Thèse de Troisième Cycle: «Etude et édition critique annotée du traité Doce Dudas de Bartolomé de las Casas». Interesan en particular las pp. 39, 59, 72, del estudio introductorio. Y las pp. del texto lascasiano, 173, 176, 180 (idea del pacto), 186, 276 y 278. Un anticipo de esta investigación fue comunicado por el autor de ella al Coloquio lascasiano de Toulouse, en octubre del propio año de 1984.

PRESENCIA DE BARTOLOMÉ DE LAS CASAS EN EL ORDENAMIENTO DE LA SOCIEDAD INTERNACIONAL CONTEMPORÁNEA

Roberto Mesa

1. Señalar la contemporaneidad de Bartolomé de Las Casas, a estas alturas de una polémica historiográfica ya caduca, sería tarea vana, máxime cuando hoy son pocos, de haber algunos, que discutan las excelencias de aquella personal batalla. Sin embargo, situados en el umbral casi de los quinientos años del descubrimiento o del hallazgo de las Indias, recordar incansablemente la vigencia y lo imperecedero del pensamiento lascasiano, no es labor superflua. Recordatorio e insistencia que, por abundantes razones de desidia y de oscurantismo nacionalista, son de realización indispensable en España; mucho más que en tierras americanas, donde la imagen del dominico nunca resultó empañada por entendimientos torcidos.

Nuestra aproximación personal a Fray Bartolomé no parte de ningún criterio de especialización específica como historiador, ya sea general ya sea en su rama jurídica, tampoco como filósofo ni mucho menos como experto en ciencias teológicas. Nosotros nos encontramos con Las Casas a partir de una óptica de absoluta y radical modernidad: el anticolonialismo, la lucha por la emancipación de los pueblos y el combate por la igualdad de todas las razas y naciones. El gran movimiento descolonizador iniciado inmediatamente después de la Segunda Guerra Mundial (1945) y que tiene su gran marco conceptual en la Declaración Final de la Conferencia de Bandung (1955), no surge, por azar, un buen día, de la noche a la mañana. Hay toda una estirpe de pensadores y hombres de acción europeos que, a lo largo de los siglos, y desde que comienza la empresa del expansionismo colonial, se consagraron a una doble tarea: primero, denunciar y condenar, desde un punto de vista moral y político, la mecánica opresora con la que se realizaba y culminaba la dominación colonial; segundo, proclamar el derecho a la libertad y a la igualdad de que estaban dotados todos los pueblos oprimidos.[1] Amplio movimiento de opinión intelectual, ético y político, que, aunque registraría sus tonos más elocuentes con el pensamiento ilustrado,[2] sería un fruto mucho más temprano en el pensamiento hispano: desde el momento mismo del inicio de la colonización en Indias y con el nombre de Bartolomé de Las Casas a su cabeza. El adjudicar este lugar de preeminencia a Fray Bartolomé quiere indicar, principalmente que, en contra de criterios todavía un tanto extendidos, tras su figura y su obra, inseparables, venía toda una plétora de pensadores que discutían e incluso ponían en tela de juicio la legitimidad de la expansión castellana en las Indias; y, a veces, con mayor autoridad o superioridad intelectual que el fraile sevillano, como en el caso de Francisco de Vitoria y su *Relectio de Indis*. Posiblemente no se encuentre en toda la historia del colonialismo moderno un supuesto remotamente parecido: el de una nación europea que, en los albores mismos de su triunfal expansión, no alegue criterios de raza, de cultura o de necesidad económica, como títulos justificadores de su empresa. En otras naciones europeas, la conciencia anticolonial fue mucho más tardía y, también, bastante más oportunista. La grandeza excepcional de Bartolomé de Las Casas es, en consecuencia, la de incrustarse en un movimiento muy amplio de contestación colonial que domina intelectualmente el siglo XVI hispano y que impulsa el nacimiento y cristalización de la escuela española del Derecho de gentes.[3]

2. Pero la superlatividad alcanzada por Bartolomé de Las Casas y que ha traspasado la frontera de los siglos y de los pueblos, haciendo su obra inmarchitable, viene también dada por otra serie de razones añadidas a las anteriores. Razones, justo es admitirlo, a veces literarias, dramáticas, que dotan a su figura de unos perfiles inigualables. La fuerza del tópico, la universalidad de aquel andaluz, sevillano y trianero, nacido en el año de 1484,[4] bachiller en artes, encomendero, clérigo y colono, primer misacantano de América (como él mismo gustaba decir), ordenado dominico al borde de la cincuentena. Defensor de los Indios y Obispo de Chiapa, encendido polemista y habilísimo propagador de sus ideas y de sus obras, dan como resultado final una biografía apasionada, cuando no alucinadora.[5] Existencia agitada que, por desgracia, ha sido utilizada como cortina con la que disimular la acritud de sus asertos.

No es nuestra intención recaer en disputas tenebrosas que llegaron a calificar de paranoica la empresa histórica del fraile, ni las respuestas que merecidamente recibieron tan infortunadas hipótesis,[6] sino, en la medida de lo posible, contemplar la figura de Bartolomé de Las Casas en un tiempo y en un espacio absolutamente fronterizos. La obra de Fray Bartolomé no encuentra límites hacia el futuro: es una saeta lanzada al encuentro con tiempos venideros; lo que, unido al tono dramático-literario de sus escritos, le hace adquirir tintes que, certeramente, han sido calificados de proféticos. No se trata, en modo alguno, de un profetismo instalado en el vacío, de un mero instinto subjetivista: es el asombro de la perplejidad, primero, del espanto y del horror, después, y, luego, de la esperanza, para más adelante; todo ello, con base en el propio conocimiento de los hechos, en el estudio sobre el terreno como de diría hoy. Así, en su audiencia ante Carlos V, en Barcelona, en el año 1519, el fraile, al tiempo que eleva su denuncia exhibe sus títulos de conocimiento:

«Muy alto y muy poderoso rey y señor: Yo soy de los más antiguos que a las Indias pasaron, y ha muchos años que estoy allá, en los cuales he visto por mis ojos cometer en aquellas gentes mansas y pacíficas las mayores crueldades y éstas sin ninguna causa ni razón, sino solamente por la codicia, sed y hambre insaciable de oro de los nuestros. Estas han cometido por dos maneras; la una de las guerras injustas y cruelísimas que se hicieron contra aquellos indios que estaban seguros y sin perjuicio de nadie en sus casas y tierras; las otras, poniéndolos en servidumbre repartidos entre sí, echándolos en las minas, donde al cabo, en los increíbles trabajos que en sacar el oro padecen, todos mueren. Dejo aquellas gentes, donde quiera hay españoles, pereciendo por estas dos maneras».[7]

Estos dramáticos tintes proféticos, han sido fijados magistralmente por José Antonio Maravall, al caracterizar los rasgos intelectuales de este hombre de acción que nosotros hemos situado en una posición fronteriza.[8] Utopía y primitivismo son rasgos y características que emplazan a un temperamento y que, unidos a la proyección profética, le otorgan sus atributos de modernidad. A los efectos de nuestro estudio, más que subrayar las innegables huellas medievales persistentes en la obra de Bartolomé de Las Casas, nos interesa particularmente, guiados por la mano diestra del Profesor Maravall, apuntar los datos que convierten al fraile del siglo XVI en uno de nuestros contemporáneos; así, su preocupación e interés por las «razones antropológicas», el papel importante que atribuye al «factor económico», para concluir el perfil lascasiano con dos objetivos definitorios: «exotismo y universalismo».[9]

Y, para ir agrupando ya no sólo pinceladas, sino también juicios de valor, interesa destacar de qué forma José Antonio Maravall inserta el pensamiento lascasiano, fundamentalmente a partir de la exégesis de su *De Regia Potestate*,[10] en el núcleo mismo del pensamiento de la Ilustración: «... la obra de Las Casas es una prefigura de la cultura dieciochesca de la Ilustración, si no en cuanto a su planteamiento utópico, sí en cuanto a los valores que se persiguen». Por un lado, señala Maravall la finalidad individualista y el arranque voluntarista de la afirmación del principio de libertad;[11] y, del otro, a modo de colofón del edificio ideológico, subraya Maravall, el objetivo político perseguido, clave de bóveda de todo orden político constituido colectivamente, del ejercicio pleno de aquella libertad individual.[12]

Si fueron, en su momento, los mismos ilustrados los que reivindicaron la figura de Bartolomé de Las Casas como un símbolo en la lucha contra los excesos del colonialismo, incluso si la actuación del Obispo de Chiapa fue utilizada en algunos momentos con fines más oportunistas de política inmediata, sería absurdo desconocer u ocultar su emparentamiento con los que también se alzaron en defensa del principio de libertad. Hay estirpes y genealogías que sólo honra proporcionan a los que las constituyen. Cierto que, en ocasiones, la lectura no científica o torcida de las palabras de Las Casas encuentra con toda facilidad los vívidos tópicos del pintoresquismo y del buen salvaje; lo que ocurre es que estas ideas o imágenes en Bartolomé de Las Casas no son tropos literarios, ni utilizaciones parciales; son, sencillamente, el fruto de la observación de la realidad. Pero más cierta aún es la resonancia y, por qué no, la belleza y humanidad de la tajante afirmación del fraile sevillano:

> «Todas las naciones del mundo son hombres, de cada uno dellos es una no más la definición: todos tienen cinco sentidos exteriores y sus cuatro interiores y se mueven por los objetos dellos; todos se huelgan con el bien y sienten placer con lo sabroso y alegre, y todos desechan y aborrecen el mal y se alteran con lo desabrido y les hace daño».[13]

No era, pues, gratuito, ni tampoco tuvo que ser motivo de escándalo para nacionalismos malentendidos, que luego fácilmente derivan hacia posturas numantinas frente a leyendas más o menos oscuras, el afán de enciclopedistas, ilustrados y los mismos hombres de la Revolución francesa, en invocar el nombre de aquel profético fraile español:

> «Muy pocos hombres tuvieron la suerte de cubrir una vida tan larga con servicios tan brillantes hacia sus semejantes. Los amigos de la religión, de las costumbres, de la libertad y de las letras deben un tributo de

respeto a la memoria de aquél que llamaban el orgullo de América y que, perteneciendo a España por su nacimiento y a Francia por su origen (alusión al Casaus que tantas disputas provocó en su momento, como la sostenida por Don Américo Castro sobre la calidad de converso de Las Casas. R.M.), pudiera ser llamado a justo título el orgullo de los dos mundos».[14]

3. La modernidad, más exactamente la contemporaneidad, de Bartolomé de Las Casas, para no caer en extrapolaciones fáciles o simplistas, debe situarse en sus justas coordenadas históricas y en sus específicas condiciones personales y temporales. No es mal criterio, sino todo lo contrario, antes de proceder a un análisis más profundo, colocar a modo de pórtico el consejo de Maestro Bataillon: «Apliquen ahora los historiadores modernos, si quieren, a los criterios de Las Casas la llamada crítica del testimonio histórico. Pero no olviden que siempre será simplista el querer explicar sus consabidas exageraciones ya por malevolencia sistemática, ya por ligereza de andaluz propenso a la andaluzada... Hay que tener en cuenta, al contrario, la gravedad religiosa del hombre que se tiene a sí mismo por vocero de Dios».[15] Es, pues, fogoso y obligado, comprender la síntesis entre el profeta, hombre de misión, en el que aún resuenan muy fuertemente los ecos medievalistas, su interés por el conocimiento y su decidida vocación empirista, junto con el contenido político de su actuación, para entender más correctamente lo que, en algún momento, pudo interpretarse bien como contradicción, bien como veleidad o, lo que sería más grave, ligereza de espíritu.[16]

Si Bartolomé de las Casas es considerado hoy, por una parte considerable de cierto corpus doctrinal, como un precursor y paladín denodado del anticolonialismo,[17] debe principalmente esta fama a su muy divulgada *Brevísima relación de la destrucción de las Indias.*[18] Sin embargo, y desechado el ánimo de blanquear una empresa colonial, cuando todo colonialismo es por esencia propia perverso, o sea inhumano, no parece al día de hoy correcto, como análisis, retornar al tema de las «ovejas mansas» devoradas por «lobos e tigres y leones cruelísimos de muchos días hambrientos», ni tampoco discutir sobre si los muertos, en cuarenta años, fueron «doce cuentos de ánimas (o) más de quince cuentos». Ni los números eran el fuerte de Bartolomé de Las Casas, ni tampoco, en último extremo, serían unas estadísticas relevantes.

El contenido de la idea de destrucción en Fray Bartolomé no es tan reduccionista como se pudo pensar en determinadas épocas históricas. La denuncia lascasiana va mucho más allá de los aspectos de crueldad y de gratuidad que tuvo la colonización hispana en las Indias; y si hoy se aprecia tal denuncia bajo un prisma de utilidad, de eficacia, frente a la continuidad de este orden de excesos contra el género humano, hay que apartar todo tipo de apasionamiento y emplazar aquélla en un plano superior; precisamente lo realizado por André Saint-Lu, al colocar la proclama lascasiana por encima de criterios coyunturales. Para este primerísimo especialista francés, continuador de la obra de Marcel Bataillon, en un análisis ordenado,[19] de menor a mayor, el propósito exacto de la denuncia lascasiana tiene cuatro partes claramente diferenciadas. «Se trata, en primer lugar, de devastaciones y destrozos de riqueza materiales». En segundo lugar, «se reprueba y estigmatiza la exterminación de las poblaciones indígenas». A continuación, se anatematiza «la ruina de las comunidades autónomas, con sus estructuras familiares, sociales y políticas y sus potencialidades culturales». Y, en cuarto y último lugar, «rematando la catástrofe, ahí está el genocidio espiritual o 'destrucción de las almas', consecuencia obligada, tratándose de infieles, de la destrucción de los cuerpos».[20]

Si proseguimos esta línea analítica, manteniendo la necesaria coherencia intelectual, la denuncia lascasiana, su condena de la destrucción, es preciso completarla con otros dos principios que, en nuestra opinión, apuntalan su modernidad. Primeramente, su condena de la guerra. En segundo término, pero a un mismo tiempo, su defensa de los derechos de las comunidades indígenas o, si se prefiere para agudizar la cuestión, su defensa de los derechos humanos de los indios.

El tema de la guerra, en la obra lascasiana, carece de sentido si no es conectado inmediatamente con el propósito de trasladar a las Indias los beneficios de la religión verdadera, del cristianismo.[21] Su crispación vital, su desgarramiento existencial, entre la vocación misional y la crueldad e injusticia de la guerra, tema recurrente en toda la obra de Bartolomé de Las Casas, logra su mejor expresión, como es bien sabido, en su *De único vocationis modo:*

> «*Es temeraria, injusta y tiránica la guerra... que a los infieles que nunca han sabido nada acerca de la Fe, ni de la Iglesia, ni han ofendido de ningún modo a la misma Iglesia, se les declara con el solo objeto de que, sometidos al imperio de los cristianos por medio de la misma guerra, preparen sus ánimos para recibir la Fe o la religión cristiana, o también para remover los impedimentos que puedan estorbar la predicación de la misma Fe (...). Que esta guerra sea injusta se demuetra, en primer lugar, teniendo en cuenta que ninguna guerra es justa si no hay alguna causa para declararla: es decir, que la merezca el pueblo contra el cual se mueve la guerra, por alguna injuria que le haya hecho al pueblo que ataca. Pero el pueblo infiel que vive en su patria separado de los confines de los cristianos, y al que se decide atacar con la guerra sin más razón que la de sujetarlo al imperio de los cristianos (...), no le ha hecho al pueblo cristiano ninguna injuria por la cual merezca ser atacado con la guerra, luego esta guerra es injusta (...). Esta guerra es inicua, y la razón es que daña la piedad referente a Dios (...). Es, finalmente, una guerra tiránica. Primero, porque es violenta y cruel, y se hace sin haber culpa ni causa (...). Segundo, porque antepone su propia utilidad particular y temporal, cosa que es propia de los tiranos, al bien común y universal (...). De donde se deduce que el principado adquirido con tal guerra es injusto, malo y tiránico, y está lleno de maldiciones divinas*».[22]

La indagación sobre la destruición, en la concepción lascasiana, conduce inexorablemente a la condena de la guerra. Y es que, para Bartolomé de Las Casas, en tanto que hombre de fe, la cuestión fundamental de la evangelación choca frontalmente con los métodos utilizados por el colonozador para el ejercicio de atracción a la fe verdadera.[23] Pero es que, además, esta misma reflexión, llevada a los extremos más radicales de su coherencia lógica, tiene una desembocadura fatal: poner en tela de juicio los llamados en su tiempo *justos títulos*, al contraponerse y entrar en contradicción con los principios más elementales del ideal superior de justicia, como ya en su momento señalara atinadamente Silvio Zabala.[24]

4. Ahora bien, buscando y rastreando el hilo de la modernidad lascasiana, tarea ciertamente no dificultosa, gracias a la claridad de sus ideas y de sus escritos, el tema de la condena de la guerra nos transporta mansamente a otra de las cuestiones esenciales en obra tan rica y sugerente: la igualdad del género

humano; el lenguaje actual, el disfrute y goce, en toda su plenitud, de los derechos humanos, nexo y unión explícitamente avanzados, entre otros, por Angel Losada.[25] A partir de la polémica sobre las encomiendas, argumenta básicamente Bartolomé de Las Casas, repetida y testimonialmente, sobre los derechos humanos, civiles y políticos, de las comunidades indígenas.[26] No sería fácil, en textos de aquí y de ahora, hallar términos más cabales que los empleados por Las Casas en su *De Regia Potestate,* ya no sólo para denunciar las que hoy denominamos violaciones de los derechos fundamentales, sino también para describir la degradación que en el ser humano produce la privación de estos atributos esenciales:

> «... como dar los indios a los españoles en encomienda, o por vasallos, o de otra manera, sea servidumbre tan perjudicial, tan excesiva y tan extraña y horrible, que no solamente los deteriore y apoque y abata o derrueque de estado de libres hombres y pueblos llenos, a pueblos destruidos y hombres siervos abyectísimos, pero a estado de puras bestias, y no paren aquí sino hasta ser deshechos como sal en agua y totalmente acabados y muertos, como arriba ha parescido, síguese que esto no pudo ni puede hacerse sin consentimiento suyo, y que todos de su espontánea voluntad a tal servidumbre se sometiesen».[27]

A partir de los estudios de Don Manuel Giménez Fernández, alter ego del Obispo de Chiapa, hasta convertirlo en su modelo de comportamiento social, y de Lewis Hanke, en obra iluminadora de éste último,[28] dos estudiosos españoles han destacado serenamente, sin subjetivismos propios de épocas pasadas, buscando el juicio equilibrado, en el estudio de la aportación singular de Bartolomé de Las Casas a la génesis de la doctrina contemporánea sobre los derechos humanos; nos referimos a Luciano Peña y, por lo estimulante de sus opiniones, Angel Losada.[29] De éste último es, precisamente, si de entendimiento y de comprensión actual se trata, como es el caso, la valoración más gráfica acerca de la riqueza y oportunidad del pensamiento lascasiano en esta materia:

> «Las Casas, adelantándose a nuestro tiempo, se sitúa en un plano supranacional y expone una doctrina avanzadísima defensora de los derechos del hombre, *sin distinción de nacionalidad,* cuyos principios sólo en nuestros días han sido aceptados en teoría (que no en la práctica) por la comunidad de naciones (...). La posición de Las Casas es neta: toda intervención de un pueblo *desarrollado* en los asuntos de un *subdesarrollado,* ya sea con fines de ayuda material, ya para hacerle cambiar de religión o de ideología (...) debe estar condicionada al absoluto respeto».[30]

5. El paso siguiente, en esta secuencia que pretendemos ordenada, tras la afirmación de los derechos fundamentales, civiles y políticos, de las comunidades indígenas, en tanto que constituidas por individuos en plenitud de sus derechos, es el reconocimiento de su capacidad real, no potencial, para formar agrupaciones ordenadas, regidas por leyes y por principios, y, en consecuencua, independientes y soberanas frente a todo poder extraño; en este caso, el poder colonial.[31] Un maestro del derecho internacional público español, Adolfo Miaja de la Muela, señaló este paso, de lo particular a lo general, que no es sólo timbre de gloria para Bartolomé de Las Casas, sino también para todos los padres hispanos fundadores de la disciplina:

«El hombre es el valor supremo en lo terrenal; los atentados que su vida, su dignidad y sus condiciones vitales mínimas han sufrido por parte de grupos dominantes en algunos Estados, convierten en tarea primordial del nuevo Derecho de gentes, la internacionalización de la protección de los derechos humanos. Nada nuevo hay en ello, incluso en la admisión de la correlativa doctrina de crímenes contra el Derecho de gentes, para quien profese las doctrinas de la escuela internacional española de los siglos XVI y XVII».[32]

Una clara conciencia y un consiguiente reconocimiento presentaría como absolutamente superflua la interrogante acerca de Bartolomé de Las Casas; tras su ardiente defensa de los derechos de los indios, daba el paso siguiente en cuanto a sus posibilidades para vivir comunitatariamente y en libertad. Es famosísima, por demás, y harto feliz por su expresividad, el juicio que el dominico expresase sobre la cuestión, ya mencionado en páginas anteriores, y que comienza con el conocido «Todas las naciones del mundo son hombres...».[33]

La literalidad de la descripción evangélica, quizá edénica, del estado de gracia del género humano en su más prístino primitivismo, dicho sea sin ningún ánimo peyorativo en nuestra calificación, es más concluida por el propio Bartolomé de Las Casas, al trasladarse a terrenos más concretos y elaborar lo que él mismo denominase sus proposiciones jurídicas. De acuerdo con ellas, los pueblos que habitaban las Indias disfrutaban de completa plenitud para constituirse en agrupaciones políticas y sus gobernantes poseían todos los títulos legitimadores para el ejercicio de su autoridad; libertad, por lo tanto, para el autogobierno y para la elección de príncipes y soberanos:

«Entre los infieles que tienen reinos apartados que nunca oyeron nuevas de Cristo ni recibieron la Fe, hay verdaderos señores, reyes y príncipes, y el señorío de dignidad y de preeminencia real les compete de Derecho natural y de Derecho de gentes, en cuanto el tal señorío se endereza al regimiento y gobernación de los reinos, confirmado por el Derecho divino evangélico. Lo mismo a las personas singulares el señorío de las cosas inferiores y, por tanto, en el advenimiento de Jesucristo, de los tales señoríos, honras y preeminencias reales, y lo demás, no fueron privados en universal ni en particular *ipso facto nec ipso iure*».[34]

Una reivindicación más, entre otras tantas, anticipadas en su tiempo y que fue igualmente recogida por ilustrados y enciclopedistas, hasta llegar con todo su vigor y sed de justicia hasta nuestros días. Bartolomé de Las Casas mira con ojos distintos a su realidad, porque los remedios por aquel entonces aceptados y de curso legal le resultaban a todas luces insuficientes. Como ha señalado Celestino del Arenal, era evidente y, sobre todo, principio de coherencia en el pensamiento lascasiano, culminar la secuencia de la igualdad con el principio de la libertad, sin que, en modo alguno, la condición de infiel, secuela medievalista tan vigorosa en el siglo XVI, pudiese esgrimirse como obstáculo inhabilitador para el ejercicio de la plena soberanía por todos los pueblos del orbe, cristiano y no cristiano.[35] No es, en consecuencia, despreciable, ni mucho menos, la aportación lascasiana al concepto de comunidad internacional y al derecho de comunicación, libremente ejercido entre los pueblos; aportación que, según el autor anteriormente citado, se basa en dos principios básicos. El primero es el de «la sociabilidad natural del hombre y consiguiente interdependencia de los pueblos». Y, a renglón seguido, el segundo principio, complementario del anterior: «La unidad fundamental del género humano, unidad de origen y unidad específica».[36]

Debido a las muchas críticas que recibió, posiblemente por su imperfectibilidad jurídica y, a nuestro juciio, por su inoportuna comparación con la obra del Maestro Vitoria, ha sido menospreciada o escasamente valorada la contribución de Bartolomé de Las Casas al concepto moderno del Derecho de gentes. Habría que recordar, aparte la improcedencia del paralelismo en dos trayectorias intelectuales tan disímiles, así como las diferencias en el rigor jurídico, que Fray Bartolomé siempre ponía sus potencialidades al servicio de una finalidad muy concreta y, posiblemente por ello, su rigor, por razones de urgencia, era más reducido. Pese a todo, no puede darse de lado, precipitadamente el concepto que del Derecho de gentes tenía el fraile sevillano y que tan abiertamente expusiera en su *Tratado comprobatorio:*

> «*No es otra cosa el derecho de gentes sino algún uso razonable y conveniente al bien e utilidad de las gentes, que fácilmente cognoscen por la lumbre natural, y en él todos consienten como en cosa que les conviene, como las justas conmutaciones, compras y ventas y otras semejantes necesidades, sin las cuales los hombres unos con otros vivir no podían. Y así el derecho de las gentes se dice ser al hombre natural porque se deriva de la razón y la ley natural, e tiene la fuerza e vigor quel Derecho natural, porque es de aquellas conclusiones que derivan del Derecho natural inmediatamente*».[37]

6. Del escándalo ante la destrucción de las Indias, la maldad intrínseca del hecho colonial que tan brutalmente entraba en colisión con el propósito evengelizador, nunca olvidado ni relegado por Bartolomé de Las Casas, hasta la afirmación y defensa de los derechos civiles y políticos de los indios, se produce una concatenación de juicios y de valores que nos lleva a una observación más en nuestra intención de señalar la contemporaneidad del pensamiento lascasiano. Aludimos, ciertamente, al enunciado de lo que, para utilizar un lenguaje actual, llamamos derechos económicos.

¿Si aquellos pueblos eran libres y constituían comunidades soberanas, sin afectarles en nada, para el ejercicio de sus derechos, su condición de infieles, podían ser privados de sus riquezas y propiedades? Aunque las opiniones a este respecto de Fray Bartolomé eran suficientemente conocidas hacía ya tiempo, gracias a la ingente labor llevada a cabo por el lascasiano Angel Losada y, muy principalmente, su edición de *Los Tesoros del Perú,*toda posible duda ha quedado disipada. Sin olvidar que ya en sus celebérrimas *doce dudas,* Bartolomé de Las Casas exponía claramente un principio que desarrolló y explicitó a lo largo de su enriquecedora existencia:

> «Todos los infieles, de cualesquera secta o religión que fueran, o por cualesquiera pecado que tengan, cuanto al Derecho natural y divino, y el que llamamos Derecho de gentes, justamente tienen y poseen señorío sobre sus cosas, que sin perjuicio de otros adquirieron. Y también con la misma justicia poseen sus principados, reinos, estados, dignidades, jurisdicciones y señoríos».[38]

No obstante, debe admitirse que la publicación, por vez primera, gracias a Angel Losada, del texto más arriba mencionado, supone un paso adelante de consideración en el pensamiento lascasiano en todo su conjunto, como concepción global. Obra escrita en las postrimerías de su vida ha sido calificada, atinadamente, como el testamento ideológico de Bartolomé de Las Casas, dirigido a su Rey Don Felipe II. No se contenta el dominico con la condena del latrocinio, sino que afirma categóricamente la obligación de la restitución. El camino que conduce a la devolución de los bienes materiales injustamente arrebatados a sus verdaderos propietarios, sirve a Bartolomé de Las Casas para, en su postrera reflexión, pasar nuevamente revista al fenómeno de la colonización y definirlo notablemente. La conclusión de su obra consagrada al estudio del expolio a que fueron sometidos los naturales del Perú es tajante: «Los españoles son indignísimos de poseer algún bien temporal de aquel mundo».[39] Y ello no sólo porque sus propietarios lo eran de pleno derecho, sino también porque abusaron del *Privilegio* de que gozaban para llevar a cabo la misión evangelizadora: «Merece perder todo privilegio quien abusa del poder que se le concedió». Conclusión de la se infiere el siguiente corolario:

> «Por lo tanto, están excluidos los españoles, por razón natural, de la comunicación con los indígenas para buscar los tesoros, oro, plata u otros objetos preciosos y otros bienes temporales, aún aquéllos que están entre los bienes de nadie, por todo aquel mundo de las Indias».[40]

Era, pues, lógico, en la mentalidad justiciera y rectilínea de Bartolomé de Las Casas, que si había unos propietarios naturales y, además, la guerra de conquista practicada había sido injusta y condenable, viniesen los usurpadores obligados a restituir lo indebidamente ocupado; interesa, por otra parte, observar que Fray Bartolomé añade, a título de condena, pero también a modo de ejemplo, que los tales conquistadores que tan torpemente actuaron, están obligados a permanecer perpetuamente en aquellas tierras «en beneficio de la Fe».[41] No faltaría, incluso, en este punto, motivo más que suficiente para glosar el sentido que Bartolomé de Las Casas concede al deber de restitución, ya que éste suma lo que hoy llamamos indemnización, que no es otra cosa que «la satisfacción por los daños».

En resumen, siguiendo a A. Losada, bien puede afirmarse que las *Doce Dudas* y el *De Thesauris* constituye el corpus y núcleo medular del pensamiento de Fray Bartolomé sobre la colonización española de las Indias, en sus albores, así como juicio definitivo sobre el hecho colonial, en términos generales. La última pieza en que el dominico compendia su vida, afirma su condena y reclama su justo y testimonial protagonismo, se concluye cuando días después de finalizados los dos tratados otorga testamento. Sirvan sus palabras mismas para aproximarnos a la finalización de sus días sobre la tierra, que no en la memoria de los hombres:

> «E porque la bondad y misericordia de Dios que tuvo por bien elegirme por su ministro sin yo se lo merecer, para procurar y volver por aquellas universas gentes de las que llamamos Indias, poseedores y propietarios de aquellos reinos y tierras, sobre los agravios, males y daños nunca otros tales vistos ni oídos, que de nosotros los españoles han recibido contra toda razón e injusticia, y por reducillos a su libertad prística de que han sido despojados injustamente, y por liballos de la violenta muerte que padecen...». Y concluye iluminadamente: «Dios es testigo que otro interés nunca pretendí».[42]

7. Llegados al término de nuestro escrito, más de un lector avisado pudiera

sorprenderse de no haber hallado en estas líneas eco alguno de los temas tenidos por más polémicos o más apasionantes que esmaltaron la exégesis crítica de la obra del Obispo de Chiapa. Estimamos, como ya hemos indicado al comienzo, que no consideramos de interés científico, aquí y ahora, a los efectos de nuestra demostración, desenterrar polvorientas e ineficaces disputas que, por lo demás, en nada afectan al buen juicio del fraile sevillano. No consistía nuestro objetivo en reproducir una vez más los términos de la disputa sostenida con Ginés de Sepúlveda, ya suficientemente estudiada.[43] O. posiblemente, con un objetivo más avanzado, haber mencionado la práctica de la teoría lascasiana aplicada a la experiencia de la Vera paz y tan magníficamente observada por Saint-Lu.[44] Por encima de estas ausencias, consideramos que el objetivo último, recordar y subrayar la vigencia y la contemporaneidad de Bartolomé de Las Casas, queda suficientemente cubierto. Campo en el que, por otra parte, no han faltado loables y arriesgados intentos, como el llevado a cabo por Pereña y Abril, consistente en la armadura y montaje de una «Carta de derechos humanos según Bartolomé de Las Casas».[45]

Ahora bien, sin necesidad de forzar los extremos ya tensados, ni tampoco de extrapolar situaciones especiales y temporales harto disímiles, no sería temerario situar a Fray Bartolomé de Las Casas en la selecta estirpe y genealogía de inspiradores del Derecho internacional público moderno, el de la descolonización y de la coexistencia, y del deseado Nuevo Orden Internacional; en especial, si recordamos lo alcanzado dentro del sistema de las Naciones Unidas, a partir de 1945, aunque la Sociedad Internacional diste todavía mucho de aceptarlo en su integridad. Obvia resulta la condena de los guerra y no sólo las de conquista, recogida ya en la Carta de San Francisco. En el campo de los derechos humanos, tan caro a Fray Bartolomé, la «Declaración Universal de Derechos del Hombre» (1948) y, aún más, la «Declaración de las Naciones Unidas sobre la eliminación de todas las formas de discriminación racial» (1963), culminada dos años más tarde (1965) en una «Covención» sobre el mismo tema, están en la más estricta línea lascasiana. Por no hablar de la coronación del edificio con los dos Pactos Internacionales de «Derechos económicos, sociales y culturales y de Derechos civiles y políticos» (1966).

Sobre el derecho de los pueblos a su propia libertad, el derecho de autodeterminación de los pueblos, tan ardorosamente defendido por Bartolomé de Las Casas, la boreal «Declaración de la concesión de la independencia a los países y pueblos coloniales» (1960), fuente originaria de un amplio movimiento ideológico y tradicional, evidentemente junto al hecho político, que ha trastocado profundamente el ordenamiento internacional tradicional, eurocéntrico. Completada inmediatamente aquélla, al verificarse la vacuidad de las declaraciones políticas sin contenido económico, con las resoluciones de las Naciones Unidas sobre la «Soberanía permanente sobre los recursos naturales» (1962, 1966 y 1973), hasta llegar a la llamada «Carta de derechos y deberes económicos de los Estados» (1974), fruto directísimo de las reivindicaciones y reclamaciones de los pueblos del Tercer Mundo y que rechaza de plano todo el estatuto económico dominante, clara herencia de un pasado todavía muy reciente de explotación colonial.

Conjunto coronado, en el sistema de las Naciones Unidas, con su Resolución 2625 (XXV), lascasianamente intitulada «Declaración relativa a los principios de Derecho internacional referentes a las relaciones de amistad y cooperación entre los Estados de confomidad con la Carta de las Naciones Unidas» (1970).

Todo un largo camino recorrido desde aquel siglo XVI en que el fraile sevillano se lanzara a su aventura premonitoria. Cierto que la suya no fue una voz que clamase en el desierto que, junto a él, en su tiempo mismo y luego en los tiempos que le siguieron, otras voces se unieron a la suya en defensa de los derechos individuales de los seres humanos oprimidos y de los derechos colectivos de los pueblos no reconocidos. Si nadie discute la presencia de Vitoria y de Suárez, junto al de Grocio, entre los pades fundadores del Derecho internacional público, sería injusto no reconocer en la vida y en la obra de Bartolomé de Las Casas uno de los nombres más ilustres y activos en la creación y edificación del Nuevo Orden Internacional; el surgido a partir de 1945, al impulso y al calor del gran fenómeno de nuestro tiempo: la revolución colonial.

Posiblemente, en vísperas del Quinto Centenario, sea difícil encontrar un nombre que pueda rivalizar con el de Bartolomé de Las Casas –en una visión liberada de prejuicio, de culpas y de errores, de aciertos y de triunfalismo, de manipulaciones y de interpretaciones torcidas– para aproximar a los pueblos de las dos orillas de la Mar Océana.[46] Bartolomé de Las Casas, de imagen casi desconocida, a no ser por el retrato único que de su efigie nos transmitió López Enguidanos, pero cuyo verdadero rostro ha sido fijado idealmente por pensadores de su misma raigambre,[47] es, sin lugar a dudas, el símbolo más vivo y más adecuado de acercamiento entre los pueblos hispanos, el de mayor actualidad y vigencia. Su nombre que, todavía en fecha reciente, era signo de división y de enfrentamiento es hoy nexo de unión y entendimiento; al tiempo que constituye una de las mayores aportacioneds que las culturas hispanoparlantes y pensantes pueden hacer al patrimonio común del sincretismo cultural al que debe tender la Humanidad entera, si es que de verdad persigue un futuro de paz, de libertad y de armonía.

NOTAS

[1] Vid. MERLE, M. y MESA, R., *El anticolonialismo europeo. Desde Las Casas a Marx,* También, nosotros mismos, desde una perspectiva eminentemente divulgativa, hemos tratado específicamente el tema lascasiano en *La idea colonial en España,* Valencia, 1976, especialmente sus capítulos titulados «El clérigo Bartolomé de Las Casas» y «El anticolonialismo español desde Las Casas al siglo de las luces», págs. 9-88. Para caracterizar en su plenitud los rasgos del fenómeno colonial, en la experiencia hispana, son muy elocuentes las palabras de Silvio ZABALA: «La empresa española, aunque todavía distante de la resuelta afirmación ideológica que acompañaría al colonialismo moderno, constituye uno de los episodios iniciales de la expansión europea. Fue un anticipo y tiene conexiones con lo que vendría después; presente arimismo diferencias por su preocupación religiosa y moral. Las Casas, con sus densas citas teológicas y sus aspiraciones cristianas seguirá figurando en la historia moderna como defensor de un ideal de universalidad, no por menospreciado menos vigente» (*Las instituciones jurídicas en la conquista de América,* México, D.F., 2ª ed., 1971, págs. 309-310).

[2] Muy representativo, en este aspecto, es el estudio de BENOT, Yves, *Diderot, de l'athéisme à l'anticolonialisme,* París, 1970.

[3] Vid. ARENAL, Celestino del, «La teoría de la servidumbre natural en el pensamiento español de los siglos XVI y XVII», en *Historiografía y bibliografía americanistas,* Sevilla, Vols. XIX-XX, 1976, págs. 67-124.

[4] Para la fijación de la disputa cronológica en torno al nacimiento de Bartolomé de

Las Casas, MARCUS, Raymond, «Sobre el nacimiento de Las Casas (Medida y vivencia del tiempo en el siglo XVI)», en *Estudios sobre Bartolomé de Las Casas,* Sevilla, 1974, págs. 17-23.

[5] Los estudios biográficos que han centrado tan amplísima temática son, por una parte el de HANKE, L. y GIMENEZ FERNANDEZ, M., *Bartolomé de Las Casas. Bibliografía crítica y cuerpo de materiales para el estudio de su vida, escritos, actuación y polémicas que suscitaron durante cuatro siglos,* Santiago de Chile, 1954, y, muy fundamentalmente, el monumento biográfico de Don Manuel GIMENEZ FERNÁNDEZ, *Bartolomé de Las Casas,* dos vols., Sevilla, 1953 y 1960.

[6] MENENDEZ PIDAL, R., *El padre Las Casas. Su doble personalidad,* Madrid, 1958. La respuesta, adecuada y merecidamente airada, vino de la pluma de GIMENEZ FERNANDEZ, M., «Sobre Bartolomé de las Casa», en *Anales de la Universidad Hispalense,* XXIV, Sevilla, 1964, págs.1-65. Igualmente, en la «Introducción» de Marcel BATAILLON, a sus *Estudios sobre Las Casas,* Barcelona, 1976, págs. 5-42.

[7] Son modélicas, para completar la cita de Fray Bartolomé, las palabras que a su personalidad dedica Guillermo CESPEDES DEL CASTILLO: «Las Casas se convirtió en una fabulosa mexcla de abogado defensor, propagandista eficaz, temible polemista, hábil político y cortesano persuasivo, siempre al servicio de una causa noble y generosa; bajo su presión y la del grupo revisionista que encabezaba, se promulgaron una serie de leyes protectoras de los indios que hubieran sido admirables si se hubieran cumplido en las colonias» (América Hispánica (1492-1898), Vol. VI de la *Historia de España,* dirigida por TUÑON DE LARA, Barcelona, 1983, pág. 229.

[8] MARAVALL, José Antonio, «Utopía y primitivismo en Las Casas», *Revista de Occidente,* Tomo XLVII, 2ª época, Nº 141, Diciembre 1974, págs. 311-388.

[9] MARAVALL, J.A., *Op. cit.,* pág. 327: «... exotismo y universalismo se manifiestan de una manera nueva en Las Casas, mucho más próxima de la mentalidad del hombre moderno de lo que se manifiesta comúnmente en su tiempo. Se trata de un cosmopolitanismo que no es una mera actitud ética (...), sino de vida práctica y terrenal, y afecta al modo en que en ésta se relacionan, en una planeta que –según diría Vives– se había hecho explícito por vez primera a los hombres».

[10] 6De Regia Potestate, Ed. crítica bilingüe de PEREÑA, L., PEREZ-PRENDES, J.M., ABRIL, V. et al., Madrid, 1969.

[11] MARAVALL, J.A., *Op. cit.,* págs. 358-360: «la afirmación del principio de libertad en Las Casas se proyecta desde su mismo arranque en el plano de la política y pertenece a la esfera de la voluntad (...). La voluntad pretende el fin de la vida humana y hace de él objeto de la conciencia política (...), el postulado esencial de la libertad natural de los indios».

[12] MARAVALL, J.A., *Op. cit.,* pág. 463: «La segunda parte que el principio de libertad lleva consigo es el de su inserción en el orden político (...), para Las Casas como para los pensadores políticos de la época, la prueba de la libertad está en su capacidad de fundar y mantener un orden político o de autoridad».

. [13] Historia de las Indias, Libro III, Cap. LVIII, Ed. BAE, tomo XCVI (II), pág. 144.

[14] Sesión de l'Institut de France, celebrada el 22 Floreal del año VII, cit. en MERLE, M. Y MESA, R., *Op. cit., pág. 58.*

[15] BATAILLON, Marcel, «Las Casas, ¿un profeta?», en *Revista de Occidente,* Tomo XLVII, 2ª época, Nº 141, Diciembre, 1974, pág. 289. Este sentimiento de «vocero» divino se encuentra en múltiples textos de Fray Bartolomé de Las Casas, así, en la carta que dirige al Rey Don Felipe II, el 20 de febrero de 1559, dice: «Nascí y me ha puesto Dios para siempre llorar duelos ajenos: teniendo noticia desde el descubrimiento de aquellas Indias y visto su principio, medio y fin, no puedo dejar, mientras el ánimo me dará en las carnes, de avisar a quien debo después de Dios toda fidelidad, lo que sé, que conviene a su ánima y estado y haciendas, y también viendo perder un mundo como aquel tan grande, lleno de inmensas naciones, que podrían ser remediadas y ajuntadas en el gremio de la Iglesia, y después en las celestiales moradas, que es otra cosa que palabras. Y esto hago pudiendo vivir como otros viven, sin entender en ello, aunque por ventura no sin riesgo de mi salvación. Y podré mejor decir que yo no lo tenía a menor sino mayor, por haberme dado Dios más noticia de todo lo dicho que a nadie».

¹⁶ HANKE, Lewis, *Bartolomé de las Casas. Pensador político, historiador, antropólogo*, Buenos Aires, 1958.

¹⁷ FRIEDE, Juan, *Bartolomé de Las Casas, precursor del anticolonialismo. Su lucha y su derrota*, México, D.F., 1974. En esta línea de pensamiento, estimamos muy certera la opinión de Angel LOSADA, en su *Fray Bartolomé de Las Casas a la luz de la moderna crítica histórica*, Madrid, 1970,pág. 122: «Fue, sin duda, mérito de Bartolomé de Las Casas haber sido el primer sociólogo y antropólogo de los tiempos modernos en reconocer este principio de respeto a los usos, costumbres y religión de todo pueblo primitivo por parte de los colonizadores y jamás juzgarlo en razón de una superioridad apriorístico de la denominada cultura occidental».

¹⁸ *Brevísima relación de la destrucción de las Indias*, Ed. BAE, Tomo CX (V), págs. 134-181.

¹⁹ SAINT-LU, André, «Significación de la denuncia lascasiana», en *Revista de Occidente*, Tomo XLVII, 2ª época, Nº 141, Diciembre, 1974, pág. 397: «Creemos que al plantear la cuestión de la denuncia lascasiana en términos antagónicos de amor y odio, se hace muy difícil llegar a una definición cabal de lo que fue, antes de todo, protesta humanitaria y exigencia de justicia».

²⁰ SAINT-LU, André, *Op. cit.*, págs. 391 y 392.

²¹ Antonio TRUYOL SERRA, en su *Historia de la Filosofía del Derecho y del Estado*, Vol. II, *Del Renacimiento a Kant*, Madrid, 1982, 2ª ed., escribe en págs. 72-73: «Con la pluma y las palabras, Las Casas denunció duramente lo que estimó eran abusos impropios de quienes invocaban la causa del cristianismo. Con excesiva frecuencia creyó ver involucrados en un grado insoportable móviles demasiado humanos en las supuestas razones de Dios. Su intransigencia le hizo sin duda infravalorar el resultado histórico de conjunto de la ingente empresa. Su juicio global podría resumirse con los versos de Ercilla en *La Araucana*: Codicia fue ocasión de tanta guerra,/ y perdición total de aquesta tierra».

²² *De unico vocationis modo omnium gentium ad veram religionem*, Ed. de A. Santamaría, Introducción de Lewis HANKE, México, D.F., 1942, págs. 515 y ss.

²³ Sobre esta cuestión,la Décima Réplica, en *Aquí se contiene una disputa o controversia*, Ed. BAE, Tomo CX (V), pág. 331: «A lo que dice la décima objeción que el Papa tiene poder y precepto de predicar el Evangelio por sí y por otros en el mundo, concedémoslo; pero la consecuencia que infiere el reverendo doctor, conviene a saber, que puedan ser forzados los infieles a oír la predicación, no está del todo muy clara, y harto más delgada indagación a la que hace el doctor conviene hacerse para que della se haga evidencia. Porque vemos que Cristo, Hijo de Dios, cuando envió los Apóstoles a predicar, no mandó que a los que no quisieren oírlos hiciesen fuerza, sino que se saliesen pacíficamente de aquel lugar o ciudad y sacudiesen el polvo de sus pies sobre ella, y reservó la pena de aquéllos para su Final juicio, según parece en el capítulo X de San Mateo».

²⁴ ZAVALA, Silvio, *Op. cit.*, Pág. 84: «Las Casas condenó las guerras indianas: porque violaban los derechos naturales de los indios, quienes sin haber ofendido eran agraviados y reducidos por fuerza; porque no eran medio lícito para atraer a nadie al fin cristiano; porque tampoco lo podían ser para un fin temporal o político previo, de menor rango que aquél; porque además faltó autoridad de los príncipes y causa justa».

²⁵ Según el autor mencionado, *Op. cit.*, pág.162, los dos grandes frentes de lucha de Fray Bartolomé fueron contra la encomienda y *«contra la conquista»*: llevar a la conciencia de todos que el indio antes de la llegada de los españoles pertenece a una nación libre y soberana como España; que el indio es inteligente y libre como cualquier español, como cualquier hombre, y que es, por tanto, injusta toda guerra, por los motivos que sean, contra él, incluso para hacerle cambiar de religión a la verdadera».

²⁵ SALAS, Mario Alberto, «El Padre Las Casas, su concepción del ser humano y del cambio cultural», *Estudios sobre Fray Bartolomé de Las Casas*, Op. cit., en pág. indica: «Toda la *Apologética historia* está destinada a la demostración y capacidad intelectiva del hombre americano. Tratado apologético, tratado de etnografía comparada en el cual se citan y argumentan multitud de autoridades, incluyendo diversas fuentes americanas, además de la propia experiencia en tan copiosa materia. Por este camino infatigable de la comparación y del contraste, a veces de la paradoja, llega Las Casas a la demostración

153

de que todas las excelencias y perfecciones están contenidas en el indígena, que ya sea por su estado actual o por las posibilidades que contiene en potencia, supera a todos los hombres y a todas las diversas gentes».

[27] *De Regia Potestate, Op. cit.,* pág. 131.

[28] HANKE, L., *La lucha por la justicia en la conquista española de América,* Buenos Aires, 1949.

[29] PEREÑA VICENTE, L., «La Carta de los Derechos Humanos según Bartolomé de Las Casas». Estudios sobre Fray Bartolomé de Las Casas, Op.cit., págs. 293-301 y PEREÑA VICENTE, L. y ABRIL, V., *Bartolomé de Las Casas. Derechos civiles y políticos.* Madrid, 1974. A la obra de Angel LOSADA ya nos hemos referido y lo haremos más de una vez en las páginas siguientes.

[30] LOSADA, A., *Op. cit.,* pág. 17.

[31] En su *Historia de las Indias,* con muy atractivo castellano, escribe Fray Bartolomé: «Los hallamos en pueblos, que es señal y argumento de razón, por la mayor parte son de muy buenas disposiciones de miembros y órganos de las potencias, proporcionados y delicados, y de rostros de buen parecer, que no parecen sino hijos de señores y son de muy poco trabajo, por su delicadeza; tienen reyes y señores naturales, orden de república, tienen prudencia gubernativa y electiva, porque eligen los reyes que los rijan, tienen leyes porque se rijan a que obedecen y temen y a quienes les corrija y castigue, y tienen gran ciudado de la vida social, luego no son siervos por natura».

[32] MIAJA DE LA MUELA, A., *Introducción al Derecho Internacional Público,* Madrid 1974, 7ª ed., pág. 429. Y refrenda A. LOSADA, *Op. cit., pág. 124: «lo que las Casas y, en general, la escuela clásica internacionalista española, antiimperialista por excelencia, y hasta el propio Sepúlveda enseñaban (...) era que los pueblos colonizados, una vez adquirieran la suficiente madurez, deberían ser los dueños de sus destinos».*

[33] *Historia de las Indias, Op. cit.,* pág. 144.

[34] *Aquí se contienen treinta proposiciones muy jurídicas,* Ed. BAE, Tomo CX (V), Proposición X, págs. 251-252.

[35] *ARENAL, Celestino del, «Las Casas y su concepción de la Sociedad Internacional», en Estudios de Deusto,* Bilbao, Vol. XXV, (Enero-Junio), 1977, pág. 49: «Las consecuencias de estos principios (igualdad, soberanía y universalidad) era evidente para el defensor de los indios: la soberanía de los pueblos infieles, que pertenecían a la comunidad internacional, al igual que los cristianos y gozaban y estaban amparados por los mismos derechos, el natural y el de gentes. La infidelidad para nada incidían en derechos que pertenecían el orden natural».

[36] ARENAL, Celestino del, *Op. cit.,* págs. 39-40.

[37] *Tratado comprobatorio del Imperio Soberano y Principado Universal que los Reyes de Castilla y León tienen sobre las Indias,* Ed. BAE, Tomo CX (V), pág. 385.

[38] *Tratado de las doce dudas,* Ed. BAE, Tomo CX (V), pág. 486.

[39] *Los Tesoros del Perú,* Ed. de Angel LOSADA, Madrid, 1958, pág. 445.

[40] *Los Tesoros del Perú,* Op.cit., pág. 447.

[41] Dice así, Fray Bartolomé de Las Casas: «Los españoles, que se comportaron mal con las naciones de las Indias, ya con sus inversiones, ésto es, conquistas, ya por la servidumbre general, ésto es, por el repartimiento y encomiendas, están obligados por necesidad de salvación, después de la íntegra o posible restitución de las cosas malamente apropiadas y satisfacción por los daños, a elegir morada perpetua en aquel mundo y a habitar perpetuamente allí a propias expensas, sobre todo en aquellas provincias a cuyos habitantes mataron y oprimieron de otros modos y dañaron, y esto en beneficio de la Fe, a la cual notablemente obstaculizaron y ofendieron».

[42] *Cláusula del testamento que hizo el Obispo de Chiapa, Don Fray Bartolomé de Las Casas,* el día 31 de Julio de 1566, Ed. BAE, Tomo CX (V), pág. 539.

[43] La disputa entre Las Casas y Sepúlveda ha merecido una muy amplia bibliografía. Entre otros estudios, nos remitimos a las siguientes obras de Angel LOSADA, de excepcional valor documental: *Juan Ginés de Sepúlveda a través de su epistolario* y nuevos documentos, Madrid, 1948; asimismo, su edición del *Demócrates Segundo,* Madrid, 1951, y del *Epistolario de Juan Ginés de Sepúlveda,* Madrid, 1968.

[44] *Autor que ha hecho el punto y aparte sobre la materia con su La Vera Paz, esprit évangélique et colonisation,* París, 1968.

[45] Texto de forzado paralelismo, elaborado por PEREÑA VICENTE, L. y ABRIL, V., *Op. cit.,* págs. 143-165.

[46] Aparte las fuentes biográficas mencionadas a lo largo de estas páginas, sobre la misma materia, vic. PEREZ DE TUDELA, Juan, «Significado histórico de la vida y escritos del Padre Las Casas», en *Obras escogidas de Bartolomé de Las Casas,* Ed. BAE, Tomo XCV (I), págs. X-CLXXXVIII.

[47] Por pensadores de su misma raigambre entendemos a Simón BOLIVAR y su *Carta de Jamaica,* de 6 de Septiembre de 1815, o a PABLO NERUDA que, con tanta fuerza, invoca a Las Casas, en «Los libertadores», de su *Canto general* (Hoy, a esta casa, Padre, entra conmigo). Y, finalmente, pese a su ampiísima divulgación o a lo que,algunos, puedan estimar tópico, el artículo del apóstol de la independencia cubana, José Martí, recogido en *La edad de oro,* continúa siendo el mejor cierre a toda reflexión sobre Las Casas, proyectada hacia el futuro: «Cuatro siglos es mucho, son cuatrocientos años. Cuatrocientos años hace que vivió el Padre Las Casas y parece que está vivo todavía, porque fue bueno. No se puede ver un lirio sin pensar en el Padre Las Casas, porque con la bondad se le fue poniendo de lirio el color, y dicen que era hermoso verlo escribir, con su túnica blanca, sentado en su sillón de tachuelas, peleando con la pluma de ave porque no escribía de prisa. Y a otras veces se levantaba del sillón, como si le quemase: se apretaba las sienes con las dos manos, andaba a pasos grandes por la celda, y parecía como si tuviera un gran dolor. Era que estaba escribiendo, en su libro famoso de la *Destrucción de las Indias,* los horrores que vio en las Américas cuando vino de España la gente a la conquista. Se le encendían los ojos, y se volvía a sentar, de codos en la mesa, con la cara llena de lágrimas. Así pasó la vida, defendiendo a los indios» («El Padre Las Casas», *La Edad de oro,* en *Entología mínima,* Ed. de Pedro ALVAREZ TABIO, La Habana, 1972. Vol. II, pág. 101).

LAS CASAS Y EL DERECHO PUBLICO EN INDIAS

José Manuel Pérez-Prendes y Muñoz de Arraco

No es objetivo de esta comunicación intervenir con el pretexto de Las Casas, en la devaluada discusión que pretende aplicar una sentencia global, sólo glorificadora o sólo descalificadora, a la acción española en Indias. Si la primera opción es infantil y sólo se explica en parte por una reacción defensiva,[1] cuando se atiende a la segunda se advierte que después de análisis tan certeros como los de Maltby o Powell[2] aún se cree todavía hoy que es lícito sintetizar la huella hispana escribiendo que

> «tanto la experiencia de la conquista como la de la colonia dejaron huellas en América Central que han impedido en gran medida la materialización de los esfuerzos destinados a fomentar el desarrollo político y económico moderno. Excepto en muy pocas áreas, los conquistadores españoles impusieron a la población indígena un sistema semifeudal basado en latifundios y en la explotación de la mano de obra india. Estos modelos persistieron y generación tras generación, la riqueza, la educación y el poder político han continuado desigualmente distribuidos entre los descendientes de conquistadores y conquistados... Durante los tres siglos de dominación colonial española, aproximadamente de 1520 a 1820, el sistema político centroamericano era autoritario: la economía era explotadora y mercantilista; la sociedad elitista, jerarquizada y compuesta esencialmente de sólo dos clases muy diferenciadas y tanto la Iglesia como el sistema educacional reforzaban los patrones del autoritarismo...»[3]

Ante textos como éste que, por insostenibles que sean, siguen apareciendo en los días de hoy, quedan pocas dudas razonables acerca de que son intereses bien ajenos a lo científico los que insuflan vida a esa valoración. Y el hecho de que esos intereses sean de origen indiscriminadamente eterogéneo no los dignifica más. En cualquier caso es doloroso que siga siendo preciso insistir en la necesidad de una aproximación objetiva al hecho indiano y al fenómeno lascasiano en particular, rechazando en este último caso, tanto las incomprensiones de sus contemporáneos y las abusivas extrapolaciones que, algunos modernos, han trazado de sus apasionados alegatos pro-indígenas,[4] como los esfuerzos por construir con sus frases párrafos que más bien parecen pertenecer a la *Declaración de Virginia* o a la *Carta de las Naciones Unidas*.[5]

Preguntémonos solamente qué podemos decir de Las Casas, con el mayor desapasionamiento posible, desde la óptica de la historia jurídica.

En una primera aproximación parece resaltar un hecho poco discutible. Fray Bartolomé de Las Casas fue plenamente consciente de la necesidad del instrumento jurídico para configurar con solidez y perdurabilidad su proyecto de organización socio-político-religiosa en Indias y esa convicción le lleva a asumir personalmente el trabajo de alegar los argumentos que estima válidos en Derecho para apoyar sus tesis.[6]

Sin embargo Las Casas no era un buen jurista o al menos no era un jurista completo. Atalayaba las situaciones, sabía señalar la justicia o injusticia intrínseca que tipificaban en una última instancia una circunstancia concreta, pero carecía de la seguridad técnica necesaria para conocer palmo a palmo el camino a recorrer hasta lograr su objetivo. Dominó el alegato ditirámbico contra lo injusto. Conoció el laberinto de relaciones humanas que influyen en cualquier decisión política. Pero sería quizá demasiado pedir que supiese usar la arquitectura jurídica necesaria para desmontar unos hechos y construir unas soluciones contradictorias con ellos.

Me inclino a pensar que Las Casas sabía muy bien esa limitación. En un hombre que usó de tantos estilos diferentes de escritura como él, es claro que el estilo aplicado en el tema jurídico algo puede orientar sobre su actitud personal. Y así, se advierten aquí un enfatismo y ciertos plagios que son prueba, a mi modo de ver, de su inseguridad en este terreno.

Enfático es ya el mismo título de sus «Treinta proposiciones muy jurídicas» que constituyen el cuarto de sus «Tratados»;[7] ¿A qué viene ese superlativo inusual, en el título, si no es a machacar el carácter de buena calidad jurídica de la doctrina que se contiene en el opúsculo? ¿Y qué significa esa actitud desde el principio de la comunicación con el lector, si no es un afán de eludir la tacha de lego en la materia?

Respecto de los plagios, cierto es que cabe poca discusión desde que en la edición que Pereña y yo preparamos de «De regia seu imperatoria potestate», donde se prueba sin remedio que Las Casas ha acudido en esa obra al expediente de reproducir con poca tasa y menos cita a uno de los juristas italianos más prestigiosos, Lucas de Penna, que formula en su comentario a los tres últimos libros del Código justinianeo la doctrina jurídico-política que al dominico convenía para su proyecto de organización indiana. Probablemente tardaremos mucho en saber, quién o quiénes le pusieron precisamente en esa pista.[8]

Pero esos rasgos no empañan ni disminuyen su condición de propugnador de los derechos inherentes a la dignidad humana de un amplio grupo de personas, los indígenas americanos, aunque ese rasgo no debe ser limitado en sólo esas dimensiones, pues si bien su frase conocida, que atribuye a la causa de los negros «la misma razón» que a la de los indios, es más un postrero arrepentimiento que un programa de actuación vital, tampoco puede olvidarse que existen en su obra párrafos rotundos que establecen el principio básico de igualdad ante el Derecho, de todos los seres humanos. Así dirá en la «Apologética Historia».

> «Nunca hubo generación, ni linaje, ni pueblo, ni lengua en todas las gentes criadas y más desde la Redención que no pueda ser contada entre los predestinados».

«Todas las naciones del mundo son hombres y de cada uno de ellos es una no más la definición; todos tienen entendimiento y voluntad, todos tienen cinco sentidos exteriores y sus cuatro interiores y se mueven por los objetos de ellos, todos se huelgan con el bien y sienten placer con lo sabroso y alegre, y todos desechan y aborrecen el mal y se alteran con lo desabrido y les hace daño».

Es este aspecto de la dimensión de lo jurídico en la obra lascasiana lo más conocido y explotado. Sin intentar aquí ni siquiera una síntesis, hay sólo que decir de este punto una vez más que el legado de Las Casas al Derecho indiano es la introducción del carácter prioritario que se otorga a la tutela del indio como interés jurídicamente protegido frente a otros intereses también contemplados por esa legislación,[9] pues aun cuando obras de su directa inspiración como las *Leyes Nuevas* tendrán poco éxito a medio plazo, frente a los abusos que intentaban eliminar [120] será imposible desterrar de la normativa indiana la preocupación por el indio que él introdujo, afirmando como ha escrito Silvio Zavala, la razón del indio, su capacidad moral y política, su habilidad mecánica, la buena disposición y belleza de rostros y cuerpos.[11]

Además, las consecuencias de esa convicción que fue motor único de la vida de Fray Bartolomé, son profundas, pues si de una parte se reconoce por todos su aportación para construir una doctrina moderna de los derechos humanos, también se señala cómo la impregnación de su espíritu en la legislación, y las Universidades indianas, su defensa y propagación de la idea de libertad cristiana frente a la concepción defensora de la servidumbre natural fomentó a la larga la inserción de un sustrato tradicional de liberalismo en las mentalidades americanas, cimiento anterior al hecho independentista que ha dado, por encima de esa brecha, continuidad y genuinidad a la idea íntima de libertad en América.[12]

Pero yo quería subrayar aquí otro aspecto. Menos valorado ha sido cómo influyó Las Casas, quizá sin proponérselo sino subsidiariamente (pues no hay que pensar que fuese por completo ajeno a ello) en otra faceta menos considerada por los investigadores del Derecho indiano; su peculiar contribución a la gestión de instituciones que desarrollaron la urdimbre gubernativo-jurisdiccional del Estado moderno.

En efecto, en la línea tradicional de los estudios e investigaciones de la Historia del Derecho Indiano, apenas se ha prestado atención a lo que este supuso de inevitable acicate y banco de experimentaciones para el crecimiento y maduración de los instrumentos propios de aquel modelo de Estado. Se ha discutido sobre la naturaleza jurídica de las capitulaciones, oscilando entre su interpretación como contrato de derecho privado o como merced regia, pero no se ha planteado siquiera su papel en la construcción de las ideas matrices de la moderna contratación administrativa.

Esta prácticamente sin plantear el particular crecimiento indiano del concepto de delegación en Derecho público. No ha sido en absoluto apreciada la flexibilidad institucional del ordenamiento de Indias, que engendra toda una batería de instrumentos de gobierno para aproximar los niveles de decisión y de producción de los hechos, favoreciendo en grado sumo, tanto el enriquecimiento del grado de información de las instancias del poder público, como una particular maleabilidad dirigida a corregir la inadecuación o la rigidez de algunos organismos. Así: las «Juntas especiales», a veces sólo comisiones «ad hoc» (que aquí se originan) y a veces luego estructuras permanentes, que corrigen y agilizan la mecánica pesada de los Consejos; o figuras absolutamente nuevas, como la Casa de la Contratación que coordinan y solidarizan actividades de orden financiero, fiscal, jurisdiccional y científico.

Estos y otros ejemplos que nos llevarían ahora fuera del objetivo estricto de esta comunicación, son pruebas de lo que hemos afirmado como rasgo básico y poco conocido del Derecho indiano, esto es su papel de motor de la construcción de un aparato institucional y conceptual flexible y eficaz en la constitución del Estado moderno. Y no supone dificultad para esa valoración el hecho de que alguna de las figuras jurídicas aplicadas tuviesen orígenes bajomedievales, o incluso anteriores, pues lo distintivo aquí no es el nombre de la institución (pocos son los rasgos comunes de un *Adelantado* medieval y un *Adelantado* en Indias) sino el particular sentido que ahora toma al utilizarse, como es el caso del juicio de residencia, por no citar más que un ejemplo.[13]

Si aceptamos (al menos a efectos de seguridad en la captación de las ideas que esta ponencia intenta ofrecer) que pueda llamarse «modernización» a todo proceso que permita al Estado acercarse más y saber más cosas acerca de sus administrados, nuestra hipótesis general es que el Derecho público de Indias (dejando aparte ahora la «vexata questio» de su eficacia o su desuso malicioso, y de su mayor o menor impregnación de justicia contradictoria de intereses privados) contribuyó decisivamente a la modernización del conjunto institucional hispano (no sólo indiano) de su tiempo en cuanto que facilitó conductas, conceptos, técnicas y estructuras jurídicas que favorecieron los objetivos del Estado Moderno. Y la hipótesis particular a que estas líneas se refieren consiste en la atribución a Las Casas de un papel muy significativo en ese proceso, en cuanto que contribuyó a desacreditar un grave obstáculo a esa modernización, esto es, el grupo encomendero.

Al presentar la edición crítica del tratado «De regia potestate» de Fray Bartolomé, ya tuve ocasión de señalar el carácter feudalizante de las pretensiones de los encomenderos y su engarce con los movimientos oligárquicos bajomedievales, tendentes a igual fin, en defensa de unos intereses de grupo o clase cuya incidencia sobre la textura constitutiva de la comunidad política no varía en última instancia, aun cuando puedan cambiar la geografía en que se presentan, o los juegos argumentales con los que se defienden.[14]

Interesa ahora considerar sólo la participación lascasiana en un tema como éste. Tema cuyo principal riesgo de presentación consiste en que su facilidad de ensanchamiento es demasiado grande mediante el uso de ejemplos y similitudes que, si en fin de cuentas significan lo mismo, tienen una apariencia tan diversa que es muy probable una reacción crítica que acuse a quien esto escribe de mezclar arbitrariamente cosas y situaciones heterogéneas. ¡Tanto cuesta hacer comprender a algunos que, por ejemplo, ya se sabe que el Justicia Mayor de Aragón; la Unión aragonesa; ciertos usos del pactismo; las Comunidades castellanas; las aspiraciones de la burguesía bajomedieval; el régimen señorial; la encomienda indiana, etc. son sí, hechos de diferentes sitios, tiempos y vicisitudes, pero que también, y quizá eso sea lo más interesante, en su últ·ma esencia, manifestaciones de cómo puede usarse o crearse la norma o la doctrina jurídica para defender unos intereses de clase, y al fragmentar en su provecho el interés público general y así, *feudalizar* las instituciones!

El 4 de Mayo de 1562 se ofrecía a la Corona por parte de los encomenderos peruanos la suma de 4.026.000 ducados pagaderos en cuatro años, a cambio de que se les entregasen las encomiendas a «perpetuidad por vía de mayorazgo y juro de heredad, con jurisdicción civil y criminal, mero y mixto imperio, con todas las preeminencias, prerrogativas y calidades que tienen en Castilla los señores de villas y lugares, reservando sólo a vuestra alteza la suprema... donándosenos libremente y sin condición ninguna por juro de heredad perpetuamente para nosotros y nuestros descendientes y subcesores».[15]

Se concretaba así el proceso iniciado en plena euforia de triunfo contra las *Leyes Nuevas*, con el poder otorgado en Lima en 1554 a Antonio de Ribera como representante plenipotenciario de los «peruleros» poseedores de encomiendas. Fueron ocho años de tenaz ofensiva, hábilmente mantenida con plena conciencia de que, como escribía el futuro Felipe II, en 1557, aceptaría cualquier medida que le permitiese:

«ayudar al remedio de nuestras grandes necesidades y poder desempeñar la parte para que bastase de lo que en estos reinos está vendido y empeñado de la Corona Real»[16]

Como en un procedimiento de marcha atrás de una película, se pueden contemplar en esos años las repeticiones de las conductas ensayadas en la Baja Edad Media por las oligarquías señoriales burguesas para erosionar el poder regio en su propio beneficio. No, como a veces se dice, en favor de un archiprematuro combate por la democracia.[17] Así veremos la designación en Indias de

«procuradores en Cortes.. con poder bastante para que juntamente con los demás procuradores de estos reinos den las ordenanzas que nos convengan»[18]

Y tampoco faltará la habitual amenaza de que en caso de no obtener lo solicitado, se denegará cualquier ayuda económica a la Corona. Surge inevitablemente el recuerdo de las Cortes de Briviesca de 1387, acosando a Juan I, cuando se lee en los escritos de los encomenderos autoconvocados en Cortes: que de no obtener la perpetuidad pedida.

«sin esto no ofrecerían servicio ninguno, por no les convenir».[19]

A aceptarlo se había llegado por consejo de la Junta «ad hoc» reunida en Londres que consintió en la enajenación por «vía de feudo» (repárese cómo los contemporáneos no tienen inconveniente en calificar así a lo que en definitiva hoy llamamos *régimen señorial* y para algunos no puede en modo alguno confundirse con el *régimen feudal*) de los repartimientos de indios encomendados con sólo dos excepciones, entre las que se contó el desdichado Fray Bartolomé de Carranza, de quien expresamente consta haber defendido las tesis de Bartolomé de Las Casas.[20]

Sabido es que los comisionados regios enviados por Felipe II, en 1556 nada más comenzar su reinado, para cerrar el acuerdo con los encomenderos de Perú en las mejores condiciones económicas posibles, apreciaron muy pronto los riesgos de secesión que en pocas generaciones engendraría tal solución, por apetitoso que resultase el remedio que a corto plazo suponía para la Hacienda régia ejecutar tal operación. Además, el debate que sobre el tema reunió sucesivamente los dictámenes de más de medio centenar de expertos, ilustró decisivamente también al Consejo de Indias, que concluyó sentenciado cómo «el Rey nuestro Señor no puede desmembrar ni apartar de la corona real tan grandes reinos y señoríos»[21]

La claridad con la que se percibe cómo, cuando en estas fuentes se habla de *perder* y de *enajenar* reinos, lo que se está discutiendo es establecer o no en las tierras de América un régimen señorial como el existente en buena parte de la Península, debe por coherencia, servir para entender lo que quieren decir ciertos pasajes de la legislación indiana, los cuales sacados de este contexto reciben habitualmente peregrinas interpretaciones. Veamos alguna:

> «Por donación de la Santa Sede Apostólica y otros justos y legítimos títulos somos Señor de las Indias Occidentales, Islas y Tierra firme del mar Océano descubiertas y por descubrir, y están incorporadas a nuestra Real Corona de Castilla. Y porque es nuestra voluntad y lo hemos prometido y jurado, que siempre permanezcan unidas para su mayor perpetuidad y firmeza, prohibimos la enagenación de ellas. Y mandamos que en ningún tiempo puedan ser separadas de nuestra Real Corona de Castilla, desunidas, divididas en todo, o en parte ni sus ciudades, villas ni poblaciones por ningún caso, ni en favor de ninguna persona. Y considerando la fidelidad de nuestros vasallos y los trabajos que los descubridores y pobladores pasaron en su descubrimiento y población, para que tengan mayor certeza y confianza de que siempre estarán y permanecerán unidas a nuestra Real Corona, prometemos y damos nuestra fe y palabra Real por Nos y los Reyes nuestros sucesores, de que para siempre jamás no serán enagenadas, ni apartados en todo o en parte, ni sus ciudades ni poblaciones por ninguna causa, o razón, o en favor de ninguna persona, y si Nos o nuestros sucesores hizieremos alguna donación o enagenación contra lo susodicho, sea nula y por tal la declaramos».

En esta formulación nos encontramos a presencia de la ley 3, 1, 1, de la *Recopilación de Indias* de 1680, según el texto que sanciona Carlos II. Pero no se encierra aquí novedad legislativa alguna, sino que se resumía así una larga historia que precisamente estuvo a punto de quebrarse con el asunto de la concesión, «por vía de feudo» de las encomiendas del Perú, gestionada por Antonio de Ribera y admitida en principio por Felipe II, en los días de la abdicación de su padre y de su acceso al trono, como acaba de resumirse.

La idea inicial de la Corona fue la de no tolerar en Indias la bipartición territorial entre realengo y señorío, la de evitar a toda costa la extensión al Nuevo Mundo de jurisdicciones, «egredidas de la Corona» y situadas en manos de particulares. No menos de seis veces se formuló esa doctrina frente a la pertinaz resistencia de mentalidades como la que atestigua y sostiene Bernal Díaz del Castillo, cuando afirma «que somos dignos y merecedores de ser puestos y remunerados como caballeros por mi atrás dichos», es decir la detallada serie de ejemplos que aporta acerca de la nobleza medieval que fundó o acrecentó señoríos jurisdiccionales con las atribuciones y donaciones recibidas por su participación en los esfuerzos de la Reconquista.[22]

Pero ese principio estuvo a punto de ser borrado en 1556, cuando movido por el parecer de la Junta reunida en Londres, Felipe II decide conceder y poner en ejecución que las encomiendas de Perú se perpetuasen con la jurisdicción en el patrimonio de los encomenderos, saliendo así de «la cabeza» real, es decir de la directa dependencia del monarca, «enagenándolas o sacándolas de la Corona Real», que es como describen gráficamente nuestras fuentes a la ruptura de la *relación general de súbdito,* llamado «Untertanenverband» en frase de v. Below.

La encomienda llegaría así a constituir una instancia intermedia entre el rey y los súbditos, instancia que arrebataba a aquel el poder sobre éstos, generando por tanto un nuevo ejemplo histórico que añadir a la nómina de instituciones que, a lo largo de los siglos, engendran por medio de diversas técnicas jurídicas, un mismo efecto feudalizador de las estructuras políticas, ya sea feudalismo militar, o inmunidades, señoríos jurisdiccionales, gremios, etc.[23]

En este sentido ya había diagnosticado Las Casas tan arduo negocio, cuando en 1545, junto con Fray Antonio de Valdivieso escribía al príncipe don Felipe señalando las presiones exorbitantes para que los indios abandonasen la directa dependencia regia («cabeza de S.M.») y pasasen a vincularse a la estructura intermedia que eran los encomenderos. Se refería a la Nueva España, pero no dejaba de hacer constar que estaban allí «tal alçados de secreto commo los del Peru»; contra las *Leyes Nuevas* se trataba de violentar a

«los yndios, esos pocos que son, questan puestos en la cabeza de S.M. y son más cruelmente tratados por que digan y pidan que quieren ser más subjectos y esclavos de los christianos españoles, que no de la Corona Real».[24]

El objetivo de los solicitantes del sistema de la perpetuidad era claro para Las Casas. Tenían que lograr primero esa codiciada concesión que les consolidaba las condiciones materiales necesarias para robustecer y dar solidez a su poder, «la dentera y esperanca que tienen de hacer mayorazgos con la sangre de los vasallos del Rey» y esa conquista les resultaba imprescindible, pues como Las Casas subrayaba, en caso de estorbárseles esa meta específica, se perdía por ellos, la partida que les ganaba la Corona. Negándoles la perpetuidad se zanjaba todo el peligro que suponían, «cerrada esta puerta, se cierra a todos los males», es decir, naufragarán sus pretensiones feudalizantes, que esos eran *los males* que el fogoso dominico denunciaba.

El siguiente paso sería que, rota la relación general de súbdito con esa perpetuidad en la encomienda (a la que se añadía también por siempre, la jurisdicción) se pasaría del feudalismo a secesión política:

«todos quantos acá ay, sacados muy pocos, de los que goviernan estas tierras, se andan por alçar con el señorío dellas, agora tacita y encubiertamente y después a la clara».[25]

No es demasiado diferente, en los efectos que esta trama engendraría en el cuerpo de la comunidad política, el proyecto de los encomenderos y el de las oligarquias bajomedievales aragonesas que, con la «Unión», habían luchado con conseguir la perpetuidad de *las honores,* en aquel reino.

Es suficientemente conocido que el proyecto encomendero fracasó[26] y que Felipe II supo rectificar a tiempo lo que hubiese sido un monumental error político, que por otro lado resulta muy contrastado y contradictorio con lo que había de ser la línea general de su comportamiento como gobernante. Obsérvese además que todo el sentido jurídico-político más profundo del problema estaba esclarecido en el análisis lascasiano de 1545 al que acabamos de hacer referencia y que por otro lado señala expresamente que los riesgos para el señorío regio son los mismos en México que en Perú.

Fueron sin duda los apuros económicos, ya que no podían serlo ni la convicción, ni la inexperiencia, ni la inadvertencia, quienes abrieron el ánimo del monarca a apartarse, tanto de la línea de conducta que reflejan los textos legales que confluyen en la fórmula final de la ley 3, 1, 1 de la *Recopilación,* como de los reiterados y creibles avisos que había venido recibiendo acerca de la significación última de las peticiones de Antonio de Ribera en 1554 y de la oferta de servicio de los cuatro millones formulada en 1562. Quizá la mejor síntesis de esa significación sea la reflexión del Consejo de Indias cuando señala que de prosperar el objetivo encomendero:

> «V.M. pierde para siempre y enajena un tan gran reino... los naturales pierden su libertad y haciendas y caen en servidumbre perpetua. Solo... redunda en provecho de trescientos o cuatrocientos encomenderos a quien V.M. hace señores de aquella tierra... en menoscabo del patrimonio Real».[27]

Quedan ahí dibujados los perfiles de la realidad feudalizante. La pérdida de súbditos («naturales») por parte del poder público (el Rey), detraídos en su beneficio por una instancia intermedia, los encomenderos transformados por obra y gracia de la perpetuidad, en señores jurisdiccionales.

En otra parte tuve ocasión de poner de relieve cuales fueron los fundamentos de doctrina jurídica que Las Casas supo encontrar para componer un alegato el contenido en «De imperatorio seu regia potestae» con el que su tenaz preocupación por lo jurídico le llevaba a cerrar el círculo de sus gestiones políticas.[28] Su uso y abuso de Lucas de Penna encaja en los rasgos que arriba señalé como típicos de su estilo jurídico.

Pero además de su triunfo contra la mentalidad regresiva de los encomenderos, la postura de Las Casas tuvo otras consecuencias.

En el contexto general de aceleración del Estado moderno, que según dije más arriba, es la columna vertebral del Derecho indiano, la actitud de Las Casas supuso el enfrentamiento y la derrota de los intereses de clase que elaboraban las oligarquías construidas en Indias en el primer siglo de la instalación del sistema político hispano en el Nuevo Mundo.

Las Casas brindó así un servicio inestimable al Estado moderno en la historia hispana de las formas políticas. Permitió la identificación de los agentes de una maniobra feudalizante en la contextura de sus instituciones. Señaló los intereses infraestructurales que subyacían bajo alegatos de forma jurídica, especialmente diseñados para albergar y encubrir esos intereses, como la consolidación de la paz peruana, el progreso y bienestar de sus habitantes, el aumento de recursos financieros de la Corona, etc.[28] Descubrió la mecánica con la que se introducía el sector oligárquico entre la soberanía y elemento personal del Estado. Enumeró en fin, los resultados previsibles para éste, en caso de permitir la consolidación de las aspiraciones encomenderas. Albergó bajo su nombre, con notable falta de corrección, la mejor doctrina jurídica que pudo encontrar, o le encontraron sus colaboradores, la de Lucas de Penna, para demostrar que todo argumento jurídico, todo alegato intencional-ético, llevaba a concluir que no era lícito a los monarcas, por ningún título, enajenar a los ciudadanos y súbditos del vínculo político general, para transferirlos al dominio de los particulares. Probablemente podría decirse que, para el fin que perseguía no empleó medios inicuos, aunque sí alguno más que inelegante.

El resultado fue, aparte otras dimensiones como la archicomentada sobre los derechos humanos, especialmente lucrativo para la empresa de consolidar el Estado moderno, pues grande e imprescindible fue su colaboración para destruir o al menos apartar a las oligarquías que le amenazaban.

Ello explica que, desde Jean Le Sauvage hasta Felipe II, cuantos tenían el instinto político de distinguir de donde venían los vientos que empujaban el conjunto de criterios e instituciones que hoy llamamos *Estado moderno*, prestaban oídos y dieran margen de maniobra al obispo de Chiapas. Sabían bien cual era la fuerza que remaba en la dirección que a su propio proyecto político convenía, aun cuando los motivos que, en posterior instancia impulsaban al remero que tan buen servicio prestaba a su nave, no fuesen los que primariamente les movían a ellos.

Si Bartolomé de Las Casas o Casaus, evitó una fractura que hubiera sido decisiva en la «modernización» de las formas políticas en la Monarquía hispana, cabe todavía preguntarse hasta donde fueron asumidos por ésta los postulados de su doctrina. Es cierto que el dominico fue capaz de detectar en su análisis el íntimo parentesco que guarda, con la forma feudalizada de Estado, una serie de prácticas que sin embargo conservó la «praxis» gubernativa de la Edad Moderna, como ocurre con la venta de oficios[29] la enajenación de bienes públicos[30] o la de específica función pública[31], por no citar sino unos ejemplos.

Pero no es menos verdad que sólo a medias se recondujeron algunas de esas prácticas a su realización más moderada, en lugar de a su destierro pleno. Quizá era todavía demasiado pronto para que, fuera del estricto plano de la doctrina se fuesen perfilando caracteres propios ya de otras formas de Estado que, sin embargo comenzaban a presentirse en algunas cabezas.

Se ha escrito recientemente que al recoger «formalmente las protestas y denuncias promovidas por el padre Las Casas», las *Leyes Nuevas* de 1542-43 «herían de muerte la conciencia señorial surgida en el Nuevo Mundo y aniquilaban prácticamente la columna vertebral de la economía privada».[32] Quizá sea más preciso matizar que se sujetó esa economía a valores de ética y límites de interés público, pero no hemos de ocuparnos ahora de ese punto. Lo único que podría añadirse a ese diagnóstico, certero en parte, es que el fracaso de esas Leyes en Perú y en Nueva España (testimoniado éste por el propio Las Casas como arriba se ha visto) no supuso tampoco el triunfo de la anhelada transformación de las encomiendas en señoríos jurisdiccionales, casi lograda en 1556 y así, Las Casas alcanzó en su tenaz lucha un objetivo que no era prioritario para él, fortalecer lo que hoy llamamos «Estado moderno», aun cuando no pueda decirse que tal efecto fuese algo desapercibido en su mente. Simplemente refuerza o busca reforzar la autoridad regia y destruirla o limitar a los intermediarios (encomenderos o burócratas en la relación rey-súbditos) por entender que así progresa el bienestar de los indios. Las restantes consecuencias son para él fenómenos sólo indirectamente queridos, aun cuando los perciba, al menos en su sentido político general, como prueban los textos aquí reunidos, que con facilidad podrían ampliarse con otros pasajes de sus escritos.

Su poca calidad y reprochables modos en cuanto jurista; el que fuese en cierto modo utilizado para ayudar a construir un determinado modelo de Estado, objetivo que sólo en parte y subordinamente a otros fines bien distintos, podía hacer suyo, nada desdice de su participación y protagonismo en el amplio grupo de españoles que lucharon contra propios y extraños para infundir la mayor dosis de su concepto de lo justo en la fundación e institucionalización de los reinos de la América castellana.

NOTAS

¹ Con las limitaciones propias de esa orientación, quizá de lo más destacable sea BAYLE, C.; «España en Indias», Madrid. 1942.

² MALTBY, W.S.; «La leyenda negra en Inglaterra. Desarrollo del sentimiento anti-hispánico, 1558-1669», México, 1982. POWELL, Ph, W. «Tree of hate», New York-London, 1971.

³ «Informe de la Comisión presidencial bipartita de los Estados Unidos sobre Centroamérica», Barcelona, 1984, págs. 37 y 38.

⁴ Conocido es el desafecto a Las Casas de algunos de sus coetáneos como Marroquin, Motolinia o Fernández de Oviedo; puede verse una síntesis del tema en GERBI, A. «La naturaleza de las Indias nuevas», México, 1978, págs. 417 y ss; de este autor no debe olvidarse en su lectura, su disimulado, pero tenaz prejuicio apologético pro-italiano y anti-hispano. MENENDEZ PIDAL, R.; «El Padre Las Casas. Su doble personalidad», Madrid, 1963, obra sobre la que debe recomendarse la ponderada reseña de ZAVALA, S. recogida en su «Recuerdo de Bartolomé de Las Casas» Guadalajara, 1966, págs. 59 y sigs. Con gran energía se opuso a la interpretación de MENENDEZ PIDAL, GIMENEZ FERNANDEZ, M. en *Anales de la Universidad hispalense,* año XXV, II (1964), vol. XXIV, págs. 1-66.

⁵ Lo más que puede hacerse sin riesgo en ese sentido, se encuentra en GIMENEZ FERNANDEZ, M. «Actualidad de las tesis lascasianas» en *Estudios lascasianos,* Sevilla, 1958, págs. 457-464. En toda la producción de este gran autor, debe ponderarse su obsesión por trasladar a Fernando el Católico, los rasgos de la política del general Franco.

⁶ «Por no cumplir las ordenanzas que S.M. hizo siendo tan justas, para remedio destas Yndias y destas tierras, an sucedido y succeden cada dia mas agravios y opresiones a estas gentes y mayores injusticias, aun a los yndios»; «... y esto (el remedio de la injusticia contra los indios) se cumplirá, con que se guarden las ordenanças hechas, que son justissimas, con las demas provisiones reales», «Cartas de Indias», Madrid, 1877, pág. 15 y pág. 17; carta al Príncipe don Felipe, 1545.

⁷ LAS CASAS B. *Tratados,* México-Buenos Aires, 1975, ed. HANKE-GIMENEZ FERNANDEZ, etc. vol. I, pág. 461 y sigs.

⁸ «De regia potestate o derecho de autodeterminación», Madrid, 1969; existen dos ediciones posteriores, sin cambios sustanciales.

⁹ Recuérdese como en la *Recopilación de Indias* existe una sección específica sobre el buen tratamiento de los indios, los diecinueve títulos del libro sexto, especialmente primero y segundo.

¹⁰ GIMENEZ FERNANDEZ, M.; «Bartolomé de las Casas en el IV Centenario de su muerte» en *Arbor* 252 (1966), especialmente págs. 37 (301)-48 (312) y «Breve biografía de Fray Bartolomé de Las Casas» Sevilla, 1966, capts. XV, XVI, XVII. En ambas obras hay que introducir la tesis del nacimiento de Las Casas en 1484. Sobre las *Leyes nuevas,* cfr. inf. nota.

¹¹ ZAVALA, S. «Filosofía de la Conquista», México, 1977, pág. 76. En inglés bajo el título «The defence of human rights in Latin America» Unesco, 1964. «Las Casas et la politique des droits de l'homme», coloquio celebrado en Aix-en-Provence, el 12-13-14 de octubre de 1974. Vol. monográfico de *Revista de Occidente* 141 (Diciembre, 1974).

¹² ZAVALA, op. cit. sup. nota (8) págs. 144-145 de la ed. en español.

¹³ GARCIA DE VALDEAVELLANO, L. «Las *Partidas* y los orígenes medievales del juicio de residencia», en Bol. R. Acad. de la Historia; CLIII-II; 1963, págs. 215-246. OT'S, J. M. «El juicio de residencia en la Historia del Derecho indiano», en el vol., «Estudios sobre el Decreto constitucional de Apatzingan», México, s.f.

¹⁴ Op. cit. sup. nota (8) págs. XXI-XLVI.

¹⁵ Id., págs. LXI y LVIII.

¹⁶ Id. pág. L.

¹⁷ PEREZ-PRENDES, J.M. «Cortes de Castilla», Barcelona, 1974. Otro caso de paralelismo, este entre el Bajo Imperio romano y el siglo XVII en América ha sido puesto de relieve por MAC NEILL, W.H., «Plagas y pueblos», Madrid, 1984, pág. 206.

[18] Op. cit. sup. nota (8) pág. LVII, cfr. sup. nota (15).

[19] Id. pág. LX.

[20] Id. pág. XLIX.

[21] Id. pág. LXXVII, pero también en la LXXI-LXXII.

[22] Id. pág. XLV-XLVI. Los textos sobre la no enajenación señorial de Indias son: 1519 (*Ced. Encinas*, I, pág. 58); 1520 (id., I, pág. 68); 1523 (id. págs. 59-60); 1535 (id, I págs. 60-61) confirmado en 1563 que lo reproduce.

[23] Sobre estos extremos cfr. PEREZ-PRENDES, J.M. «Derecho y poder» en vol. V de la «Historia general de España y América» dirigida por SUAREZ FERNANDEZ, Madrid, 1984.

[24] Cfr. op. cit. sup. nota (6) pág. 15.

[25] id., pág. 18.

[26] Cfr. op. cit. sup. nota (8) págs. LXXI.

[27] Cfr. sup. nota (14).

[28] Cfr. op. cit. sup. nota (8) págs. LXVI-LXX.

[29] En el número XIV, de la segunda parte de tratado cit. sup. nota (8).

[30] Id. número XVII, de la segunda parte.

[31] Id. número XIII de la segunda parte.

[32] Op. cit. sup. nota (23) vol. VII, págs. 417 y sigs.

LA DOCTRINA DE LAS CASAS
Y SU IMPACTO EN LA ILUSTRACIÓN FRANCESA
(VOLTAIRE, ROUSSEAU...)

Angel Losada

Una de las grandes cuestiones de todos los tiempos es la que gira en torno a la *comunicación de las ideas*. En determinadas épocas de la historia de la humanidad, sobre temas vitales, asistimos a una verdadera *efervescencia de ideas* que, en un concreto momento, origina una verdadera *explosión*.

Una de estas grandes ideas es hoy objeto de nuestra atención: la del *«buen salvaje»*. Huelga recordar que el personaje que, a raíz de la efervescencia, pone fuego a la dinamita que origina la explosión en los tiempos modernos, es J.J. Rousseau.

Ahora bien, tal explosión no constituye en la historia de las ideas un hecho nuevo, totalmente desligado del pasado. Muy bien lo ha puesto de manifiesto J.L. Abellán en su excelente estudio «Los orígenes españoles del mito del buen salvaje», Madrid, 1976.

La idea del «buen salvaje» arranca ya de los tiempos de la clásica antigüedad. Podemos muy bien seguir rastreándola a través de la Edad Media, pero es precisamente el Descubrimiento de América, por Cristóbal Colón, en nombre y al servicio de España, el acontecimiento que juega un papel primordial en la reanimación de la misma a partir del Renacimiento (el buen salvaje rousseauniano será eminentemente el «indio americano»).

Adelantando ya nuestra conclusión, he aquí los anillos de la cadena de transmisión de esta idea:

Parte como decimos del propio Cristóbal Colón, inmediatamente seguido de un sector especial de los historiadores del Descubrimiento y colonización de América (aunque algunos de origen extranjero, todos, al servicio de la Corona de España): Pedro Mártir de Anglería, Américo Vespucio, López de Gomara, y el que, entre todos destaca, el Padre Bartolomé de las Casas. Ellos reaniman la idea ya por Colón atisbada y la relanzan a la posteridad. Muy pronto la hacen suya los hombres del humanismo Tomás Moro, Luis Vives, Antonio de Guevara...) A fines del siglo XVI, el francés Michel Montaigne, influenciado por la anterior corriente española, y muy especialmente por Gomaray Guevara, adopta y da forma personal a esta idea, hasta pasar para muchos, ignorantes de sus antecedentes españoles, por su único creador. El anillo siguiente de la cadena lo tenemos en los siglos XVII y XVIII en las «relaciones de viajeros y misioneros» por tierras de América (españoles, como Francisco

Coreal), franceses como los jesuitas Lafitau y Charlevoix), relaciones que quedarán plasmadas en la célebre «Histoire générale des voyages» del Abate Prébost posteriormente resumida por La Harpe en su «Abrege...», «Relaciones» todas éstas en las que el impacto de la obra de Bartolomé de las Casas es evidente.

Los Ilustrados del Siglo XVIII recibirán la idea ya bien madurada y, bebiendo en las fuentes de los dos pasados siglos, la remodelarán cada uno a su manera. Rousseau será sin duda quien le dará una muy personal vitalidad y sobre todo universal difusión.

«En el pensamiento francés revolucionario del siglo XVIII, –dice Abellán–, juega como motor de inspiración fundamental este mito del *buen salvaje* que trata de establecer, mediante un proceso racionalista de implantación jurídica, –la famosa «Declaración de derechos del hombre y del ciudadano»– la igualdad absoluta de todos los hombres ante la ley. El texto clásico de este pensamiento mítico-utópico es el *Discurso sobre el origen de la desigualdad entre los hombres* (1754) de Rousseau».

Lo que ahora se trata de ver es cómo el origen de esta elaboración utópica se encuentra ya elaborado en el pensamiento español del siglo XVI especialmente en Bartolomé de las Casas.

Quede bien claro: lo que tratamos de poner de relieve son las fundamentales aportaciones del Renacimiento y Humanismo español del siglo XVI, que como fuentes son utilizadas por Rousseau para la elaboración de su idea.

Ello no implica coincidencia total entre el pensamiento del ginebrino y las fuentes que le alimentaban, ni mucho menos demérito para éste.

1. CRISTÓBAL COLÓN

«Buscando lo que preexistía en su deseo –dice Rangel en su obra «Del buen salvaje al buen americano», (Caracas, 1976, páginas 27 y ss.) los descubridores españoles crearon el mito más potente de los tiempos modernos: el *buen salvaje*, versión *americanizada* o *americanista* del mito de la inocencia humana antes de la caída, fábula destinada a tener inmensa fortuna en la historia de las ideas, y desde luego igualmente inmensas consecuencias... El mito del *buen salvaje* responde a las angustias características de la civilización europea, occidental, cristiana, historicista. Si el hombre fue bueno y es la civilización la que le ha corrompido; si hubo una Edad de Oro y estamos en una Edad de Hierro o de Bronce, no puede haber mayor maravilla que encontrar ese tiempo primitivo coexistiendo con nuestro tiempo, y constatar que, en efecto, hombres incontaminados por la civilización, han permanecido inocentes».

La busca del *Paraíso terrenal,* he aquí la meta de los primeros conquistadores españoles con Colón a la cabeza; se removían y potenciaban así antiquísimos sueños sobre la Edad de Oro y el estado de inocencia y anhelos igualmente antiguos de que, a pesar de todo, el Paraíso no hubiera sido suprimido, sino sólo puesto entre paréntesis en algún remoto reino oriental: en este caso, «Las Indias».

En su obra «Colón y su secreto», (Madrid, 1976), Juan Manzano y Manzano pone en evidencia cómo Cristóbal Colón, apoyado en la autoridad de los Santos Padres, cree haber encontrado en el Jardín de las Delicias (Golfo de Paria) el propio Paraíso Terrenal. «El Río del Paraíso, antes de desaguar en el lago, regaba el Jardín de las Delicias. Por esta razón (además de por su clima temperadísimo, *condición apacible de los indígenas,* hermosura de la región, etc.), Colón llamó a aquella tierra... *Los Jardines;* Para él, eran los Jardines del Edén».

Ahora bien, si la paternidad de la idea, con razón, la atribuimos a Colón, poco eco mundial hubiera tenido si los historiadores contemporáneos suyos no hubieran recogido en letra de imprenta recién inventada, para la posterioridad, sus inmortales hazañas y no se hubieran hecho eco de esa su visión idílica del indio.

Entre estos historiadores, por lo que al tema que nos ocupa se refiere, creemos deben destacarse dos: el humanista *Pedro Mártir de Anglería,* aunque italiano de origen, al servicio de los Reyes de España, y *Fray Bartolomé de las Casas.* Sin que ello signifique que debamos excluir a los demás escritores de asuntos indianos, contemporáneos o posteriores a Colón, quienes en todo o en parte, coinciden con Mártir y Las Casas en esa visión idílica del indio; (citemos entre otros a López de Gómara, Alonso de Zorita, Zumárraga, Vasco de Quiroga, Mendieta, Motolinía, Acosta...).

Si nos detenemos precisamente en Pedro Mártir y en Las Casas, es porque (sobre todo Las Casas), por una parte, fueron los que nos dieron una tal visión más perfilada, y por otra, sus obras, publicadas poco después del Descubrimiento, (muy especialmente la «Destrucción de Indias» de Las Casas), fueron sin duda, por su profusión en Europa, las que mayor impacto fuera de España tuvieron, y por lo tanto, las que más pudieron influir en la transmisión de la idea.

2. PEDRO MÁRTIR DE ANGLERÍA

En 1511 se publica en Sevilla la primera «Década» de la historia del Descubrimiento «De Orbe Novo» de Pedro Mártir; en 1530, aparece de nuevo esta Década entre las ocho publicadas en Alcalá. En la propia Alcalá y en el mismo año 1530, se publica su monumental «Opus epistolarum». Las ocho Décadas «De Orbe Novo» fueron especialmente objeto de muchas ediciones, inglesas, alemanas, españolas, francesas y holandesas.

La lengua latina por Pedro Mártir utilizada tanto para el Epistolario como para las Décadas, (lengua que será también el instrumento empleado para varias de sus obras por el Padre Las Casas, y en general por los humanistas de la época), contribuiría sin duda a dar a sus obras universalidad y a facilitar su difusión.

Pedro Mártir de Anglería, cronista de Indias, que encuentra en la boca y en la pluma del Descubridor las mejores fuentes de sus Décadas «De Orbe Novo», tanto en esta obra como en su «Epistolario», haciéndose fiel eco de la idea colombina: «el hallazgo del paraíso terrenal», lanza al mundo futuro la descripción de esa figura singular conocida por el «filósofo desnudo», idealización del hombre primitivo o, en otros términos «el buen salvaje».

«Tienen –dice Pedro Mártir en sus «Décadas»– los indios por cierto que la tierra, como el sol y el agua, es común y que no debe haber entre ellos *mío* y *tuyo,* semillas de todos los males, pues se contentan con tan poco que en aquel vasto territorio más sobran campos que no le falta a nadie nada. Para ellos es la edad de oro. No cierran sus heredades ni con fosos, ni con paredes ni con setos; viven en huertos abiertos, sin leyes, sin libros, sin jueces; de su natural veneran al que es recto; tienen por malo y perverso al que se complace en hacer injuria a cualquiera...».

La anterior frase «...no debe haber entre ellos *mío* y *tuyo*, semillas de todos los males», elemento esencial de la idea del buen salvaje rousseauniano, nos hace pensar que Pedro Mártir ve esta idea con evidente simpatía. Tanto es ello así y tanto ha chocado esta postura a Pedro Mártir, que su primer traductor del latín al español, Joaquín Torres Asensio, se siente obligado a buscar una cierta justificación a tan «osada» expresión:

«No se olvida el autor, dice Torres Asensio, de que es poeta. Aquí y en algún otro pasaje análogo se le ven tales aficiones; más no por eso entienda nadie que prefiere al estado de sociedad perfecta y de civilización el estado de naturaleza a que descendieron los míseros habitantes del Nuevo Mundo hasta quedarse desnudos y comerse unos a otros. El *tuyo* y *mío* son ciertamente ocasión de males sin cuento, y esto puede decirse sin negar la legitimidad y la necesidad de la propiedad individual».

Lo que prefería o no prefería Pedro Mártir no es tan fácil de dilucidar ni dirimir con una simple nota un tanto dogmatizante como la que antecede. Tampoco nos parece acertado atribuir simplemente a sus aficiones poéticas una tal expresión. Es un hecho que toda esta cuestión en torno a la despreocupación por lo *tuyo* y lo *mío*, nota característica de la figura del «buen salvaje» rousseauniano, está muy presente en el espíritu de Pedro Mártir, no sólo en sus «Décadas» sino también en su «Epistolario».

El hecho de que al *«tuyo y mío»* Pedro Mártir ponga la apostilla de «semilla de todos los males», nos indica bien claramente que su idea del «buen salvaje» anuncia la rousseauniana: «el hombre aún no corrompido por la sociedad».

3. BARTOLOMÉ DE LAS CASAS

Tras Colón y Pedro Mártir, es sin duda Bartolomé de Las Casas quien configura de manera más clara y perfecta al «buen salvaje», limitado como en el caso de aquéllos, al indio americano. Véase a este respecto el profundo estudio sobre esta materia «Utopía y primitivismo de Las Casas» de José Antonio Maravall, quien no duda en llamar a Las Casas, «un Rousseau *avant la lettre*». («Revista de Occidente», Diciembre de 1974, pág. 350).

Es sin duda Bartolomé de Las Casas quien no sólo da una propia vitalidad a la idea sino contribuye a su más amplia divulgación (antes de que el francés Montaigne se preocupase de ella), a través de su famosa «Destrución de Indias», editada en Sevilla en 1552.

La obra de Las Casas corre como un reguero de pólvora por toda Europa y muy pronto, en 1579, un año antes de que Montaigne publicase sus «Essais», aparece en Amberes la primera traducción francesa hecha por Jacques de Miggrode (en 1572 había aparecido ya la primera edición de la versión holandesa). Las ediciones en francés, holandés, inglés, alemán se agotan y multiplican rápida y sucesivamente. Pocos casos parecidos en la historia del libro como éste. De ahí, nuestra lógica deducción: no habrá intelectual europeo (lo confiese o no), sobre todo si se interesa por temas americanos, que no haya leído la obra de Las Casas.

El fraile dominico escribió este libro, sin duda con buena fe para cumplir con su misión oficial de «Protector de los Indios». No exento de pasión, Las

Casas expone con todo lujo de detalles una serie de casos en que, según él, los indios fueron maltratados y sus tierras «destruidas» por los colonos españoles. Pide a los Reyes de España severo castigo para éstos y corrección de la situación. En la obra aparece ya muy claramente la posición de su autor frente al problema de los indios recién descubiertos y en ella se perfila ya la teoría del «buen salvaje». Es más, quizás en ninguna otra obra suya aparece tan claro este dualismo: «indios» = pacíficos y angélicos seres, esto es, «ovejas»; europeos = destructores violentos y corrompidos, esto es, «lobos».

Así en Las Casas encontramos ya, en pleno siglo XVI, la contraposición barbarie-civilización, aplicada al Nuevo Mundo, y donde el modelo moral lo realiza el primer término de la pareja, equiparado a los indígenas americanos, mientras el segundo término, identificado con los cristianos europeos representa la oposición completa a dicho modelo moral. El esquema es el mismo que luego va a aparecer en el pensamiento francés del siglo XVIII.

Dice las Casas de los *indios* = *ovejas:*

«Todas estas universas e infinitas gentes *a todo género* crió Dios las más simples, sin maldades ni dobleces, obedientísimas y fidelísimas a sus señores naturales e a los crisitianos a quien sirven; más humildes, más pacientes, más pacíficas e quietas, sin rencillas, ni bulliciosos, ni rijosos, no querellosos, sin rencores, sin odios, sin desear venganzas, que hay en el mundo... Son también gentes paupérrimas y que menos poseen ni quieren poseer de bienes temporales; e por esto no soberbios, no ambiciosos, no cobdiciosos. Su comida es tal, que la de los santos padres en el desierto no parece haber sido más estrecha ni menos deleitosa ni pobre. Sus vestidos comúnmente son en cueros, cubiertas sus vergüenzas, e cuando mucho cúbrense con una manta de algodón... Son eso mesmo de limpios o desocupados e vivos entendimientos, muy capaces e dóciles para toda buena doctrina; aptísimos para recibir nuestra santa fe católica e ser dotados de virtuosas costumbres, e las que menos impedimento tienen para esto, que Dios crió en el mundo...».

Como contraposición a esta visión idílica de los indios = «ovejas», propone Las Casas la de los españoles = «lobos»:

«En estas ovejas mansas y de las calidades por su Hacedor y Criador así dotadas, entraron los españoles, desde luego que las conocieron, como lobos e como tigres cruelísimos de muchos días hambrientos. Y otra cosa no han hecho de cuarenta años a esta parte, hasta hoy, e hoy en este día lo hacen, sino despedazallos matallos... La causa porque han muerto y destruido tantos y tales e tan infinito número de ánimas los cristianos ha sido solamente por tener por fin último el oro e enchirse de riquezas...».

Otra de las notas características del buen salvaje rousseauniano es su adhesión a los principios de la religión natural, enseñada por Dios a todos los hombres y que después decayó por ignorancia, superstición, pasión o corrupción. En la más perfecta línea rousseauniana, la variedad de religiones del mundo, no impedía para las Casas reconocer en todas un fondo de unanimidad en la adoración del Dios único y verdadero.

Ya se había pensado en una primitiva predicación del cristianismo entre los pueblos paganos (la India y de aquí propagada a las Indias por el Apóstol Sto. Tomás); pero la idea de la religión natural, que propone Las Casas, va más lejos y toca más al fondo del problema. Se trata de un esfuerzo lógico del cristianismo para alcanzar la universalidad en el sentido más amplio y profundo del término, frente a la súbita aparición de los pueblos gentiles del Nuevo Mundo tan tardíamente descubiertos y evangelizados. La tabla salvadora era esa religión natural universal que sacaba el problema de la relatividad cronológica e histórica en que lo situaba la predicación apostólica del Evangelio.

Ahora bien: el principal problema –una vez mostrada la simulitud del planteamiento de los ilustrados franceses con el pensamiento del humanismo español de la primera mitad del siglo XVI– es encontrar el eslabón de la cadena que puede entroncar éste con aquél.

Un tal eslabón puede ser muy bien Montaigne y lo es sin duda la lectura directa de las obras españolas sobre el Descubrimiento y colonización de América del siglo XVI profusamente divulgadas en ediciones francesas.

La búsqueda de tal eslabón nos la facilitarán dos humanistas españoles cuyas obras también se divulgaron por Europa profusamente y en las que se recogen y perfilan elementos esenciales de la teoría del «buen salvaje»: Luis Vives y Antonio de Guevara.

4. LUIS VIVES

El impacto europeo de la obra del gran humanista español, Luis Vives, ya entre sus contemporáneos. es más que sabido.

En relación con nuestro tema, Luis Vives escribe («Concordia y discordia en el linaje humano:, Aguilar, Madrid, 1947, tomo II, pág. 167):

«Cuentan nuestros navegantes que en Indias existen algunos pueblos que, entre los bienes de la vida ponen la concordia con carácter exclusivo y que en el caso de que entre dos estalle la enemistad, por tan honrado se tiene el que insinúa proposiciones de paz como entre nosotros ese mismo se considera vilipendiado y menguado. ¡Cuánto más sabios son ellos adoctrinados por sólo el magisterio de la naturaleza que nosotros ahitados y regoldando letras y libros y haciendo aplicación abusiva al mal de la filosofía bajada del cielo! ¿Será que a aquellos indios los hizo la naturaleza más semejantes a Dios que a nosotros la formación cristiana?».

(El anticipo del «buen salvaje» rousseauniano no puede saltar más a la vista).

5. ANTONIO DE GUEVARA

Ahora bien, una formulación moderna de la utopía del «buen salvaje» no la tenemos hasta que se produce la contraposición rousseauniana entre «estado natural» y «estado civil», y ello no aparece hasta ya entrado el siglo XVI, con la fábula de «El Villano del Danubio» de Antonio de Guevara». Hasta éste, lo que es evidente es la identificación entre el caso concreto de los indios del Nuevo Mundo y un estado de felicidad, bondad y sabiduría de que dan fe los testimonios de Colón, Pedro Mártir, Las Casas y Vives. Sin embargo, la contraposición ya generalizada (no limitada al caso de los indios) no aparece en Guevara (si bien, como veremos el punto de partida de éste seguirán siendo los indios americanos).

En la obra «Marco Aurelio» o «Reloj de Príncipes» de Guevara (que Montaigne leerá y citará después), nos aparece un campesino de la Ribera del Danubio (región considerada «bárbara» por los romanos» cuyo retrato es el siguiente:

«Tenía este villano la cara pequeña, los labios grandes y los ojos hundidos, el color adusto, el cabello erizado, la cabeza sin cobertura, los zapatos de cuero de puerco espín, el sayo de pelos de los de cabra...». El contraste entre esta figura rústica y su forma de hablar queda enseguida establecido por Marco Aurelio quien dice: «Cuando le vi entrar en el senado imaginé que era un animal en figura de hombre, y después que le oí lo que dijo juzgué ser uno de los dioses, si hay dioses entre los hombres...».

El villano de Guevara se presenta ante el Senado romano para protestar contra las injusticias de que su pueblo es víctima por parte de los colonos romanos. Su defensa se funda en un ataque a la depravada conducta romana y en la alabanza de la naturaleza y costumbres del pueblo al que pertenece. La falta de príncipe, senado y ejército en su pueblo no es motivo para que los romanos lo esclavizaran, pues tal situación era debida a que carecía de enemigos y se contentaba con su suerte.

El «Villano» resume su argumentación con un ataque cerrado a los romanos, a sus vicios, regalos y riquezas y una alabanza a la vida rústica y natural de su propio pueblo.

Claramente nos presenta aquí Guevara la contraposición entre el pueblo romano, corrompido por la civilización y el pueblo germánico, aún no contaminado por ésta y contento con su pobreza.

Esta contraposición de Guevara no era en realidad ninguna novedad; ya la encontramos en autores clásicos latinos como Quinto Curzio, Tácito y Séneca.

La novedad, estaría en su utilización como pieza de un pensamiento político, al aplicar el ejemplo de los germanos primitivos a los primitivos americanos, planteamiento éste en que la escuela erasmista ejerció sin duda un pequeño influjo: la valoración de una serie de virtudes (pacifismo, sencillez, humildad, inocencia) parecían encontrar su mejor encarnación en los indígenas americanos, y de ahí viene la valoración positiva del «cristianismo nuevo» americano frente a la europea del «cristianismo viejo».

Que Guevara pensaba en el indio americano y, sin nombrarlo, es a éste a quien quiere personificar en el «Villano del Danubio», lo atisba ya en un ensayo magistral Américo Castro: «Guevara, dice, se refería a la conquista de Germania sirviéndose de un recurso literario para exponer los argumentos contra la conquista de América por los españoles».

Gastón García Cantú, muy acertadamente ha hecho el parangón del episodio contado por Guevara con el careo entre Las Casas y el Obispo de Darién, Juan que Quevedo, en presencia del Emperador Carlos V, en Molín del Rey (cerca de Barcelona), un día de diciembre de 1519 (Guevara escribe su episodio en 1520).

Lo que el «Villano» fue para Carlos V en relación a los asuntos americanos, lo refirió Vasco de Quiroga en un memorial a dicho Rey el 24 de julio de 1535:

«La desenfrenada codicia de los que acá pasan (a América) lo causa que por cautivar para echar en las minas a estos miserables... a los ya pacíficos y asentados los levantan... y los han de hacer levantadizos, aunque no quieran ni les pase por pensamiento, inventando que se quieren rebelar o haciéndoles obras para ello... Las lástimas y buenas razones que dijo (un indio) y propuso, si yo las supiera aquí contar, por ventura holgara vuestra majestad tanto las oír y tuviera tanta razón después de las alabar, como el *razonamiento del villano del Danubio,* que una vez lo oí mucho alabar, yendo con la corte de camino de Burgos a Madrid, antes que se imprimiese, porque en verdad parescía mucho a él y va cuasi por aquellos términos...».

Este pasaje olvidado de Vasco de Quiroga sitúa perfectamente a Guevara en el contexto americano y vemos cómo precisamente en este contexto despierta el interés del propio Emperador Carlos V.

En la voz del «Villano del Danubio» no es, pues, desacertado oír la del propio Bartolomé de Las Casas, al defender la bondad natural del indio y anatematizar su corrupción y destrucción por las pueblos «civilizados». La adhesión de Carlos V al «razonamiento del Villano» nada es de extrañar, si tenemos bien presente que la Corona se encontraba siempre en la misma línea que Las Casas: defensa de los intereses del indio y consideración de ésta en el mismo pie de igualdad que los súbditos de la Península, como había quedado ya bien sentado y ordenado en el Testamento de la Reina Isabel la Católica.

Las Casas y Guevara constituyen como a continuación veremos, el eslabón de la cadena que en la elaboración de la idea del buen salvaje une el humanismo español al humanismo francés personificado en Montaigne.

6. MICHEL DE MONTAIGNE

De sobra conocida es (no es éste el momento de subrayarlo) la importancia de Montaigne tanto en la elaboración de la teoría del «buen salvaje», precisamente a partir de los recién descubiertos indios americanos, que él toma como prototipos, como en su transmisión a la Ilustración dieciochesca. Las contínuas referencias de Rousseau a la obra de Montaigne son prueba fehaciente de ello.

Lo que ahora nos interesa demostrar es la influencia de la anterior corriente española en esta elaboración por parte de Montaigne de su teoría del buen salvaje.

Montaigne –observa muy acertadamente Abellán– hijo de madre judía zaragozana, y con una nutrida biblioteca de su padre, a su disposición, repleta de libros españoles, no es nada aventurado pensar que bebiese en alguna o algunas de las obras sobre temas americanos a que antes nos referimos y que éstas le sirviesen de fuentes concretamente para sus ensayos «De los vehículos», «De los caníbales», en que la contraposición *barbarie* (imagen de felicidad y bondad) - *civilización* europea (imagen de corrupción) aparece ya claramente elaborada. Su insistencia, por otra parte, en la *crueldad española* delata fácilmente el origen de sus fuentes.

Es cierto que Montaigne no cita a Las Casas. El eminente y llorado Maestro Marcel Bataillon opinaba que no hay que pensar en una influencia directa de Las Casas sobre Montaigne. Aunque así fuera, como decimos, la idea lanzada por la corriente española, estaba tan en el aire que necesariamente tuvo que, de una manera u otra, ejercer su influjo sobre Montaigne.

Ahora bien de lo que no nos cabe duda alguna es de la influencia directa de Guevara sobre él.

Aun suponiendo que Montaigne no conociera el español, el «Marco Aurelio» de Guevara lo tenía ya en Francia a su disposición en una traducción en idioma galo hecha por D'Herberay y publicada en 1555.

«Que Montaigne –dice Abellán– conocía a Guevara parece algo fuera de duda, y que se inspiró en él, es mucho más que verosímil.

Montaigne dice de su padre en los «Ensayos»: «Hablaba poco, pero bien, y entreveraba su lenguaje con algunos ornamentos sacados de libros modernos, principalmente españoles; entre éstos, era muy aficionado al que llamamos «Marco Aurelio». Las disquisiciones de Guevara y Montaigne sobre la vejez son casi iguales, y en muchos otros puntos es evidente que pasa lo mismo». J. Fitmaurice-Kelly dice: «Montaigne malgré le jugement qu'il a porté sur les épitres de Guevara, avait une réelle admiration pour l'auteur, dont il emprunte des passages avec un sans gêne que Brantôme n'a pas surpassé».

Son, pues, principalmente fuentes españolas las que Montaigne utiliza para la elaboración de su teoría del «buen salvaje», entre ellas, Gómara y Guevara. En cuanto a Las Casas, si su nombre no es citado, es indudable que el fondo de su doctrina es recogido por Montaigne.

La influencia de Las Casas y de Montaigne sobre los hombres de la Ilustración queda perfectamente recogida en este párrafo de Gilber Chinard «L'Amérique et le réve exotique dans la littérature Française au XVIIᵉ et au XVIIIᵉ siècle», París 1913, reimpresión Ginebra 1970):

«A dos siglos de intervalo, los hombres de la Ilustración repetían el llamamiento que habían lanzado en el siglo XVI Las Casas y Montaigne y predicarán la piedad y la dulzura en nuestras relaciones con las razas primitivas. Sobre este punto, como sobre otros tantos, el siglo XVII se une al siglo XVI. Los Filósofos ilustrados no hacen sino repetir lo que doscientos años antes había dicho Montaigne en su capítulo 'Des Coches'». «De los vehículos».

7. LAS «RELACIONES» DE VIAJEROS Y MISIONEROS POR AMÉRICA EN LOS SIGLOS XVII Y XVIII Y ESPECIALMENTE LA DEL ESPAÑOL FRANCISCO COREAL

La llama de la idea del «buen salvaje» es recogida por los autores de relaciones de viajes por América durante los siglos XVII y XVIII, autores que constituyen una de las fuentes importantes de Rousseau, quien los utiliza profusamente y hasta cita especialmente, al presentarnos al indio americano como prototipo del buen salvaje.

A ellos nos referiremos ahora y trataremos de reconstruir así los anillos de la cadena que une a Rousseau con Montaigne, Las Casas, Pedro Mártir y Colón.

Es Chinard quien ha puesto claramente en evidencia la influencia que ejercieron sobre la literatura europea las primeras descripciones de viajes por América.

Los *rasgos comunes* de estas descripciones pueden resumirse así:

– *Admiración por la naturaleza:* Suele ser siempre objeto de encomio la «vida simple y libre de los pueblos de América», que no conocen sacerdotes, leyes ni reyes ni la división entre «lo tuyo y lo mío».

– *El comparatismo:* Constante general de estas relaciones es el deseo de edificar a sus contemporáneos, mediante la comparación del hombre natural americano con el civilizado europeo, en la que por lo general, éste último lleva las de perder.

– *La vuelta a la «religión natural»:* Una tercera característica de esta serie de «relaciones» es la severa crítica a que someten (ya en la línea anunciada por Las Casas) ciertos métodos de evangelización seguidos por los misioneros en América.

Francisco Coreal, «Voyages... aux Indes Occidentales», París 1722) que dará fe al final de su obra de católico sumiso a la Iglesia, no dejará de denunciar en todo momento los métodos impregnados de ignorancia y superstición que él observa son utilizados por los misioneros en América. No obstante,

*hará una excepción muy significativa: los jesuitas, los únicos a su juicio que
evangelizan las Indias de acuerdo con los métodos pacíficos y ausentes de
toda superstición de la primitiva Iglesia.*

*Con clarividencia ya observó esto Chinard al estudiar y comentar las obras
de los misioneros filósofos franceses, del siglo XVII: los jesuitas P. Lafitau*
(misión en Canadá) *P. Charlevoix* (misiones en Canadá, Antillas y Paraguay).

Chinard concede a estos jesuitas tanta importancia que no vacila en presentar un capítulo central de su obra bajo el título: «Un continuador de los misioneros jesuitas, J.J. Rousseau». Y es que observa que los jesuitas eran religiosos
de una oreden habituada a vivir en sociedad, donde cada individuo hacía pro-
fesión de pobreza, y que, por lo tanto, admiraban el desinterés de los salvajes,
quienes, a semejanza de los primeros cristianos, vivían como hermanos y me-
nospreciaban los bienes terrenos.

8. J.J. ROUSSEAU

Toda la obra de Rousseau está impregnada de la teoría del «buen salvaje»,
pero es especialmente en su «Discurso sobre el origen de la desigualdad entre
los hombres», donde Rousseau nos la presenta bien elaborada y estructurada.

Es un hecho que el modelo de «buen salvaje» que Rousseau generalmente
propone es el «indio americano».

La información de Rousseau –señalan los editores de la «Pléiade»– es considerable; numerosas similitudes pueden encontrarse entre el texto del «Discurso» y las «relaciones de viajes», sin que sea posible, sin embargo determinar el
origen exacto de los hechos que Rousseau nos cuenta. Cuidadoso de sus efectos, Rousseau evita multiplicar las citas que hubiesen resultado fastidiosas.
Condensa las fuentes y no retiene de ellas más que aquello que le sirve para
elaborar e ilustrar su demostración. Pero él quiere también que el lector sepa
que la información es buscada por él en las mejores fuentes; así en diversas
ocasiones recurre a citas literales con el nombre del autor, *por ejemplo, Coreal.* Sería vano buscar, para cada uno de los hechos alegados por Rousseau,
los múltiples textos que hubiesen podido servirle de garantía. Es más importante señalar que Rousseau avanza ciertos detalles «sociológicos» o «etnoló-
cos» como si estuviesen suficientemente probados y no tuviesen necesidad de
ser confirmados por la autoridad de un testigo ocular. En realidad la «Histoire
générale des voyages» de Prebost había sido profusamente divulgada y Rousseau podía contar por parte de sus lectores, con un buen conocimiento de esta
clase de «relaciones de viajes». Debemos también tener presente a los intermediarios: Montaigne entre otros, los cuales había buscado también su información en la lectura de las relaciones de viajes por América.

Es cierto que Rousseau, lo mismo que Diderot no citan a Bartolomé de Las
Casas cuando lo hacen la mayoría de los ilustrados franceses (Voltaire, Mon-
tesquieu, Marmontel, el Abate Raynal, el Abate Grégoire por no nombrar
otros).

Finalmente, como fuente directa española del siglo XVII en varias ocasiones por Rousseau citada tenemos, como hemos dicho, a *Francisco Coreal.* La
novedad del influjo de Coreal sobre Rousseau estriba en haberle suministrado
los elementos para permitir a Rousseau admirar la agudeza de los sentidos en
el hombre primitivo (el indio).

FUENTES INDIRECTAS DE LA HISTORIOGRAFÍA ESPAÑOLA

Consideramos «fuentes indirectas» de la historiografía española en materia americana, aquéllas que realmente Rousseau utilizó y cita en sus obras, las cuales a su vez proceden de genuinas fuentes españolas; son muchas y variadas.

Constatamos que las ideas de Las Casas llegan a Rousseau si no directamente, al menos a través de sus compañeros los Ilustrados con Voltaire a la cabeza que le conocen muy bien y le citan expresamente.

El motivo de ese interés de Voltaire por la obra del Padre Dominico es evidente: las doctrinas de éste constituyen el mejor pábulo que alimenta la propaganda ideológica de los nuevos Ilustrados, partidarios de la tolerancia. La imagen de la conquista y colonización que Las Casas nos transmite así el nuevo argumento en favor de las nuevas ideas. De ahí que fuera la «Destrucción de Indias» de Las Casas, tan ampliamente difundida en todas las lenguas europeas y concretamente en francés, una de las fuentes más importantes, sino la más, que abasteciera a los Ilustrados en materia de colonización española en América. Los cuatro escritores más destacados de la Ilustración que, sobre la base de las afirmaciones de Las Casas, teorizaron contra los excesos de la intolerancia, fueron sin duda Pufendorf, Marmontel, Raynal y Voltaire. Las referencias, sobre todo de Marmontel, Raynal y Voltaire a la obra de Las Casas son muy numerosas. No parece, pues, lógico que Rousseau, que se movía en el mismo ambiente, no se sintiera directa o indirectamente influenciado por el padre Dominico.

Presentaremos un ejemplo típico en que la influencia de Las Casas se deja sentir a través de Voltaire en Rousseau, de tal manera que a ella en parte se debe la creación de una obra teatral el ginebrino: «La Découverte du Nouveau Monde».

Voltaire, es cierto, no comulga en todo con Las Casas a quien acusa de exagerado en más de un punto, cuando éste condena los casos del trato cruel a los indios de América por parte de los colonos españoles. Pero Voltaire no deja por eso de condenar, en plena coincidencia con la postura lascasiana, ciertos métodos violentos de la colonización.

Por lo que a la teoría del «buen salvaje», personificado en el indio, se refiere, no llega ni mucho menos a los extremos de la actitud adoptada por Rousseau. La admiración por la renuncia de los indios al «tuyo y mío», a la propiedad privada, rasgo característico del perfecto «buen salvaje» según Rousseau, encuentra en Voltaire la más enérgica repulsa.

La descripción apasionada que Rousseau hace del estado de naturaleza ha hecho exclamar a Voltaire la famosa frase: «Il prend envie de marcher à quattre pattes».

Cuando en esta misma línea, refiriéndose al amor físico dice Rousseau sobre los Caribes: «Son los pueblos que menos se han apartado del estado de naturaleza hasta ahora; son los más pacíficos en sus amores y los menos sujetos a celos, aunque vivan en un clima cálido que parece dar a estas acciones más gran actividad... La imaginación que tantos estragos causa en nosotros, no habla de esta manera al corazón de los salvajes; cada uno espera pacíficamente la impulsión de la naturaleza; se entrega a ella con más placer que furor y, satisfecha la necesidad, todo el deseo se apaga».

Voltaire le replica: «¿Qué sabes tú. Has visto alguna vez hacer el amor a los salvajes?».

Finalmente, ante el tajante recl.azo por Rousseau del *«tuyo y mío»* plasmado en la famosísima frase de Rousseau:

«El primero que habiendo cercado un terreno dijo esto es mío y encontró gentes lo suficientemente simples como para creerlo, fue el verdadero fundador de la sociedad civil. Que de crímenes, de guerras, de asesinatos, de miserias, de horrores no hubiese ahorrado el género humano, la persona que arrancando el vallado y colmado el foso hubiese gritado a sus semejantes: guardaos de escuchar a este impostor. Estáis perdidos si olvidáis que los frutos son de todos y que la tierra no pertenece a nadie».

Voltaire se desata enfurecido: «¿Que quien ha sembrado, plantado y cercado no tiene derecho al fruto de sus penas? ¿que este hombre injusto, este ladrón hubiera sido el benefactor del género humano?. He aquí la filosofía de un mendigo que quisiera que los ricos fuesen robados por los pobres». Voltaire volverá varias veces a la carga contra Rousseau.

En cambio, la «bondad natural del indio» nota característica del buen salvaje», tanto en Las Casas como en Rousseau, encuentra un eco tan favorable en Voltaire que influye sin duda en la creación de su tragedia llamada a tener enorme resonancia: «Alzire où les Américains» estrenada en 1736. La inspiración le es brindada por la doctrina que encarna la famosa «Destrucción de Indias» de Las Casas que Voltaire tan bien conocía.

El protagonista de «Alzire» es Guzmán, hombre sanguinario, apasionado y violento que personifica al conquistador español, causante de la desgracia en América, intolerante y contrario a todo espíritu evangélico.

El polo opuesto a Guzmán, es el personaje Alvarez, arquetipo de la bondad y defensa del pueblo indio oprimido. Con razón podemos decir que, en Alvarez, Voltaire personificó a Las Casas. Escuchando sus parlamantos nos parece estar oyendo al Padre dominico.

Jean François La Harpe en su «Cours de Lietterature» (ed. París, 1837, Tomo 9 p. 320 y s.) dice: «La historia ha proporcionado a Voltaire el interesante carácter de Alvarez. Alvarez no es, en efecto, otro que el venerable Las Casas, defensor tan valeroso de los indios, como acusador de sus compatriotas. El autor ha colocado este protector de la humanidad entre los mismos españoles para poner de relieve ante los ojos de los espectadores la nación conquistadora que hubiese quedado demasiado rebajada si no se hubiesen mostrado más que sus errores. Basta un solo hombre de esta especie para sostener el honor de todo un pueblo».

La Harpe fue contemporáneo y amigo íntimo de Voltaire con quien convivió largas temporadas en Ferney y a quien ayudó en sus labores literarias.

Este testimonio que acabamos de citar hasta ahora que sepamos, poco o nada tenido en cuenta, suprime cualquier duda sobre la fuente inspiradora del personaje Alvarez en la Alzire de Voltaire. Nadie podrá dudar ya, de que tal fuente no fue otra que el padre Las Casas.

Finalmente el «buen salvaje» personificación de la bondad natural misma está representado en el personaje de la india Alzire, rebelde a toda esclavitud.

Con el fino talento de que siempre Voltaire hiciera gala, fue tal el éxito, que logró entre sus contemporáneos con su tragedia Alzire, que pronto le surgió, un imitador de talla J.J. Rousseau. Este, incitado por el éxito de Voltaire escoge para la producción de su segunda obra dramática, un tema americano, en la misma línea de la Alzire, que titula «La découverte du nouveau monde» y cuyo protagonista es el propio Cristobal Colón.

La obra se desarrolla en la isla antillana de Guanahani (en un principio

Rousseau pensó hacerla ópera y como buen músico que era hasta escribió la música del primer acto).

Rousseau sentía por la «Alzire» de Voltaire una profunda admiración. Camino de Montpellier había asistido a una representación de ella en Grenoble. Al día siguiente escribe a su protectora y amiga, Madame de Warens, que «se ha sentido conmovido hasta perder la respiración».

Poco después escribirá a Voltaire una carta muy larga y admirativa en la que le llama «el autor de Alzire» reconocimiento un tanto extraño dada la enemistad proverbial entre ellos. Rousseau en su tragedia no carga la tinta sobre el aspecto «denunciación» como la cargara Voltaire. Insiste por el contrario en otro aspecto del tema: «la frescura del primitivo» que descubre la bondad con solo la contemplación del instante primero.

Existe una lista de fuentes en que Rousseau pudo inspirarse. Ahora bien, en esta lista siempre ocupará, a nuestro juicio, un puesto relevante la tragedia «Alzire». A través de ella llegará al autor de la «Découverte...» el soplo de inspiración que tiene su origen en el Padre Las Casas, el Alvarez de Voltaire.

¿Acaso no nos parece estar escuchando lejana, pero aún potente, la voz del Dominico español, Defensor de los Indios, cuando Voltaire en su «Alzaire» pone en boca de Alvarez estas palabras?:

«Nous seuls en ces climats nous sommes les barbares.
L'Americain, farouche en sa simplicité
nous égale en courage et nous passe an bonté».

¿Y acaso el eco de esta voz no nos llega a través de «La Découverte...», cuando Rousseau hace exclamar a Cristóbal Colón?:

«...en ce climat sauvage
on éprouve autant de courage
on y trouve plus de vertu».

Finalmente, nota característica de la «Découverte» de Rousseau, en la más genuina línea de la doctrina de Las Casas, es el desenlace final de la obra: la amistad que Colón brinda al cacique de la isla de Guanahan a quien reconoce como soberano de su territorio, si bien le ofrece el protectorado de la reina Isabel («je te veux pour ami, sois su jet d'Isabelle»). Al final de la tragedia el coro cantará las inmensas ventajas para todo el mundo *del encuentro y alianza* de los dos pueblos: el indio y el español:

«Répandons dans tout l'univers
Et nos trésors et l'abondance;
Unisons par notre alliance
Deuz mondes séparés par l'abyme des mers».

Rousseau es así el precursor de la idea del *encuentro* de la que tanto se habla en el contexto del V Centenario.

MATERIALES PARA UNA BIBLIOGRAFÍA
SOBRE FRAY BARTOLOMÉ DE LAS CASAS

Almudena Hernández Ruigómez
Carlos Mª González de Heredia y de Oñate

A.– INTRODUCCION

La obra de Fray Bartolomé de Las Casas induce a una polémica, no precisamente reciente, que puede !legar a distorsionar su personalidad histórica.

Sin duda alguna, el dominico Protector de Indios despertó recelos y adhesiones entre sus contemporáneos que le valieron los más fuertes ataques de unos y las más vivas aprobaciones de otros. Por tanto, una figura que siempre produjo apasionadas controversias.

Hoy, cinco siglos después, su legado no ha perdido en absoluto actualidad, siendo objeto de la atención de numerosos especialistas. La crítica histórica y las investigaciones más recientes han arrojado no poca luz sobre el pensamiento y la actuación de tan insigne sevillano. No obstante, sus detractores han proporcionado, con sus tesis particulares, una encendida controversia que enriquece, a nuestro entender, las aportaciones doctrinales de Fray Bartolomé. De ello han derivado frecuentes encuentros de expertos que vienen sucediéndose en distintos lugares del mundo. En algunas ocasiones subyace un sentimiento de desconfianza contra el posible negador; en otras, la polémica surge entre sus propios partidarios al introducir insospechadas perspectivas y nuevos puntos de vista que vienen a acrecentar el individualismo de los enfoques.

Queriendo conmemorar el V Centenario del nacimiento de Bartolomé de Las Casas, el Instituto de Cooperación Iberoamericana reunió a importantes especialistas sobre la materia y nos encargó la elaboración de una bibliografía lascasiana como necesario complemento de las distintas ponencias presentadas. Consideramos, al respecto, que la labor debería centrarse en el logro de unos resultados concretos; por tanto, nuestros esfuerzos se dirigieron en la búsqueda de una documentación basada en la mayor recopilación de datos que, más tarde, tuvimos necesidad de seleccionar, puesto que la bibliografía es, sobre este punto, extensísima.

Nuestro trabajo obedece a dos criterios principales: sistematizar y actualizar, en apartados básicos, la documentación bibliográfica, recogiendo las obras *de y sobre* el Padre Las Casas más renombradas y aquellas otras que por su escasa divulgación no cuentan con la incidencia suficiente, aunque no por ello dejan de traslucir nuevas reflexiones e incentivar la curiosidad de quien se inicia en el tema, facilitándole una gran diversidad de aportaciones. Con ello intentamos salvar obstáculos de escasez informática en beneficio de una valoración cada vez más objetiva.

Para tal fin, reconociendo la trascendencia de las bibliografías ya clásicas, de indudable valor, y que aparecen reflejadas en las páginas siguientes, trabajamos exhaustivamente en distintas bibliotecas madrileñas con el fin de consultar las fuentes de primera mano.

Con el título «Matèriales para una Bibliografía sobre Fray Bartolomé de Las Casas», y de acuerdo con los criterios expuestos anteriormente, hemos clasificado las referencias bibliográficas en cinco apartados generales, todos ellos ordenados alfabética y cronológicamente, por estimarlo así de mayor utilidad, a excepción del apartado D, correspondiente a «Recopilaciones, Estudios Colectivos, Coloquios, Congresos...», que aparece por orden cronológico por entender que tales aportaciones podrían facilitar la necesaria perspectiva temporal.

Finalmente, queremos expresar nuestro agradecimiento a cuantas personas nos ayudaron con sus desinteresadas sugerencias y valiosas aportaciones desde los más diversos ámbitos de la cultura.

La imposibilidad de agotar la materia nos limita a la hora de valorar nuestra tarea de forma objetiva. Quede constancia de que todas aquellas deficiencias que pudieran apreciarse son únicamente responsabilidad de quienes suscribimos este trabajo.

B.– OBRAS LASCASIANAS

I.– Biografías

(1)   ANONIMO. «Biografía. Fray Bartolomé de Las Casas», *El Museo Yucateca*, Mérida (Yucatán), t. II, (1842), pp. 150-153.

(2)   ARIZA, Alberto E. «Biografia de fray Bartolomé de las Casas», *Boletín de Historia y Antigüedades*, Bogotá, LIII, (1976), pp. 585-607.

(3)   CIORANESCU, Alejandro. *Primera biografía de Cristóbal Colón. Fernando Colón y Bartolomé de Las Casas*. Sta. Cruz de Tenerife, Aula de Cultura de Tenerife, 1960.

(4)   DAVILA PADILLA, Fr. Agustín. «Vida de Fray Bartolomé de Las Casas o Casaus, Obispo de Chiapa», en *Historia de la fundación y discurso de la Provincia de Santiago de México, de la Orden de Predicadores, por las vidas de sus varones ilustres y casos notables de Nueva España*. Madrid, 1596, (1ª ed), pp. 378-425. (Ed. consultada: Bruselas, Iván de Meerbeque, 1635, (2ª ed), pp. 303 y ss.).

(5)   FERNANDEZ, Fray Alonso. «Fray Bartolomé de Las Casas. (Vida) del siervo de Dios Fray Bartolomé de Las Casas, de la Orden de Sto. Domingo, obispo de Chiapa, y lo mucho que trabajó en amparar y libertar a los indios», *El Libro y el Pueblo*, México, época V, (junio 1965), nº 5, pp. 41-44.

(6)   GIMENEZ FERNANDEZ, Manuel. *Breve biografia te ʃray Bartolomé de Las Casas*. Sevilla, Facultad de Filosofía y Letras, 1966.

(7)   GUTIERREZ, Carlos. *Fray Bartolomé de Las Casas. Su tiempo y su apostolado*. «Prólogo. Fray Bartolomé de Las Casas», por Emilio Castelar, pp. XVII-XXXIX. Madrid, Imprenta de Fortanet, 1878.

(8)   HELPS, Arthur. «Las Casas», en *The Spanish Conquest in America and it relation to the History of slavery and to the government of colonies*. London, John W. Parker and Son West-Strand, 1855. The second volume, book IX, pp. 5-228.

(9)   ——. *The life of Las Casas, «The Apostle of the Indias».* London, Bell and Dal-dy, (Chiswick Press), 1868. (4 eds; la última en 1883). Existe edición facsímil, con introducción de Lewis Hanke, Williamstown (Massachusetts), John Lilburne Co, 1970.

(10)   KNIGHT, A.J. *Las Casas. «The Apostle of the Indies».* New York, 1917.

(11)   LARRAINZAR, Manuel. «Biografía de don fray Bartolomé de Las Casas, Obis-po de Chiapas», *Museo Mexicano,* México, t.I, (1837), pp. 229-238.

(12)   MARTINEZ, Manuel María. *Fray Bartolomé de Las Casas, «Padre de Améri-ca». Estudio biográfico-crítico.* Madrid, Imp. La Rafa, 1958.

(13)   MENENDEZ PIDAL, Ramón. «Observaciones críticas sobre las biografías de Fray Bartolomé de Las Casas», en *Congreso Internacional de Hispanistas,* I, 1962, Oxford, Published by The Dolphin Book Co. for la Asociación Internacio-nal de Hispanistas, 1964, pp. 13-24.

(14)   ORTIZ VIDALES, Salvador. *Fray Bartolomé de Las Casas.* México, Eds. de la Universidad Nacional, (Biografías populares), 1937.

(15)   QUINTANA, Manuel Josef. «Fray Bartolomé de Las Casas», en *Vidas de espa-ñoles célebres.* Madrid, Imprenta de D.M. de Burgos, T. III, 1833, pp. 255-433 y Apéndices pp. 441-510. También en Madrid, Biblioteca de Autores Españoles, XIX, 1867, M. Rivadeneyra, pp. 433-475 y en Buenos Aires, Editorial Poseidón (Col. Pandora), 1943.

(16)   SEROV, S. «Bartolomé de Las Casas: su vida y su obra en los estudios de Lewis Hanke», *Historia y Sociedad,* México, 5, (1966), pp. 7-19.

(17)   VARGAS, Fulgencio. *Fray Bartolomé de Las Casas. Su vida y su obra.* (Confe-rencia sustentada el 7 de junio de 1924, en el Colegio del Estado de Guanajuato). Guanajuato (México), Publicaciones del Colegio del Estado. Contribución al IV centenario de la venida a México de los primeros evangelizadores, 1924, 12 pp.

II. Obras completas

(18)   FABIE, Antonio María. *Vida y escritos de Fray Bartolomé de Las Casas, Obispo de Chiapas.* Madrid, Imp. Manuel Ginesta, 1879. (Col. Documentos Inéditos para la Historia de España, LXX-LXXI).

(19)   LLORENTE, Juan Antonio. *Colección de las obras del venerable obispo de Chiapa, Don Bartolomé de Las Casas, defensor de la libertad de los indios ame-ricanos.* París, Casa de Rosa, 1822, 2 vols. (Existe edición en francés del mismo lugar y año).

(20)   PEREZ DE TUDELA, Juan. *Obras escogidas de Fray Bartolomé de Las Casas.* Estudio preliminar de... Madrid, Biblioteca de Autores Españoles, 1957-1958, 5 vols.

III.– Escritos
    1) Tratados y obras doctrinales
       a) Tratados

(21)   CASAS, Fray Bartolomé de las. *Colección de Tratados. 1552-1553.* Advertencia de Emilio Ravignani. Buenos Aires, Facultad de Filosofía y Letras, Instituto de Investigaciones Históricas, 1924. También en Buenos Aires, Biblioteca Argentina de Libros Raros Americanos, T. III, 1954.

(22)   ——. *Tratados.* Prólogos de Lewis Hanke: «La actualidad de Bartolomé de Las Casas», pp. XI-XIX, y Manuel Giménez Fernández: «Bartolomé de Las Casas en 1552», pp. XXI-LXXXVII. Transcripción de Juan Pérez de Tudela y traduccio-nes de Agustín Millares Carlo y Rafael Moreno. México, Fondo de Cultura Eco-nómica (Biblioteca Americana, 41 y 42. Serie de Cronistas de Indias), 1965. 2 vols.

(23) ———. *Aquí se contiene una disputa, o controversia: entre el Obispo don fray Bartholomé de las Casas, o Casaus, obispo que fue de la ciudad Real de Chiapa, que es en las Indias, parte de la Nueva España: y el doctor Ginés de Sepúlveda, Coronista del Emperador nuestro señor: sobre que el doctor contendía: que las conquistas de las Indias contra los Indios eran lícitas: y el obispo por el contrario defendió y affirmó aver sido y ser impossible no serlo: tiránicas, injustas e iniquas. La qual questión se ventiló e disputó en presencia de muchos letrados theólogos e juristas en una congregación que mandó Su Magestad juntar el año de mil e quinientos y cincuenta en la villa de Valladolid.* Sevilla, Casa de Sebastián Trugillo, impressor de libros, 1552.

(24) ———. *Aquí se contienen treynta proposiciones muy jurídicas: en las quales sumaria y succintamente se tocan muchas cosas pertenecientes al derecho que la yglesia y los príncipes christianos tienen, o pueden tener sobre los infieles de qualquier especie que sean. Mayormente se assigna el verdadero y fortíssimo fundamento en que assienta y estriba: el título y señorío supremo y universal que los Reyes de Castilla y León tienen al orbe de las que llamamos occidentales Indias. Por el qual son constituydos universales señores y Emperadores en ellas sobre muchos reyes. Apúntanse también otras cosas concernientes al hecho acaecido en aquel orbe notabilíssimas: y dignas de ser vistas y sabidas. Colijo las dichas treynta proposiciones.* Sevilla, Casa de Sebastián Trugillo, impressor de libros, 1552.

(25) ———. *Este es un tratado que el obispo de la ciudad Real de Chiapa don fray Bartolomé de Las Casas, o Casaus compuso, por comissión del Consejo Real de las Indias: sobre la materia de los yndios que se han hecho en ellas esclavos. El qual contiene muchas razones y auctoridades jurídicas: que pueden aprovechar a los lectores para determinar muchas y diversas questiones dudosas en materia de restitución: y de otras que al presente los hombres en el tiempo de agora tratan.* Sevilla, Casa de Sebastián Trugillo, impressor de libros, 1552.

(26) ———. *Entre los remedios que Don Fray Bartolomé de Las Casas, Obispo de la Ciudad Real de Chiapa refirió por mandato del Emperador Rey, Ntro. Sr., en los Ayuntamientos que mandó hacer S.M. de Perlados y Letrados y personas grandes en Valladolid en 1542 para formación de las Indias.* Sevilla, Jacome Cromberger, 1552.

(27) ———. *Aquí se contienen unos avisos y reglas para los confessores que oyeren confessiones de los Españoles que son, o han sido en cargo a los Indios de las Indias del mar Océano: colegidas por don fray Bartolomé de Las Casas, o Casaus, de la orden de Sancto Domingo.* Sevilla, Casa de Sebastián Trugillo, impressor de libros, 1552.

(28) ———. *Tratado comprobatorio del Imperio soberano y principado universal que los Reyes de Castilla y León tienen sobre las Indias: compuesto por el Obispo don fray Bartolomé de Las Casas.* Sevilla, Casa de Sebastián Trugillo, impressor de libros, 1552.

(29) ———. *Algunos principios que deben servir de punto de partida en la controversia destinada a poner de manifiesto y defender la justicia de los indios, colegidos por el obispo fray Bartolomé de Las Casas.* Sevilla, Casa de Sebastián Trugillo, impressor de libros, 1552.

(30) ———. *Erudita et elegans explicatio questionis: ultrum Reges Vel Principes iure aliquo vel titulo, et salva conscientia, Cives ac Subditos a Regia Corona alienare et alterius Domini particularis ditioni subicere possint?* Edición preparada por Wolffgang Griesstetter. Franckfurt, 1571.

(31) ———. *De regia potestate o derecho de autodeterminación.* Ed. crítica bilingüe por Luciano Pereña, José Manuel Pérez-Prendes, Vidal Abril y Joaquín Azcárraga. Madrid, CSIC. (Corpus Hispanorum de Pace, vol. VIII), 1969. (Nueva edición de 1984).

(32) ———. *Tratado de Indias y el Doctor Sepúlveda.* Estudio preliminar de Manuel Giménez Fernández. Caracas, Biblioteca de la Academia Nacional de la Historia, (Fuentes para la Historia de Venezuela, vol. 56), 1962.

(33) ———. «Fray Bartolomé de Las Casas. Disputa... con Ginés de Sepúlveda... Acerca de la licitud de las conquistas de Indias». (Reproducción de la edición de Sevilla, de 1552, con una noticia bibliográfica por el Marqués de Olivart. Acompañada de un ensayo «Fray Bartolomé de Las Casas, su obra y su tiempo», por el padre maestro Fray Enrique Vacas Galindo). Madrid, *Revista de Derecho Internacional y Política Exterior,* (Btca. de Derecho Internacional y Ciencias Auxiliares, T. II), 1908.

(34) ——— y SEPULVEDA, Juan Ginés de. *Apología.* Traducción castellana de los textos originales latinos, introducción, notas e índices por Angel Losada. (Presentación por Manuel Fraga Iribarne). Madrid, Editora Nacional, 1975.

b) Brevísima

(35) CASAS, Fray Bartolomé de las. *Brevíssima relación de la destruyción de las Indias: colegida por el Obispo don Fray Bartolomé de Las Casas.* Sevilla, Casa de Sebastián Trugillo, impressor de libros, 1552.

(36) ———. *Narratio regionum indicarum per Hispanos quosdam devastatarum verissima: prius quidem per Episcopum Bartholomaeum Casaum... Anno 1551...* Francofvrti, Sumptibus Theodori de Bry, 1598.

(37) ———. *Brevísima relación de la destrucción de las Indias: colegida por el Obispo don Fray Bartolomé de Las Casas.* Londres, Schulze y Dean, 1812.

(38) ———. *Destrucción de las Indias, o sea su conquista.* (Publicada en Sevilla, en 1552, por el Ilmo. Sr. Don Bartolomé de Las Casas, religioso dominico, Obispo que fue de Chiapa. Ahora la da a la luz un ciudadano en obsequio de su nación, a quien humildemente consagra). Puebla (México), Imprenta Liberal de Moreno Hermanos, 1821.

(39) ———. *Breve relación de la destrucción de las Indias Occidentales, presentada a Felipe II, siendo Príncipe de Asturias, por Don Fray Bartolomé de Las Casas.* Filadelfia, por Juan F. Hurtel, 1821.

(40) ———. *El indio esclavo.* Puebla, Imprenta Liberal de Moreno Hermanos, 1821.

(41) ———. *Breve relación de la destrucción de las Indias Occidentales, presentada a Felipe II, siendo Príncipe de Asturias.* Notas del licenciado Ignacio Romerovargas Yturbide. Discurso preliminar del doctor Don Servando Teresa de Mier Noriega y Guerra, pp. 13-34. México, Libros Luciérnaga (Btca. Enciclopedia Popular, 77), 1822.

(42) ———. *Crueldades que los españoles cometieron en los indios mexicanos.* México, Oficina de la Testamentaria de Ontiveros, 1826.

(43) ———. *Im Zeichen des Kreuzes. Die «Verwüstung Westindiens». D.h. die Massenausrrottung der Süd-Mittelamerikanischen Indianer nach der Denkschrift des Bartholomäus de Las Casas, Bischof von Chiapa. v. 1552.* (Narratio regionum indicarum per hispanos quosdam devastatarum verissima). Leipzig, 1535. [Extracto en alemán].

(44) ———. «De cómo Las Casas informó al Rey de lo mucho que padecían los indios con las crueldades de los cristianos», *Divulgación Histórica,* México, Año III, (15 junio, 1942), nº 8, pp. 384-389.

(45) ———. *Brevísima Relación de la destrucción de las Indias.* Prólogo y selección de Agustín Millares Carlo. México, Secretaría de Educación Pública (Btca. Enciclopédica Popular), 1945.

(46) ———. *Brevísima relación de la destrucción de las Indias.* Prólogo de Gregorio Weinberg. Buenos Aires, Eds. Mar Océano, 1953.

(47) ———. *The Tears of the Indians: Being an Historical and True Account of the Cruel Massacres ans Slaughters of Above Twenty Millions of Innocent People.* Translated by John Phillips. Stanford, (California), Academic Reprints, 1953.

(48) ———. *Defense Against the Persecutors and slanderers of the Peoples of the New World Discovered across the Ocean.* Trans. by Stafford Poole, C.M. Introduction by Lewis Hanke.Ed. Ernest Burrus. Madrid, Ed. José Porrúa Venero. (Sources and Studies for the History of America), 1971.

(49) ———. «A Very Brief Relation of the Destruction of the Indies, 1552. (1.656 edition)», en *The Black Legend. Anti-Spanish Attitudes in the Old World and the New.* Introduction by Charles Gibson. New York, Alfred A. Knopf, Inc. (A Borzoi Book on Latin America), 1971, pp. 73-77.

(50) ———. *Brevísima relación de la destrucción de las Indias.* Vida de..., Obispo de Chiapas, en América, por J.A. Llorente. Barcelona, Fontamara, 1974. (Nueva edición en 1979).

(51) ———. *Très brève relation sur la destruction des Indes, suivie de les trente propositions très juridiques.* Prefacio de Silvio Zavala, pp. 5-13. Paris-La Haya, Mouton (Archontes, 2), 1974.

(52) ———. *The desvatation of the Indies: a brief account.* Introduction by Hans Magnus Enzensberger. Translated by Herma Briffault. Dossier by Michel van Nieuwstadt. New York, Seabury Press, 1974. (Ed. facsímil).

(53) ———.*Brevísima Relación de la destrucción de Indias.* Introducción y notas de Manuel Ballesteros Gaibrois. Madrid, Fundación Universitaria Española, 1977. (Ed. facsímil).

(54) ———. *Breve resumen del descubrimiento y destrucción de las Indias.* Madrid, Emiliano Escolar, 1979. (Nueva edición en 1981).

(55) ———. *Colección de las obras de... Destrucción de las Indias.* Estudio preliminar de Francisco Cardona Castro, pp. III-XXIII. Madrid, Editora de los Amigos del Círculo de Bibliófilos, 1981, 2 vols. (Reproduce la edición de J.A. Llorente).

(56) ———. *Brevísima relación de la destrucción de las Indias.* Edición de André Saint-Lu. Madrid, Ed. Cátedra, 1982.

(57) ———. *Brevísima relación de la destrucción de las Indias.* Madrid, Anjana Ediciones, 1983.

(58) ———. *Brevísima relación de la destrucción de las Indias.* Madrid, SARPE (Col. Biblioteca de la Historia, nº 4), 1985.

(59) ———. *El P... Bernardo Vargas Machuca. La destrucción de las Indias. Refutación de Las Casas.* París, Bouret (Btca. Económica de Clásicos Castellanos), s.f.

c) De Unico Vocationis Modo

(60) CASAS, Bartolomé de las. *Del único modo de atraer a todos los pueblos a la verdadera religión.* Introducción de Lewis Hanke: «Introducción a la primera edición del 'De unico vocationis modo de Fr. Bartolome de Las Casas'», pp. XV-XLIV. Advertencia preliminar y edición y anotación del texto latino por Agustín Millares Carlo. Versión española por Atenógenes Santamaría. México, Fondo de Cultura Económica, 1942. (2ª ed. en México, Fondo de Cultura Económica (Col. Popular, 137), 1975).

d) De Thesauris

(61) CASAS, Bartolomé de las. *Los tesoros del Perú.* Traducción y anotación de Angel Losada. Madrid, CSIC. (Institutos «Gonzalo Fernández de Oviedo» y «Francisco de Vitoria»), 1958.

2) Obras históricas
   a) Historia de las Indias

(62) CASAS, Bartolomé de las. *Historia de las Indias. Escrita por Fray..., Obispo de Chiapa, ahora por primera vez dada a la luz por el Marqués de la Fuensanta del Valle y Don José Sancho Rayón.* Madrid, Imprenta de Miguel Ginesta (Col. de Documentos Inéditos para la Historia de España, vols. LXIII-LXVII), 1875-1876.

(63)   ——. *Historia de las Indias, escrita por...*, Obispo de Chiapa. México, José M. Vigil, Editor, Imp. y Litografía de Ireneo Paz, 1877.
(64)   ——. *Historia de las Indias, de Fray...* Prólogo de Gonzalo de Reparaz. Madrid, Editorial Aguilar, 1927. 3 vols.
(65)   ——. *Historia de las Indias, escrita por...*, Obispo de Chiapa. México, Editora Nacional S.A. (Biblioteca Mexicana), 1951.
(66)   ——. *Historia de las Indias.* Estudio preliminar de Lewis Hanke: «Bartolomé de Las Casas, historiador», pp. VII-LXXXVI. Ed. preparada por Agustín Millares Carlo. México, Fondo de Cultura Económica, 1951. (2ª ed. en México, F.C.E. (Biblioteca Americana. Serie de Cronistas de Indias), 1965, 3 vols).
(67)   ——. *Historia de las Indias.* Texto fijado por Juan Pérez de Tudela y Emilio López Oto. Estudio crítico de J.P. de Tudela: «Significado histórico de la vida y escritos del P. Las Casas», pp. IX-CLXXXVI. Madrid, Biblioteca de Autores Españoles, vols. XCV-XCVI, 1957.
(68)   ——. *Historia de las Indias.* Atenas, Biblioteca «Hayún», 1968.
(69)   ——. *History of the Indies.* Translated and edited by Andrée Collard. New York, Harper and Row, 1971. (Basada en la ed. española de Millares Carlo, de 1951).
(70)   ——. *Historia de las Indias.* Madrid, Círculo del Bibliófilo, 1981, 2 vols.
(71)   ——. *Historia de las Indias.* Caracas, Biblioteca Ayacucho, 1984.

b) Apologética Historia

(72)   CASAS, Bartolomé de las. *Apologética Historia de las Indias, de Fray...* Por Manuel Serrano y Sanz. Madrid, Bailly-Baillière e Hijos, 1909. (En col. «Historiadores de Indias», T.I, Nueva Biblioteca de Autores Españoles).
(73)   ——. *Apologética Historia.* Estudio crítico preliminar y edición por Juan Pérez de Tudela. Madrid, Biblioteca de Autores Españoles, vols. CV-CVI, 1958.
(74)   ——. *Los indios de México y Nueva España. Antología.* Edición, prólogo, apéndices y notas de Edmundo O'Gorman, con la colaboración de Jorge A. Manrique. México, Ed. Porrúa, 1966.
(75)   ——. *Apologética Historia Sumaria, cuanto a las cualidades, disposición, descripción, cielo y suelo destas tierras, y condiciones naturales, policías, repúblicas, manera de vivir e costumbres de las gentes destas Indias Occidentales y meridionales cuyo imperio soberano pertenece a los Reyes de Castilla.* Edición preparada y estudio preliminar de Edmundo O'Gorman: «La Apologética Historia, su génesis y elaboración, su estructura y su sentido», pp. XI-CLXXIV. México, Universidad Nacional Autónoma de México, Instituto de Investigaciones Históricas, 1967, 3ª ed, 2 vols.

c) Opúsculos históricos

(76)   CASAS, Bartolomé de las. *De las antiguas gentes del Perú.* Madrid, Marcos Jiménez de la Espada, Editor, (Colección de Libros Españoles Raros o Curiosos, T. 21), 1892. (Otra edición en Lima, Imp. Domingo Miranda, 1948).
(77)   ——. *Primer viaje de Cristóbal Colón, según su diario de a bordo recogido y transcrito por el P...* Prefacio de Gregorio Marañón. Barcelona, Amigos del Libro, 1944. (Sin prefacio, en Barcelona, Ramón Sopena, 1972).
(78)   ——. *Opúsculos, cartas y memoriales.* Ilustración preliminar y edición por Juan Pérez de Tudela. Madrid, Biblioteca de Autores Españoles, vol. CX, 1958.
(79)   ——. *Descubrimiento del continente americano: relación del tercer viaje, por D. Critóbal Colón. Edición facsímil de la carta enviada a los reyes, según el texto manuscripto por el P...* Edición y comentario preliminar por Carlos Sanz. Madrid, Gráficas Yagües, (Biblioteca Americana Vetustissima), 1962.
(80)   ——. *Los cuatro viajes de Cristóbal Colón para descubrir el Nuevo Mundo, se-*

gún los manuscritos de Fray... Trazados y publicados por Otto Neussel. Madrid, Imprenta Fortanet, s.f.

3) Cartas

(81)   STEVENS, Henry (editor). *Carta del señor don frey Bartolomé de las Casas al Ilustre y Muy Magnífico señor don Mercuriano Arborio de Gattinara, Chanceller de S. Mag. el rey don Carlos, en la que suplica a s.s. que se le conceda la provincia del Cenu q. se cuente entre la trra. q. se le señalare para poner remedio a los agravios de los yndios en la trra. firme. Año de MDXX.* London 1854.

(82)   BIERMANN, Benno M. (O.P.), «Lascasiana. Unedierte Dokumente von Fray Bartolome de Las Casas», *Archivum Fratum Praedicatorum,* Roma, XXVII, (1957), pp. 337-359.

4. Selección de textos

(83)   CASAS, Bartolomé de las. *Derecho Público.* Madrid, Imprenta de D. Ramón Verges, 1843.

(84)   ———. *Fray... Doctrina.* Prólogo y selección de Agustín Yáñez. México, Universidad Nacional Autónoma de México (Biblioteca del Estudiante Universitario, nº 22), 1941. (2ª ed. en 1951).

(85)   ———. *A selection of his writings.* Translated and edited by George Sanderlin. New York, Alfred A. Knopf, (Borzoi Books in Latin America), 1971.

(86)   ———. *Derechos civiles y políticos.* Edición literaria de Luciano Pereña y Vidal Abril. Madrid, Editora Nacional, 1974.

(87)   ———. *La larga marcha de Las Casas.* Selección y presentación de textos de Juan B. Lessègue. Lima, Centro de Estudios y Publicaciones (Col. del Centro de Estudios y Publicaciones, 11), 1974.

(88)   ———. *El evangelio y la no violencia.* Bilbao, Ed. Zero, 1968.

IV. Bibliografías
1) Obras específicas

(89)   BECERRA DE LEON, Berta. *La bibliografía del Padre Bartolomé de Las Casas.* La Habana, Sociedad Económica de Amigos del País (Eds. de la Biblioteca Pública, nº 15), 1949.

(90)   HANKE, Lewis y GIMENEZ FERMANDEZ, Manuel. *Bartolomé de las Casas. (1474-1566). Bibliografía crítica y cuerpo de materiales para el estudio de su vida, escritos, actuación y polémicas que suscitaron durante cuatro siglos.* Santiago de Chile, Fondo Histórico y Bibliográfico «José Toribio Medina», 1954.

(91)   JULIAN, Amadeo. «Bibliografía de Fray Bartolomé de Las Casas», *Revista Dominicana de Antropología e Historia,* (Universidad Autónoma de Santo Domingo, Facultad de Humanidades, Dpto. de Historia y Antropología, Instituto de Investigaciones Antropológicas), Santo Domingo, t. 4 (1974), nº 7/8, pp. 29-49.

(92)   LARRAZABAL BLANCO, Carlos. «Bibliografía colonial. Fray Bartolomé de las Casas: 'Historia de las Indias'», *Clio,* Ciudad Trujillo (República Dominicana), año IX (1941), nº 46, pp. 59-71 y nº 47-48, pp. 105-115.

(93)   MARCUS, Raymond. «Las Casas: A Selective Bibliography», en *Bartolomé de Las Casas in History. Toward an understanding of the man and his work,* obra colectiva editada por Juan Friede y Benjamin Keen. Dekalb (Illinois), Northern Illinois University Press, 1971, pp. 603-616.

(94)   MEJIA SANCHEZ, Ernesto. «Las Casas en la Biblioteca Nacional», *Boletín de la Biblioteca Nacional (UNAM),* México, 2ª época, 17, 3/4 (julio-diciembre, 1966), pp. 11-16.

(95) ———. *Las Casas en Méjico. Exposición bibliográfica del IV Centenario de su muerte (1566-1966).* México, Universidad Autónoma Nacional de México (Anejos al Boletín de la Biblioteca Nacional, 2ª, 1967.

2) Obras generales de consulta bibliográfica

(96) MEDINA, José Toribio. *Biblioteca Hispano-Americana. (1493-1810).* Santiago de Chile, en casa del autor, 1898-1907, 7 vols. (Existe ed. facsímil, Amsterdam, N. Israel, 1968).

(97) PALAU CLAVERAS, Agustín. *Manual del Librero Hispanoamericano. Indice alfabético de títulos, materias, correcciones, conexiones y adiciones.* Empuries (Gerona)-Oxford, Palacete Palau Dulcet-The Dolphin Book, 1982. T. II, pp. 5-6.

(98) PALAU Y DULCET, Antonio. *Manual del Librero Hispano-Americano. (Bibliografía General Española e Hispanoamericana).* Barcelona-Madrid, Librería Palau, 1950, T. III, pp. 245-248, 2ª ed. aumentada.

(99) SIMON DIAZ, José. *Manual de Bibliografía de Literatura Española.* Madrid, Ed. Gredos (Btca. Románica Hispánica), 1980, 3ª ed., T. III, pp. 268-274

C. OBRAS GENERALES Y MONOGRAFICAS

(100) ACEREDA LA LINDE, Manuel. *Los indios y Bartolomé de Las Casas ante la historia y la crítica.* Caracas, Imprenta Nacional, 1969.

(101) ALBA, Pedro de. *Fray Bartolomé de las Casas, padre de los Indios. Ensayo histórico social.* Prólogo de Pedro Lamieg Cráter. México, Ed. Nayarit, 1924.

(102) ALONSO GETINO, Luis (O.P.). *Los dominicos en las Leyes Nuevas.* Sevilla, CSIC, (Publicaciones de la Escuela de Estudios Hispano Americanos. Universidad de Sevilla), 1945.

(103) ANDRE-VINCENT, Philippe I. (O.P.). *Derecho de los indios y Desarrollo en Hispanoamérica.* Madrid, Eds. Cultura Hispánica, 1975.

(104) ———. *Bartolomé de Las Casas, prophète du Nouveau Monde.* Préface de André Saint-Lu. Paris, Librairie Jules Tallandier, 1980.

(105) ANDRES MARCOS, Teodoro (Pbro.). *Vitoria y Carlos V en la soberanía hispanoamericana.* Salamanca, Universidad de Salamanca (Imp. Comercial Salmantina), 1937. (2ª ed. en Salamanca, 1946). [Vid. nº (160)].

(106) BARREDA GARCIA, Jesús Angel (O.P.). *Ideología y pastoral misionera en Bartolomé de las Casas, O.P.* Madrid, Instituto Pontificio de Teología, 1981.

(107) BATAILLON, Marcel. *Las Casas et la défense des Indiens.* Presenté par... et André Saint-Lu. Paris, Julliard (Collection Archives), 1971. (Hay edición española en Barcelona, Editorial Ariel (Col. Ariel Quincenal), 1976).

(108) BAUMEL, J. *Le Droit International Public, la découverture de l'Amérique et les théories de Francisco de Vitoria. Etude du «De Indis noviter inventis».* Montpellier, Graille et Castennau, 1931.

(109) BAYLE, Constantino (S.J.). *España en Indias: nuevos ataques y nuevas defensas.* Madrid, Ed. Jerarquía, 1939, 2ª ed. (1ª ed. de 1934).

(110) ———. *El Protector de Indios.* Sevilla, Escuela de Estudios Hispanoamericanos, Universidad de Sevilla, (Serie 1ª, Anuario nº 5), 1945.

(111) BELL, Aubrey F.G. *Juan Ginés de Sepúlveda,* Oxford, Oxford University Press, 1925.

(112) BORGES, Pedro. *Métodos misionales de la cristianización de América.* Madrid, CSIC, (Instituto «Sto. Toribio de Mogrovejo»), 1960.

(113) ———. *Análisis del conquistador espiritual de América.* Sevilla, Escuela de Estudios Hispanoamericanos, 1961.

(114) BRION, Marcel. *Bartholomé de las Casas, «pére des indiens».* Paris, Le Roseau d'or. (Oeuvres et Chroniques, XXI), 1927. (Existe traducción inglesa por C.B. Taylor, New York, E.P. Dutton and Co., 1929, y española, con prólogo de Ro-

dolfo Puigrós, Buenos Aires, Ed. Futuro (Col. Eurindia), 1945; 2ª ed. México, 1953).

(115) BONET, Alberto. *La filosofía de la libertad en las controversias teológicas del siglo XVI y la primera mitad del XVII.* Barcelona, Subirana, 1932.

(116) CARBIÁ, Rómulo D. *Historia de la Leyenda Negra Hispanoamericana.* Buenos Aires, Eds. Orientación Española, 1940. (Reedición en Madrid, Consejo de la Hispanidad, 1944).

(117) CARREÑO, Alberto Mª. *Fray Domingo de Betanzos, O.P. Fundador en la Nueva España de la Venerable Orden Dominicana.* México, Imprenta Victoria, 1924.

(118) CARRO, Venancio (O.P.). *La Teología y los Teólogos-Juristas Españoles ante la conquista de América.* Madrid, Publicaciones de la Escuela de Estudios Hispanoamericanos de Sevilla, 1944. (2ª ed. en Salamanca, Biblioteca de Teólogos Españoles, 1951).

(119) ——. *La Comunitas Orbis y las rutas del Derecho Internacional según Francisco de Vitoria.* Palencia-Madrid, Imprenta Merino, 1962.

(120) ——. *España en América, sin leyendas.* Madrid, Librería OPE, 1963.

(121) CRAWFORD, Leslie. *Las Casas, hombre de los siglos.* Washington, Secretaría General de la Organización de Estados Americanos, 1978.

(122) CHENON, Emile. *El papel social de la Iglesia.* Traducción de Salvador Abascal. México, Editorial Jus, 1946. (Es traducción de la francesa, Paris, 1928).

(123) CHIAPPELLI, Fredi. *First Images of America. The impact of the New World on the Olds.* Edited by Fredi Chiappelli. Co-editors: Michael J.B. Allen and Robert L. Benson. Berkeley, University of Carolina Press (Publ. Center for Medieval and Renaissance Studies), 1976, 2 vols.

(124) DIAZ DEL CASTILLO, Bernal. *Historia verdadera de la Conquista de la Nueva España.* México, Ed. Porrúa, 1977. (Es reproducción facsimilar de la 1ª ed., aparecida en Madrid, 1632). (Nueva edición crítica por Carmelo Sáenz de Santa María, Madrid, CSIC, «Instituto Gonzalo Fernández de Oviedo», 1982, 2 vols.).

(125) DUSSEL, Enrique Domingo. *El episcopado hispanoamericano. Institución misionera en defensa del indio (1504-1620).* Cuernavaca, edición en rotaprint, 1969-1971, T. I, IX. (Existe traducción al francés, en Wiesbaden, Franz Steiner Verlag Gmbh, 1970).

(126) ENZENSBERGER, Hans Magnus. *Bartolomé de Las Casas. Furzgefasster Bericht von der Verwüstung der Westindischen Länder.* Frankfurt am Main, Insel Verlag, 1966.

(127) ESQUIVEL OBREGON, Toribio. *Hernán Cortes y el derecho internacional en el siglo XVI.* México, Ed. Polis, 1939.

(128) FERNANDEZ DE OVIEDO, Gonzalo. *Historia general y natural de las Indias, islas y Tierra Firme del Mar Océano, por el capitán..., primer cronista del Nuevo Mundo.* Publícala la Real Academia de la Historia cotejada con el códice original, enriquecida con las enmiendas y adiciones del autor e ilustrado con la vida y juicio de las obras del mismo, por D. José Amador de los Ríos. Madrid, Imprenta de la Real Academia de la Historia, 1851-1855, 4 vols. (Edición de Juan Pérez de Tudela, en Madrid, Biblioteca de Autores Españoles, vols. CXVII-CXXI, 1959).

(129) FRIEDE, Juan. *Vida y luchas de don Juan del Valle, primer obispo de Popayan y Protector de Indios.* Prólogo de Manuel Giménez Fernández. Popayán (Colombia), Editorial Universidad, 1961.

(130) ——. *Bartolomé de Las Casas (1474-1566). Inicios de las luchas contra la opresión en América.* Bogotá, «Punta de Lanza. La Chispa», Imprenta Herrera Hermanos, 1974.

(131) ——. *Bartolomé de Las Casas: precursor del anticolonialismo. Su lucha y su derrota.* México, Ed. Siglo XXI, 1974.

(132) GALMES, Lorenzo. *Bartolomé de Las Casas. Defensor de los derechos humanos.* Madrid, Biblioteca de Autores Cristianos (Col. Popular, 40), 1982.

(133) GEL, Frantisek. *Las Casas. Leben und Werk.* Leipzig, Koehler, 1958.

(134) GIMENEZ FERNANDEZ, Manuel. *Instituciones jurídicas de la Iglesia Católica*. Madrid, S.A.E.T.A., 1940.

(135) ———. *El estatuto de tierra de Casas*. *Estudio histórico y jurídico del asiento y capitulación para pacificar y poblar la Tierra Firme de Paria, concedida por Carlos V a su capellán, Micer Bartolomé de las Casas*. Sevilla, Ed. Edelce, 1949. (véase también en *Anales de la Universidad Hispalense*, Sevilla, X: 3, (1949), pp. 27-101).

(136) ———. *El Plan Cisneros-Las Casas para la reformación de las Indias*. Sevilla, Escuela de Estudios Hispanoamericanos (Publicación nº 70), 1953.

(137) ———. *Bartolomé de Las Casas. I: Delegado de Cisneros para la reformación de las Indias. II: Capellán de S.M. Carlos I. Poblador de Cumaná (1517-1523)*. Sevilla, Escuela de Estudios Hispanoamericanos, 1953-1960, respectivamente. (Reimpresión en Madrid, Escuela Estudios Hispanoamericanos, CSIC, 1984).

(138) GONZALEZ CALZADA, Manuel. *Las Casas, el Procurador de los Indios*. México, Talleres Gráficos de la Nación, 1948.

(139) GONZALEZ DAVILA, Gil. *Teatro eclesiástico de la primitiva iglesia de las Indias Occidentales*. Madrid, Ed. Porrúa, 1959.

(140) HANKE, Lewis. *Bartolomé de Las Casas, pensador, político, historiador, antropólogo*. Prólogo de Fernando Ortiz. Versión española de Antonio Hernández Travieso. La Habana, Sociedad Económica de Amigos del País (Biblioteca Pública, 5), 1949.

(141) ———. *La lucha por la justicia en la conquista de América*. Traducción de Ramón Iglesia. Buenos Aires, Ed. Sudamericana, 1949. (Ed. española en Madrid, Aguilar (Col. Literaria), 1959. Existe una traducción parcial al francés con el título de *Colonisation et conscience chrétienne au XVIe siècle*, Paris, Plon, 1957.

(142) ———. *Bartolomé de Las Casas. An interpretation of his life and writings*. The Hague, Martinus Nijhoff, 1951.

(143) ———. *Bartolomé de Las Casas, Bookman, Scholar and Propagandist*. Philadelphia, University of Pennsylvania Press, 1952. Hay traducción castellana con el título de *Bartolomé de Las Casas. Letrado y Propagandista*. Bogotá, Eds. Tercer Mundo, 1965.

(144) ———. *Bartolomé de Las Casas: Historian. An Essay in Spanish Historiographie*. Gainesville, University of Florida Press, 1952.

(145) ———. *El prejuicio racial en el Nuevo Mundo. Aristóteles y los indios de Hispanoamérica*. Santiago de Chile, Ed. Universitaria (Col. América Nuestra), 1958. (También en México, Secretaría de Educación Pública (Col. Sep Setentas, 206), 1974.). (Edición inglesa: *Aristotle and the American Indians. A study in Race Prejudice in the Modern World*. London, Hollis & Carter y Chicago (Illinois), Henry Regnery Co., 1959.

(146) ———. *The Spanish Struggle for Justice in the Conquest of America*. Boston, Little Brown, 1965.

(147) ———. *Bartolomé de Las Casas*. Buenos Aires, Eudeba, 1968.

(148) ———. *All manking in one. A study of the Disputation Between Bartolomé de Las Casas and Juan Ginés de Sepúlveda in 1550 on the religious and intellectual capacity of the American Indians*. Dekalb, Northen Illinois University Press, 1974. (Versión española *Uno es todo el género humano. Estudio acerca de la querella que sobre la capacidad intelectual y religiosa de los indígenas americanos sostuvieron en 1550 Bartolomé de Las Casas y Juan Ginés de Sepúlveda*. Chiapa (México), Gobierno Constitucional del Estado de Chiapa, 1974.

(149) HÖFFNER, Joseph. *La ética colonial española del Siglo de Oro. Cristianismo y dignidad humana*. Estudio preliminar de Antonio Truyol Serra. Madrid, Ed. Cultura Hispánica, 1957.

(150) IMBRIGHI, Gastone. *Bartolomeo Las Casas. Note per una storia della problematica colombiana*. Roma, Japare Editore, 1972.

(151) LOPETEGUI, León y ZUBILLAGA, Félix. *Historia de la Iglesia en la América Española. Desde el Descubrimiento hasta comienzos del siglo XIX*. México.

América Central. Antillas. Madrid, Editorial Católica (Biblioteca de Autores Cristianos), 1965.

(152) LOPEZ DE PALACIOS RUBIO, Juan. *De las islas del Mar Océano, por... Del dominio de los Reyes de España sobre los indios, por Fray Matías de Paz.* Introducción de Silvio Zavala. México, Fondo de Cultura Económica (Biblioteca Americana, 25), 1954.

(153) LOSADA, Angel. *Juan Ginés de Sepúlveda a través de su «Epistolario» y nuevos documentos.* Madrid, CSIC, 1949.

(154) ——. *Epistolario de Juan Ginés de Sepúlveda.* Madrid, Instituto de Cultura Hispánica, 1968.

(155) ——. *Fray Bartolomé de Las Casas, a la luz de la moderna crítica histórica.* Madrid, Tecnos, 1970.

(156) MACNUTT, Francis Augustus. *Bartholomew de Las Casas: his life, his apostolate, and his writings.* New York, Putnam's Sone, 1909. Nueva edición: New York, AMS Press, 1972.

(157) MAHN-LOT, Marianne. *Barthélémy de las Casas, L'Evangile et la Force.* Presentation, choix de textes et traduction par... París, Ed. du Cerf, 1964.

(158) ——. *Bartolomé de Las Casas et le droit des Indiens.* París, Payot, 1982.

(159) MALLET, Mr. *Colón y Fray Bartolomé de las Casas. Diálogo.* México, Imp. de D. José María de Benavente y Socio, 1821.

(160) MARCOS, Teodoro Andrés (Pbro). *Los imperialismos de Juan Ginés de Sepúlveda en su «Democrates Alter».* Madrid, Instituto de Estudios Políticos, 1947. [Vid nº (105)].

(161) MARTINEZ, Manuel María (O.P.). *Bartolomé de Las Casas, el gran calumniado.* Madrid, Imprenta La Rafa, 1955. También en México, Porrúa, 1968.

(162) MARTINEZ DALMAN, Eduardo. *Fray Bartolomé de Las Casas.* La Habana, Centro de Estudios Políticos y Sociales de Cuba, 1948.

(163) MECHOULAN, Henry. *L'antihumanisme de Juan Ginés de Sepúlveda.* París-La Haye, Mouton, 1974.

(164) MENENDEZ PIDAL, Ramón. *El Padre Las Casas y Vitoria con otros temas de los siglos XVI y XVII.* Madrid, Espasa-Calpe (Col. Austral, 1286), 1958.

(165) ——. *El Padre Las Casas. Su doble personalidad.* Madrid, Espasa-Calpe, 1963.

(166) MIRANDA, Sor María Rosa. *El libertador de los indios: Fray Bartolomé de Las Casas.* Prólogo de Luis Morales Oliver. Madrid, Aguilar, 1953.

(167) MONICA, M. *La gran controversia del siglo diez y seis, acerca del dominio español sobre América. Por sor...* Madrid, Instituto de Cultura Hispánica, 1952.

(168) MOTOLINIA, Fr. Toribio de. *Carta al Emperador. Refutación a Las Casas sobre la Colonización Española.* Introducción y notas de José Bravo Ugarte, S.J. México, Editorial Jus, 1949.

(169) ——. *Memoriales o Libro de las Cosas de la Nueva España y de los naturales de ella. (Nueva transcripción paleográfica del manuscrito original, con inserción de las porciones de la «Historia de los Indios de la Nueva España», que completan el texto de los memoriales).* Edición, notas, estudio analítico de los escritos históricos de Motolinía y apéndices. Apéndice documental, con inclusión de la carta que dirigió Motolinía al emperador Carlos V en 1555, y de otras piezas provenientes de o relativas a Motolinía, y un índice analítico de materias por Edmundo O'Gorman. México, Universidad Nacional Autónoma de México, Instituto de Investigaciones Históricas (Serie de Historiadores y Cronistas de Indias, 2), 1971.

(170) MUÑOZ, Bartolomé. *Fray Bartolomé de Las Casas, padre de América.* Madrid, Ed. del autor (Librería Europea), 1958.

(171) MUÑOZ, Honorio. *Vitoria and the conquest of America. A study on the first Reading on the Indiens «De Indis Prior».* Manila, Santo Tomás University Press, 1935.

(172) MURIA, José María. *Bartolomé de Las Casas ante la historiografía mexicana.* México, Secretaría de Educación Pública (Col. Sep Setentas), 1974.

(173) O'GORMAN, Edmundo. *La idea del descubrimiento de América. Historia de*

esa interpretación y crítica de sus fundamentos. México, Universidad Nacional Autónoma de México, 1951.

(174) ———. *La invención de América.* México, Fondo de Cultura Económica, 1958. (Versión inglesa en Bloomington, Indiana University Press, 1961).

(175) ———. *Cuatro historiadores de Indias. Siglo XVI. Pedro Mártir de Anglería, Gonzalo Fernández de Oviedo y Valdés, Fray Bartolomé de Las Casas y Joseph de Acosta.* México, Secretaría de Educación Pública (Col. Sep Setentas, 51), 1972. Nueva edición en México, Sep Diana, 1979.

(176) ORTUETA, Francisco Javier de. *Fray Bartolomé de Las Casas: sus obras y polémicas, especialmente con Juan Ginés de Sepúlveda.* (Memoria presentada para optar al grado de Doctor en Derecho). Madrid, Ramona Velasco, Viuda de P. Pérez, 1920.

(177) PAGDEN, Anthony. *The fall of natural man: the American Indian and the origins of comparative ethnology.* Cambridge, Cambridge University Press, 1982.

(178) PEREÑA VICENTE, Luciano. *Misión de España en América. 1540-1560.* Madrid, CSIC, 1956.

(179) ———. *La tesis de la coexistencia pacífica en los teólogos clásicos españoles.* Madrid, Gráficas Ibérica, 1963.

(180) PEREZ DE BARRADAS, José. *Los mestizos de América.* Prólogo de Gregorio Marañón. Madrid, Cultura Clásica y Moderna, 1948.

(181) PEREZ FERNANDEZ, Isacio (O.P.). *Inventario documentado de los escritos de Fray Bartolomé de Las Casas.* Revisado por Helen Rand Parish. Bayamón (Puerto Rico), Centro de Estudios de los Dominicos del Caribe (Estudios Monográficos, vol. I), 1981.

(182) ———. *Cronología documentada de los viajes, estancias y actuaciones de Fray Bartolomé de Las Casas.* Bayamón (Puerto Rico), Universidad Central de Bayamón, Centro de Estudios de los Dominicos del Caribe (Estudios Monográficos, vol. II), 1984.

(183) ———. *Fray Bartolomé de Las Casas.* Caleruega (Burgos), OPE, 1984.

(184) QUERALTO MORENO, Ramón-Jesús. *El pensamiento filosófico-político de Bartolomé de Las Casas.* Prólogo de Raymond Marcus. Sevilla, Escuela de Estudios Hispanoamericanos, Secretariado de Publicaciones de la Universidad, 1976.

(185) RAND PARISH, Helen. *Las Casas as a Bishop. A New Interpretation based on his holograph petition in the Hans P. Kraus Collection of Hispanic American Manuscripts.* Washington, Library of Congress, 1980. (Texto bilingüe).

(186) REMESAL, Fr. Antonio de. (O.P.) *Historia general de las Indias occidentales, y particular de la gobernación de Chiapa y Guatemala.* Madrid, Francisco de Angulo, 1619. Posteriormente aparece en Guatemala, Sociedad de Geografía e Historia, 1932, 2 vols. y Madrid, Biblioteca de Autores Españoles, vols. CLXXV y CLXXXIX, 1964 y 1966, respectivamente, con estudio preliminar del P. Carmelo Sáenz de Santa María (S.J.).

(187) RETES, Ignacio. *Los hombres del cielo. Crónica dramática sobre Bartolomé de Las Casas.* Monterrey (México), Instituto Tecnológico y de Estudios Superiores de Monterrey, 1966.

(188) RIOS, Fernando de los. *Religión y Estado en la España del siglo XVI.* Nueva York, Instituto de las Españas en los Estados Unidos (Madrid, J. Molina, Impresor), 1927. También en México, Fondo de Cultura Económica, 1957.

(189) RODRIGUEZ DEMORIZI, Emilio. *Los Dominicos y las encomiendas de Indios en la Isla Española.* Santo Domingo (República Dominicana), Editora del Caribe, C. por A., vol. XXX, 1971.

(190) RODRIGUEZ PRAMPOLINI, Ida. *La Atlántida de Platón en los cronistas del siglo XVI.* México, Junta Mexicana de Investigaciones Históricas, 1947.

(191) RUMEU DE ARMAS, Antonio. *La política indigenista de Isabel la Católica.* Valladolid, Instituto «Isabel la Católica», 1969.

(192) SACO, José Antonio. *Historia de la esclavitud de los indios del Nuevo Mundo.* La Habana, Cultural S.A., 1932, 2 vols.

(193) SAENZ DE SANTA MARIA, Carmelo (S.J.). *El Licenciado don Francisco Ma-*

rroquín, primer obispo de Guatemala (1499-1563). Su vida, sus escritos. Madrid, Eds. Cultura Hispánica, 1964.

(194) SAHAGUN, Fray Bernardino de. *Historia General de las cosas de Nueva España.* México, editado por Carlos María de Bustamante, 1829-1830, 3 vols. Nueva edición en México, Porrúa, 1969, con anotaciones, apéndices y numeración de Angel Mª Garibay.

(195) SAINT-LU, André. *La Vera Paz: esprit évangelique et colonisation.* París, Centre de Recherches Hispaniques. Institut d'Etudes Hispaniques, 1968.

(196) ———. *Condition coloniale et conscience créole au Guatemala (1524-1821).* París, Presses Universitaires de France, 1970.

(197) ———. *Las Casas indígeniste. Etudes sur la vie et l'oeuvre du défenseur des Indiens.* París, L'Harmattan, 1982.

(198) SALAS, Alberto Mario. *Tres cronistas de Indias. Pedro Mártir de Anglería. Gonzalo Fernández de Oviedo. Fray Bartolomé de Las Casas.* México, Fondo de Cultura Económica, 1959.

(199) SCHNEIDER, Reinhold. *Las Casas y Carlos V. (Escenas del tiempo de los conquistadores).* Friburgo de Brisgovia (Alemania), Herder y Cía, 1940.

(200) ———. *El Padre de los Indios. (Las Casas ante Carlos V).* Buenos Aires, Ed. Criterio, 1956.

(201) ———. *Bartolomé de Las Casas frente a Carlos V.* Madrid, Eds. Encuentro, 1979.

(202) SEPULVEDA, Juan Ginés de. *Demócrates segundo o De las justas causas de la guerra contra los indios.* Edición, traducción, introducción y notas de Angel Losada. Madrid, CSIC, 1951.

(203) ———. *Epistolario. (Selección).* Primera traducción castellana del texto original latino, introducción, notas e índices por Angel Losada. Madrid, Eds. Cultura Hispánica, 1966.

(204) ———. *Tratado sobre las justas causas de la guerra contra los indios.* Estudio preliminar de Manuel García Pelayo: «Juan Ginés de Sepúlveda y los problemas jurídicos de la conquista de América». México, Fondo de Cultura Económica, 1979.

(205) SIERRA, Vicente. *El sentido misional de la conquista de América.* Prólogo de Carlos Ibarguren. Madrid, Espasa-Calpe (Publicaciones del Consejo de la Hispanidad), 1944.

(206) SILVA TENA, María Teresa. *Las Casas, biógrafo de sus contemporáneos y de sí mismo en la «Historia de las Indias».* México, Facultad de Filosofía y Letras de la Universidad Autónoma de México, Colegio de Historia, 1963. (Tesis multigrafiada).

(207) SIMPSON, Lesley Byrd. *The «encomienda» in New Spain.* Berkeley, University of California Press, 1966.

(208) STOLL, Otto. *Der Bischof Bartolomé de las Casas, ein Zeitgenosse des Columbus seine wissenschaftlichen und humanitaren Verdienste.* Zurich, Jahresbericht der Geographisch-Ethnog., 1907-1908.

(209) STRAUB, Eberhard. *Das bellum iustum des Hernán Cortés in México.* Köln, Böhlau Verlag, 1976.

(210) TORRE VILLAR, Ernesto de la. *Las leyes del descubrimiento en los siglos XVI y XVII.* México, Junta Mexicana de Investigaciones Históricas, 1948.

(211) ULLOA, Daniel. *Los predicadores divididos. (Los dominicos en Nueva España, siglo XVI).* México, El Colegio de México, 1977.

(212) VARGAS, José María (O.P.). *Bartolomé de Las Casas. Su personalidad histórica.* Quito, Ed. «Santo Domingo», 1974.

(213) VARIOS. *Las Casas, Sahagún, Zumárraga y otros. Idea y querella de la Nueva España.* Prólogo de Ramón Xirau. Madrid, Alianza Editorial (Col. El Libro de Bolsillo, 487), 1973.

(214) VAZQUEZ FRANCO, Guillermo. *La conquista justificada: los justos títulos de España en Indias.* Montevideo, Ed. Tauro (Col. Ensayos, 4), 1968.

(215) WAGNER, Henry Raup y RAND PARISH, Helen. *The Life and Writings of Bartolomé de Las Casas.* Albuquerque, University of New México Press, 1967.

(216) YAÑEZ, Agustín. *Fray Bartolomé de Las Casas, el conquistador conquistado.* México, Eds. Xochitl («Vidas Mexicanas», n° 5), 1942. Nueva edición en México, Ed. Jus, 1974.

(217) YBOT LEON, Antonio. *La Iglesia y los eclesiásticos españoles en la empresa de Indias.* Barcelona-Buenos Aires, Salvat Editores, 1954 [T.I.]. (Vol. XV de la «Historia de América y de los Pueblos Americanos», dirigida por Antonio Ballesteros Beretta).

(218) ZAVALA, Silvio. *Las Instituciones jurídicas de la conquista de América.* Madrid, Centro de Estudios Históricos, 1935.

(219) ———. *La encomienda indiana.* Madrid, Centro de Estudios Históricos, 1936.

(220) ———. *New Viewpoints on the Spanish Colonization of America.* Philadelphia, University of Philadelphia, 1943.

(221) ———. *Ensayos sobre la colonización española en América.* Buenos Aires, EMECE, 1944.

(222) ———. *Servidumbre natural y libertad cristiana según los tratadistas españoles de los siglos XVI y XVII.* Buenos Aires, Instituto de Investigaciones Históricas, 1944.

(223) ———. *La defensa de los derechos del hombre en América Latina (Siglos XVI-XVIII).* Bruselas, UNESCO, 1945. (Existe versión inglesa, mismo lugar y fecha. Otra en 1964).

(224) ———. *Estudios Indianos.* México, El Colegio Nacional, 1948.

(225) ———. *Recuerdo de Bartolomé de Las Casas.* Guadalajara (Jalisco), Librería Font, 1966.

(226) ———. *La filosofía política en la conquista de América.* México, Fondo de Cultura Económica, 1972.

D. RECOPILACIONES, ESTUDIOS COLECTIVOS, COLOQUIOS, CONGRESOS...

(227) BATAILLON, Marcel. *Études sur Bartolomé de Las Casas.* Reunies avec la collaboration de Raymond Marcus. París, Centre de Recherches de l'Institut d'Études Hispaniques (Ed. Raymond Marcus), 1965. (Traducción española,con idéntico contenido, en Barcelona, Editorial Península, 1976).
Los artículos contenidos en esta obra, con indicación de la ficha bibliográfica exacta en que por vez primera se publicaron, se desglosan a continuación:
– «Le 'Clérigo Casas' ci-devant Colon, réformateur de la colonisation», pp. 1-94. (versión española: pp. 45-136). *Bullétin Hispanique,* Bordeaux, LIV (1952), pp. 276-369.
– «Plus Oultra: La Cour découvre les Indes», pp. 95-114. (versión española: pp. 137-156). En *Les fêtes de la Renaissance,* T. II: *Charles-Quint,* París, C.N.R.S., 1960, pp. 13-27.
– «Chéminement d'une legende: les 'caballeros pardos' de Las Casas», pp. 115-136. (versión española: pp. 157-177). *Symposium, Syracuse (mai 1952),* VI, n° 1, pp. 1-21. (Traducción española en *La Torre,* Puerto Rico, I (1953), n° 4, pp. 41-63.
– «La Vera Paz», pp. 137-202. (versión española: pp. 181-243). *Bullétin Hispanique,* Bordeaux, LIII (1951), n° 3, pp. 235-300.
– «Pour l'«Epistolario» de Las Casas: une lettre et un brouillon», pp. 203-223. (versión española: pp. 245-265). *Bullétin Hispanique,* Bordeaux, LVI, (1954), n° 4, pp. 366-387.
– «Vasco de Quiroga et Bartolomé de Las Casas», pp. 225-238. (versión española: pp. 267-279). *Revista de Historia de América,* México, n° 33 (junio, 1952), pp. 83-95.
– «Las Casas et le Licencié Cerrato», pp. 239-247. (versión española: pp. 281-290). *Bulletin Hispanique,* Bordeaux, LV (1953), pp. 79-87.

– «Estas Indias. (Hipótesis lascasianas)», pp. 249-258. (versión española: pp. 291-300). *Cultura Universitaria*, Caracas, LXVI-LVII (enero-junio, 1959), pp. 97-104.

– «Les douze questions péruviennes et Las Casas», pp. 259-272. (versión española: pp. 301-314), en *Hommage à Lucien Févre*, París, A. Colin, T. II, 1954, pp. 221-230.

– «Comentarios a un famoso parecer contra Las Casas», pp. 273-290. (versión española: pp. 317-333), *Letras*, Lima, (Primer semestre, 1953), pp. 241-254.

– «Charles-quint, Las Casas et Vitoria», pp. 291-308. (versión española: pp. 335-351), en *Charles-quint et son temps*, París, Eds. du C.N.R.S., 1959, pp. 77-91.

– «La herejía de Fray Francisco de la Cruz y la reacción antilascasiana», pp. 309-324. (versión española: pp. 353-367), en *Miscelánea de Estudios dedicados al Dr. Fernando Ortiz*, La Habana, T.I, 1955, pp. 135-146.

(228) HOMENAJE a Fray Bartolomé de Las Casas. (1566-1966), *Revista de Historia de América*, Instituto Pan-Americano de Geografía e Historia, Comisión de Historia, México, núms. 61/62, (enero-diciembre, 1966), pp. 1 [186].
Este número monográfico recoge, fundamentalmente, los trabajos presentados en - el Loras College, Dubuque, (Iowa), septiembre de 1966, «Las Casas. (A Man of Our Time)», cuyos ponentes son:

– MORA, José A: «Message».
– HANKE, Lewis: «The Spanish Struggle for Justice in the Conquest of America»
– BRENNAN, María George (Sister): «Las Casas and the New Laws», pp. 23-41.
– BRADY, Robert L.: «The Role of Las Casas in the Emergence of Negro Slavery in the New World», pp. 43-55.
– FLYNN, Gerard: «Padre Las Casas Literature and the Just War», pp. 57-72.
– REGINA, M. (Sister): «Las Casas: the Philosophy of His History», pp. 73-87.
– POOLE, Stafford (Rev.): «Successors to Las Casas», pp. 89-114.
– ROMERO, Joseph (Bro.): «Las Casas and his Dominican Brethren Fight for the Recognition of the Human Dignity of the Latin American Indian», pp. 115-120.
– ARENA, C. Richard: «Bartolomé de Las Casas: an Early American Agrarian Reformer», pp. 121-131.
– SCHUSTER, Edward James: «Juridical Contributions of Las Casas and Vitoria», pp. 133-157.
– O'GORMAN, Edmundo: «Génesis de la 'Apologética Historia'», pp. 159-166.
– PATIÑO, Víctor Manuel: «La historia natural en la obra de Bartolomé de Las Casas», pp. 167-186.

(229) *ESTUDIOS LASCASIANOS*. IV Centenario de la muerte de Fray Bartolomé de Las Casas (1566-1966). Sevilla, Facultad de Filosofía y Letras, Escuela de Estudios Hispanoamericanos, 1966. Publicado, con igual paginación, en *Anuario de Estudios Americanos*. Sevilla, vol. XXIII, (1966), correspondiente al «Homenaje a Manuel Giménez Fernández», cuyos trabajos corresponden a los autores siguientes:

– HANKE, Lewis: «La fama de fray Bartolomé de Las Casas, 1566-1966», pp. 1-19.
– LOHMANN VILLENA, Guillermo: «La restitución por conquistadores y encomenderos: un aspecto de la incidencia lascasiana en el Perú», pp. 21-89.
– MARTINEZ, Manuel María (O.P.): «El P. Las Casas: promotor de la evangelización de América», pp. 91-108.
– CARRO, Venancio Diego (O.P.): «Los postulados teológico-jurídicos de Bartolomé de Las Casas. Sus aciertos, sus olvidos y sus fallos ante los maestros Fancisco de Vitoria y Domingo de Soto», pp. 109-246.
– MARCUS, Raymond: «La transformación literaria de Las Casas en Hispanoamérica», pp. 247-265.

– LUEGO MUÑOZ, Manuel: «Bartolomé de Las Casas y las perlas del Mar Caribe», pp. 267-303.
– OJER, Pablo (S.J.): «La política indiana de Rodrigo de Navarrete, escribano de Margarita e informador de Las Casas», pp. 305-327.
– SAENZ DE SANTA MARIA, Carmelo (S.J.): «Remesal, la Verapaz y Fray Bartolomé de Las Casas», pp. 329-349.
– GIL-BERMEJO GARCIA, Juana: «Fray Bartolomé de Las Casas y el 'Quijote'», pp. 351-361.
– CIORANESCU, Alejandro: «La 'Historia de las Indias' y la prohibición de editarla», pp. 363-376. (Reimpreso en «Colón humanista», Madrid, Prensa Española, 1967, pp. 73-88.
– FERNANDEZ MENDEZ, Eugenio: «Las encomiendas y esclavitud de los indios en Puerto Rico, [1508] 1550», pp. 377-443.
Sólo recogidos en *Estudios Lascasianos:*
– MORALES PADRON, Francisco: «Sevilla y Las Casas. (Introducción)», pp. XI-XV.
– GIMENEZ FERNANDEZ, Manuel: «Actualidad de las tesis lascasianas», pp. 445-474.

(230) HANKE, Lewis. *Estudios sobre fray Bartolomé de Las Casas y sobre la lucha por la justicia en la conquista española de América.* Caracas, Ediciones de la Biblioteca de la Universidad Central de Venezuela, 35 (Col. Ciencias Sociales, XII), 1968.
– «Los primeros experimentos sociales en América», pp. 3-55. (También en Madrid, F. Domenech, 1946 y en *Revista Bimestre Cubana,* La Habana, LXV, (1950), pp. 55-116. Versión inglesa: «The First Social Experiments in America: A study in the Development of Spanish Indian Policy in the Sixteenth Century», Cambridge, Harvard University Press, 1935). [Vid nº (351)].
– «El Papa Paulo III y los indios de América», pp. 56-88. (También en *Universidad Católica Bolivariana,* Medellín (Colombia), 4, (1940), pp. 355-384. Versión inglesa en *Harvard Theological Review,* 30 (1937), pp. 65-97).
– «La evolución de reglamentos para conquistadores», pp. 89-102.
– «Introducción al Tratado *Del único modo de atraer a todos los pueblos a la verdadera religión,* de Bartolomé de Las Casas», pp. 103-130. [Vid. nº (60)].
– «Cuerpo de documentos del siglo XVI sobre derechos de España en las Indias y Filipinas», pp. 131-189. (También en México, Fondo de Cultura Económica, 1943, Descubiertos y anotados por... Editados por Agustín Millares Carlo).
– «La libertad de palabra en Hispanoamérica durante el siglo XVI», pp. 191-204. (También en *Cuadernos Americanos,* México, año V, (1946), nº 2, pp. 185-201).
– «Bartolomé de Las Casas: el antropólogo», pp. 205-230. (Es parte de la obra «Bartolomé de Las Casas, pensador, político, historiador, antropólogo», vid. nº (140)).
– «Bartolomé de Las Casas, hombre de libros y de saber», pp. 231-261. (Es parte de la obra «Bartolomé de Las Casas, Bookman, Scholar and Propagandist», vid. nº (143)).
– «¿Bartolomé de Las Casas, existencialista? Ensayo de hagiografía y de historiografía», pp. 263-280. (También en *Cuadernos Americanos,* México, año XII, (marzo-abril, 1953), nº 2, pp. 176-193. Versión inglesa: «Bartolomé de Las Casas: An Essay in Hagiography and Historiographic», en *The Hispanic American Historical Review,* Durham (North Carolina), XXXIII, (1953), pp. 136-151). (Vid nº (360)).
– «¿Era Las Casas un erudito?», pp. 281-287. (También en *Miscelánea de Estudios dedicados al Dr. Fernando Ortiz,* La Habana, T. II, 1956, pp. 785-788).
– «Bartolomé de Las Casas y el imperio español en América: cuatro siglos de contradicciones», pp. 289-300. (También en *El Farol,* Caracas, año XXI, (1959), nº 184, pp. 2-7).
– «Aristóteles y los Indios Americanos», pp. 301-338. (También en *Revista de la*

201

Universidad de Buenos Aires, Buenos Aires, V, época III, (abril-junio, 1958), nº 2, pp. 169-205).
– «La conquista y la Cruz», pp. 339-357. (También en *La Torre,* Rio Piedras (Puerto Rico), año XII, (julio-septiembre, 1964), nº 47, pp. 41-62).
–«El despertar de la conciencia en América», pp. 359-378. (Bajo el título «El despertar de la conciencia en América: experimentos y experiencias españoles con los indios del Nuevo Mundo», en *Cuadernos Americanos,* México, año XXII, (julio-agosto, 1963), nº 4, pp. 184-202).
– «Más polémica y un poco de verdad acerca de la lucha española por la justicia en la conquista de América», pp. 379-428. (También en *Revista Chilena de Historia y Geografía,* Santiago, 134, (enero-diciembre, 1966), pp. 5-66).

(231) *HOMENAJE A EDMUNDO O'GORMAN. Conciencia y autenticidad históricas: escritos en...* México, Universidad Nacional Autónoma de México, 1968.
Incluye tres trabajos lascasianos, a saber:
– LEON-PORTILLA, Miguel: «Las Casas en la conciencia indígena del siglo XVI. La carta a Felipe II de los principales de México, en 1556». También en *III Jornadas Americanistas: 'Estudios sobre política indigenista española en América'.* (Seminario de Historia de América, Universidad de Valladolid). Valladolid, T. III, (1977), pp. 21-27. (Simposio conmemorativo del V Centenario del Padre Las Casas).
– MEJIA SANCHEZ, Ernesto: «El Doctor Mier, primer editor moderno de Las Casas».
– SILVA TENA, Mª. Teresa: «Tres vocaciones del Padre Las Casas».

(232) FRIEDE, Juan y KEEN, Benjamín. *Bartolomé de Las Casas in History. Toward an understanding of the man and his work.* Dekalb, Northern Illinois University Press, 1971.
Compilación de estudios, editados por..., detallados a continuación:
– KEEN, Benjamín: «Introduction: Approaches to Las Casas, 1535-1970», pp. 3-63.
– GIMENEZ FERNANDEZ, Manuel: «Fray Bartolomé de Las Casas: A Biographical Sketch», pp. 67-125.
– FRIEDE, Juan: «Las Casas and Indigenism in the Sixteenth Century», pp. 127-234.
– CARRO, Venancio D. (O.P.): «The Spanish Theological-Juridical Renaissance and the Ideology of Bartolome de Las Casas», pp. 237-277.
– LOSADA, Angel: «The Controversy between Sepúlveda and Las Casas in the Junta of Valladolid», pp. 279-306.
– MARTINEZ, Manuel María (O.P.): «Las Casas on the Conquest of América», pp. 309-349.
– BATAILLON, Marcel: «The Clérigo Casas, Colonist and Colonial Reformer», pp. 353-440.
– BIERMANN, Benno M.: «Bartolomé de Las Casas and Verapaz», pp. 443-484.
– COMAS, Juan: «Historical Reality and the Detractors of Father Las Casas», pp. 487-537.
– AFANASIEV, V.: «The Literary Heritage of Bartolomé de Las Casas», pp. 539-578.
– MARCUS, Raymond: «Las Casas in Literature», pp. 581-600.

(233) C.E.H.I.L.A. *CASAS, Bartolomé de las (1474-1974). E Historia de la Iglesia en América Latina, II.* Barcelona, Nova Terra, 1976.
Los trabajos que componen esta obra fueron presentados en el «Encuentro Latinoamericano de la 'Comisión de Estudios de Historia de la Iglesia en Latinoamérica', (CEHILA)», celebrado en Chiapas, (México), en 1974.
– DUSSEL, Enrique: «Núcleo simbólico lascasiano como profética crítica al imperialismo europeo», pp. 11-17.
– VILLEGAS, Juan: «Providencialismo y denuncia en la 'Historia de las Indias' de fray Bartolomé de Las Casas», pp. 19-44.

– RUIZ MALDONADO, Enrique: «La justicia en la obra de fray Bartolomé de Las Casas», pp. 45-65.
– HOORNAERT, Pe Eduardo: «A tradiçao Lascasiana no Brasil», pp. 67-82.
– POLANCO BRITO, Hugo E.: «Fray Bartolomé de Las Casas en la isla Española», pp. 83-89.
– BARNADAS, Josep M.: «Una contribución a la historia del lascasismo», pp. 91-119.
– TISNES, Roberto: «Una edición granadina de la 'Brevísima Relación de la destruición de las Indias'», pp. 121-136.
– HOORNAERT, Pe Eduardo: «A evangelizaçao segundo a tradiçao guadalupana. (Análise de um folheto popular)», pp. 137-159.
– MOSCOSA PASTRANA, Prudencia: «Fray Bartolomé de Las Casas en Ciudad Real, Chiapas», pp. 161-173.

(234) ESTUDIOS SOBRE FRAY BARTOLOME DE LAS CASAS. Sevilla, Universidad de Sevilla (Anales de la Universidad Hispalense, Serie Filosofía y Letras, nº 24), 1974.
Esta publicación contiene las conferencias de especialistas que se reunieron en Sevilla (20-23 de marzo, 1974), para conmemorar el V Centenario del nacimiento de Fray Bartolomé de Las Casas:
– MORALES PADRON, Francisco: «Prólogo», pp. IX-XVI.
– SAINT-LU, André: «Acerca de algunas contradicciones lascasianas», pp. 1-15.
– MARCUS, Raymond: «Sobre el nacimiento de Las Casas. (Medida y vivencia del tiempo en el siglo XVI)», pp. 17-23.
– MARTINEZ, Manuel María (O.P.): «Las Casas-Vitoria y la Bula 'Sublimis Deus'», pp. 25-51.
– LOSADA, Angel: «La 'Apología', obra inédita de Fray Bartolomé de Las Casas. Novedades y sugerencias», pp. 53-96.
– SAENZ DE SANTA MARIA, Carmelo (S.J.): «Una cláusula desconocida del testamento de Fray Bartolomé de Las Casas y el último período de su vida (1547-1566)», pp. 97-121.
– CASTAÑEDA DELGADO, Paulino: «Los métodos misionales en América: ¿Evangelización pura o coacción?, pp. 123-189.
– RUIZ TELLO, María del Carmen: «Acerca de los conocimientos náuticos del Padre Las Casas», pp. 191-225.
– ARRANZ MARQUEZ, Luis Antonio: «Fray Bartolomé de Las Casas y la familia Colón», pp. 227-245.
– RAMOS PEREZ, Demetrio: «La 'conversión' de Las Casas en Cuba: el clérigo y Diego Velázquez», pp. 247-257.
– SALAS, Alberto Mario: «El Padre Las Casas, su concepción del ser humano y el cambio cultural», pp. 259-278.
– ZUBILLAGA, Félix (S.J.): «Quaestio Theologalis. (Un escrito inédito del Padre Bartolomé de Las Casas)», pp. 279-291.
– PEREÑA VICENTE, Luciano: «La Carta de los Derechos Humanos, según fray Bartolomé de Las Casas», pp. 293-301.
– BATLLORI, Miguel (S.J.): «Las ideas de Las Casas en la Italia del siglo XVII. (Turín y Venecia como centros de difusión)», pp. 303-317.
– MINGUET, Charles: «Aspectos de Las Casas en el siglo XVIII», pp. 319-326.
– LOHMANN VILLENA, Guillermo: «Tras el surco de Las Casas en el Perú. Una pesquisa sobre las resonancias lascasianas en el Perú durante los siglos XVIII y XIX», pp. 327-351.

(235) VARIOS. Actualidad de Bartolomé de Las Casas. México, Fomento Cultural Banamex, 1975.
La presente obra incluye dos mesas redondas de lascasistas.
En la primera participaron: O'Gorman, García-Gallo, Gómez Robledo, Solano Pérez-Lila, Manrique, Trabulse y León-Portilla, pp. 7-32.
En la segunda: Yáñez, Comas, Ramos Pérez, Villarojas, Morales Padrón, Valdés, Vázquez de Knauth, Pereña y Lira, pp. 33-58.

La obra concluye con el título general arriba indicado, pp. 59-72.

(236) JOURNÉES DE AIX-EN-PROVENCE. *Las Casas et la politique des droits de l'homme.* Gardanne (Aix-en-Provence), Institut d'Etudes Politiques d'Aix. Instituto de Cultura Hispánica, (Publié avec le concours du Centre Natinal de la Recherche Scientifique), 1976.
Reúne las Actas de las ponencias presentadas en la citada localidad francesa, entre los días 12-14 de octubre, 1974, con motivo del V Centenario del nacimiento de Las Casas.

– SAINT-LU, André: «Las Casas et la première crise du colonialisme moderne», pp. 3-9.

– RICARD, Robert: «Lévangelisation du Mexique a l'époque de Las Casas», pp. 10-12.

– ZAVALA, Silvio: «Las Casas ante la encomienda», pp. 13-21. (También en *Cuadernos Americanos,*México, vol. CXCIV, (mayo-junio 1974), nº 3, pp. 143-155).

– LOSADA, Angel: «Ponencia sobre Fray Bartolomé de Las Casas», pp. 22-24.

– LOHMANN VILLENA, Guillermo: «Exponentes del movimiento criticista en el Perú, pp. 45-52.

– CASTALDO, André: «Les 'Questions Péruviennes' de Bartolomé de Las Casas», pp. 53-86.

– MAHN-LOT, Marianne: «Droit des Indiens et devoir de restitution selon Las Casas», pp. 87-91.

– ABRIL CASTELLO, Vidal: «Bartolomé de Las Casas, el último comunero. (Mito y realidad de las utopías políticas lascasianas)», pp. 92-123.

– SORIA, Carlos (O.P.): «Cristianismo, teología y política en Fray Bartolomé de Las Casas», pp. 124-128.

– MURILLO RUBIERA, Fernando: «Bartolomé de Las Casas y los orígenes del derecho de gentes», pp. 131-152.

– PENA, Luno: «Presupuestos histórico-doctrinales de la teoría de la libertad», pp. 153-165.

– MILHOU, Alain: «Radicalisme chrétien et utopie politique», pp. 166-175.

– MECHOULAN, Henry: «À propos de la notion de barbare chez Las Casas», pp. 176-182.

– COSTE, René: «Le droit de guerre à travers Saint Thomas, Vitoria et Las Casas», pp.183-187.

– BRUFAU-PRATS, Jaime: «La aportación de Domingo de Soto a la doctrina de los derechos del hombre y las posiciones de Bartolomé de Las Casas», pp. 188-202.

– ANDRE-VINCENT, Philippe: «La concretisation de la notion classique de droit naturel à travers l'oeuvre de Las Casas», pp. 203-213.

– TURBET-DELOF, Guy: «Las Casas dans la littérature française aux XVIe et XVIIe siècles», pp. 214-220.

– BRAHIMI, Denise: «Las Casas dans la litterature française du XVIIIe siècle», pp. 221-230.

– DUVAL, André: «Las Casas dans l'historiographie dominicaine française aux XVIIe et XVIIIe siècles», pp. 231-234.

– URDANOZ, Teófilo: «Las Casas y Francisco de Vitoria», pp. 235-302.

– MARAVALL, José Antonio: «Communication», pp. 303-304. (Resumen del estudio publicado por dicho autor en *Revista de Occidente,* Madrid, nº 141 (1974), pp. 311-388. [vid. infra nº (411)]).

– GEOUFFRE DE LA PRADELLE, Paul de: «Droit des hommes et conflit armé (1474-1874-1974)», pp. 307-310.

– HERZOG, Marie-Pierre: «Problèmes relatifs a la protection internationale des droits de l'homme», pp. 311-312.

– BIROU, Alain: Las Casas et les nouveaux pouvoirs contre les droits de l'homme», pp. 313-320.

- LALIGANT, Marcel: «Problématique actuelle du droit a la liberté religieuse», pp. 321-344.
- MEYER, Jean-A.: «Le droit des Indiens au Mexique d'aujourd'hui», pp. 345-348.
- DUPUY, René-Jean: «Souveraineté des États et liberté humaine dans l'ordre international», pp. 362-368.
- VILLEY, Michel: «Problématique des droits de l'homme», pp. 369-373.

(237) LASCASISTAS. PRIMER SIMPOSIO INTERNACIONAL DE CHIAPAS, México, Gobierno Constitucional del Estado de Chíapas, 1976.
Dicho Simposio, celebrado los días 27, 28 y 29 de agosto, de 1974, reúne las ponencias de los expertos siguientes:
- YAÑEZ, Agustín: «Fray Bartolomé de Las Casas en Chiapas», pp. 1-25.
- MACLEOD, Murdo J.: «Algunos aspectos de la presencia lascasiana en Centroamérica», pp. 29-41.
- HIDEFUJI, Someda: «Fray Bartolomé de Las Casas en 1542», pp. 43-69.
- SHERMAN, Willian L.: «Por qué Fray Bartolomé de Las Casas tuvo problemas con algunos funcionarios (oficiales), en particular con el Presidente Maldonado y con el Gobernador Contreras», pp. 70-95.
- MEJIA SANCHEZ, Ernesto: «Las Casas en Nicaragua», pp. 96-107.
- HILTON, Ronald: «El Padre Las Casas, el castellano y las lenguas indígenas», pp. 107-113. (También en *Cuadernos Hispanoamericanos,* Madrid, 331, (enero 1978), pp. 123-128.
- RUIZ MALDONADO, Enrique: «Proselitismo cristiano, libertad religiosa y justicia en la obra de Bartolomé de Las Casas», pp. 114-163.
- HAMER, Thomas: «¿Podían ser realizadas las ideas de Fray Bartolomé de Las Casas?», pp. 164-175.
- GONZALEZ CALZADA, Manuel: «Las Casas en la actualidad», pp. 176-184.
- POOLE, Stafford: «El pensamiento de Las Casas y los problemas contemporáneos de justicia social», pp. 185-202.
- BATAILLON, Marcel: «Las Casas, ¿un profeta?», pp. 203-218. (También en *Revista de Occidente,* Madrid, nº 141 (1974), pp. 279-291). [Vid. infra nº (264)]).
- LOSADA, Angel: «Fray Bartolomé de Las Casas miembro insigne de la Escuela de Derecho Internacional de Salamanca. Su obra inédita 'Apología', pp. 219-262.
- HANKE, Lewis: «Una palabra», pp. 263-270.

(238) IBERO-AMERIKANISCHES ARCHIV. Berlín, Jahrgang, 3; heft 2 (1977), pp. 83-232.
Número dedicado, básicamente, a Las Casas; su contenido ha sido consultado en *Cuadernos Hispanoamericanos,* Madrid, CXI, (marzo 1978), nº 333, pp. 523-528, cuyos trabajos desglosa Celestino del Arenal:
- MARCUS, Raymond: «El primer decenio de Las Casas en el Nuevo Mundo», pp. 87-122.
- OTTE, Enrique: «Un episodio desconocido de la vida de los cronistas de Indias, Bartolomé de Las Casas y Gonzalo Fernández de Oviedo», pp. 123-133.
- CANTU, Francesca: «Esigenze di giustizia e politica coloniale: una 'Peticion' inedita di Las Casas all'Audiencia de los Confines», pp. 135-165.
- MAHN-LOT, Marianne: «L'oidor Tomás López: Divergences et convergences avec les positions de Las Casas», pp. 167-176.
- QUERALTO MORENO, Ramón: «Fundamentación filosófica del derecho de libertad religiosa en el pensamiento de Bartolomé de Las Casas», pp. 177-192.
MARCUS, Raymond: «La conquête de Cholula: conflit d'interpretations», pp. 193-213.
- MUSTAPHA, Monique: «Encore le 'Parecer de Yucay': essai d'attribution», pp. 215-229.
- MARCUS, Raymond: «Compte rendu: Publications recentes sur le débat Las Casas-Sepúlveda», pp. 231-232.

(239) MELANGES DE LA BIBLIOTHEQUE ESPAGNOLE. PARIS, 1977-1978. Madrid, Ministerio de Asuntos Exteriores, Dirección General de Relaciones Culturales, 1982.

La segunda parte de este volúmen, bajo la rúbrica «Bartolomé de Las Casas devant les historieurs d'aujourd'hui», incluye los siguientes trabajos:

– MAHN-LOT, Marianne: «Bartolomé de las Casas homme de l'Évangile et homme politique», pp. 205-211.

– PEREZ, Joseph: «Las Casas 'comunero'», pp. 213-218.

– SAINT-LU, André: «Las Casas polémiste», pp. 219-229.

– MILHOU, Alain: «Prophétisme et critique du système seigneurial et des valeurs aristocratiques chez Las Casas», pp. 231-251.

– RAMOS, Demetrio: «Ampiés, en el 'Mamparo' de indios: un contemporáneo de la empresa de Las Casas en Tierra Firme», pp. 253-272.

– ANDRE-VINCENT, Philippe: «Le réalisme de Fray Bartolomé de Las Casas», pp. 273-277.

– LOSADA, Angel: «Principales fuentes medievales francesas y españolas del pensamiento de Fray Bartolomé de Las Casas. ('Durandus'. 'Paludamus'. 'Tostatus')», pp. 279-293.

(240) ACTAS DEL PRIMER SIMPOSIO SOBRE 'LA ETICA EN LA CONQUISTA DE AMERICA (1492-1573)'. Salamanca, Excmo. Ayuntamiento y Excma. Diputación Provincial de Salamanca, 1984.

Ponencias que con motivo del V Centenario del Descubrimiento de América se celebraron en Salamanca, entre los días 2-5 de noviembre, de 1983. Referimos a continuación las dedicadas al tema que nos ocupa:

– MURILLO RUBIERA, Fernando: «La conquista de América y el derecho de gentes», pp. 9-33.

– CASTAÑEDA DELGADO, Paulino: «La ética de la conquista en el momento del Descubrimiento de América», pp. 37-75.

– GARCIA GARCIA, Antonio: «La ética de la conquista en el pensamiento español anterior a 1534», pp. 77-104.

– HERA PEREZ-CUESTA, Alberto de la: «La ética de la conquista de América en el pensamiento europeo anterior a Vitoria», pp. 104-130.

– RAMOS, Demetrio: «Las conquistas americanas anteriores a 1534, a la luz de la ética oficial», pp. 131-153.

– LUCENA, Manuel: «Crisis de la conciencia nacional: las dudas de Carlos V», pp. 157-176.

– PEREÑA, Luciano: «Respuestas universitarias a la duda indiana», pp. 177-199.

– HERNANDEZ, Ramón: «Revisionismo de Francisco de Vitoria: Hipótesis de la conquista», pp. 201-221.

– BRUFAU-PRATS, Jaime: «La primera generación de la Escuela de Salamanca: Soto, Cano, Covarrubias», pp. 223-238.

– PEREZ FERNANDEZ, Isacio: «Análisis extrauniversitario de la Conquista de América en los años 1534-1549», pp. 239-265.

– GONZALEZ RODRIGUEZ, Jaime: «Planteamiento oficial de la crisis: la Junta de Valladolid y la suspensión de las conquistas (1549-1556)», pp. 269-284.

– ABRIL CASTELLO, Vidal: «La bipolarización Sepúlveda-Las Casas y sus consecuencias: La Revolución de la Duodécima réplica», pp. 285-313.

– BACIERO, Carlos: «La segunda generación de teólogos salmantinos», pp. 315-337.

– CEREZO, Prometeo: «Influencia de la Escuela Salmantina en el pensamiento americano», pp. 429-453.

– BORGES MORAN, Pedro: «Posturas dentro de la Iglesia americana», pp. 456-474.

– PEREZ-PRENDES, José Manuel: «La solución legal de la 'Duda Indiana'», pp. 493-510.

– MURO OREJON, Antonio: «Normas de justicia en las guerras contra los indios», pp. 547-564.

E. MONOGRAFIAS DE REVISTAS Y LIBROS, SEPARATAS, CONFERENCIAS

(241) ABELLAN, José Luis. *Historia crítica del pensamiento español: La Edad de Oro. (T. II).* Madrid, Espasa-Calpe, 1979. Bajo la rúbrica general «B) El Descubrimiento de América», véanse los capítulos: IV-3: «La experiencia de Vera Paz del Padre Las Casas», pp. 339-403; V: «Los orígenes españoles del mito del 'buen salvaje'. Fray Bartolomé de Las Casas y su antropología utópica», pp. 407-409. (Publicado también en *Revista de Indias,* Madrid, nº 145-146 (julio-diciembre 1976), pp. 157-179); VI: «El derecho al dominio indiano o de la soberanía española en América», pp. 429-448; VII: «La legitimidad de la guerra», pp. 449-459; VII: «Sobre la naturaleza del indio», pp. 460-474; IX: «La controversia Sepúlveda-Las Casas: Junta de Valladolid», pp. 475-490; X: «La 'leyenda negra': imagen histórica de Las Casas», pp. 491-502.

(242) ABRIL, Vidal, «¿Las Casas, comunero? El sacro imperio hispánico y las comunidades indoamericanas de base», *Revista de la Facultad de Derecho de la Universidad Complutense,* Madrid, nº 17, (1973), pp. 485-527. (También en *Anuario de Filosofía del Derecho,* T. XVIII, (1975), pp. 353-369.

(243) ———, «Bartolomé de Las Casas en 1976: Balance y perspectivas de un Centenario», *Arbor,* Madrid, T. XCIII. (enero 1976), nº 361, pp. 27-46.

(244) ———, «Bartolomé de Las Casas y la Escuela de Salamanca», en *De Bello contra Insulanos de España en América,* de Juan Pérez de Mesa. Madrid, CSIC, (Corpus Hispanorum de Pace, X), 1982, pp. 489-518.

(245) ———, «Bartolomé de Las Casas y la segunda generación de la Escuela de Salamanca», *Revista de Filosofía,* Madrid, 2ª serie, 4 (1983), pp. 5-19.

(246) ACEVEDO, Edberto Oscar, «Fray Bartolomé de Las Casas en la interpretación de Carlos Pereyra», *Anuario de Estudios Americanos,* Sevilla, Vol. XXXI, (1974), pp. 1-32.

(247) ALBORES G., E.J., «Fray Bartolomé en Chiapas», *Organo de Divulgación Cultural del Instituto de Ciencias y Artes de Chiapas,* México, 11 (julio-diciembre 1963), pp. 48-60.

(248) ALONSO CORTES, Narciso, «Fray Bartolomé de Las Casas en Valladolid», *Revista de Indias,* Madrid, Vol.I (1940), 2, pp. 105-111.

(249) ALVAREZ LOPEZ, Enrique, «El saber de la naturaleza en el Padre Las Casas», *Boletín de la Real Academia de la Historia,* Madrid, 132:2 (abril-junio 1953), pp. 201-230.

(250) ANDERSON-IMBERT, Enrique, «Un episodio quijotesco en el Padre Las Casas», en *Estudios sobre escritores de América.* Buenos Aires, Raigal (Biblioteca Juan María Gutiérrez), 1954.

(251) ANDRE-VINCENT, Philippe (O.P.). *Fray Bartolomé de Las Casas y los Derechos del Hombre.* Madrid, Cultura Hispánica, 1978, 22 pp. (Conferencia).

(252) ———, Le concept juridique de chose dans la pensée de Las Casas, *Archives de Philosophie du Droit,* París, 26, 1981, pp. 253 y ss.

(253) ANONYMOUS, «La locura de fray Bartolomé de Las Casas», *Revista Hispanoamericana de Ciencias, Letras y Artes,* Madrid, VI, (septiembre-octubre 1927), pp. 284-290.

(254) ANZOATEGUI, Ignacio B., «Fray Bartolomé de Las Casas», en *Vidas de payasos ilustres,* Madrid, Ed. R.A.D.A.R., 1948, pp. 39-46.

(255) ARENAL, Celestino del, «La teoría de la servidumbre natural en el pensamiento español de los siglos XVI y XVII», *Historiografía y Bibliografía Americanistas,* Sevilla, vols. XIX-XX, (1975-76), pp. 67-124.

(256) ———, «Las Casas y su concepción de la sociedad internacional», *Estudios de Deusto,* Bilbao, XXV, (enero-junio 1977), pp. 27-54.

(257) ARIZA, S. y ALBERTO, E., «Notas y textos: acotaciones sobre Fray Bartolomé de las Casas», *Missionalia Hispanica,* (C.S.I.C. Instituto «Santo Toribio de Mogrovejo»), Madrid, Año 34, (1977), nº 100/107, pp. 333-334.

(258) AVALLE-ARCE, Juan Bautista, «Las hipérboles del Padre Las Casas», *Revista*

de la *Facultad de Humanidades,* (Universidad Autónoma de San Luis de Potosí), México, T. II, (enero-marzo 1960), n° 1, pp. 33-55.

(259) BALLESTEROS GAIBROIS, Manuel, «Fr. Bartolomé de las Casas y su obra misionera en América», *Misiones Extranjeras,* Burgos, Vol. VI, (enero-junio y julio-diciembre 1958-1959), nums. 21, 22, 23 y 24, pp. 129-137. Hay tirada aparte. (Conferencia de clausura de la XI Semana Intensiva de Orientación Misional.

(260) ———, «En torno al Padre Las Casas», *Cuadernos Hispanoamericanos,* Madrid, 238-240, (octubre-diciembre 1969), pp. 556-567. Hay tirada aparte.

(261) ———. *En el centenario del P. Las Casas: revisión de una polémica.* Madrid, Fundación Universitaria Española, 1974. (Conferencia pronunciada en la F.U.E., el 25 de abril de 1974).

(262) BARNADAS, Josep M., «Una contribución a la historia del lascasismo», *Historia y Cultura,* (Universidad de Bolivia), La Paz, 2, (1974), pp. 35-62.

(263) BATAILLON, Marcel, «Zumárraga, reformador del clero seglar. (Una carta inédita del primer obispo de México)», *Historia Mexicana,* México, vol. III, (julio-setiembre 1953), n° 1, pp. 1-10.

(264) ———, «Las Casas, ¿un profeta?, *Revista de Occidente,* Madrid, n° 141 (diciembre 1974), pp. 279-291.

(265) ———, «Las Casas face à la pensée d'Aristote sur l'esclavage», en *Platon et Aristote à la Renaissance.* París, 1976, pp. 403-420. (Obra colectiva).

(266) BAYLE, Constantino (S.J.), «¿Dónde y cuándo se ordenó Bartolomé de Las Casas?», *Missionalia Hispanica* (C.S.I.C. Instituto «Santo Toribio de Mogrovejo»), Madrid, n° 1, (1944), pp. 356-360.

(267) ———, «Valor histórico de la 'Destrucción de las Indias'», *Razón y Fe,* Madrid, año 52, vol. 147, (abril 1953), n° 4 (663), pp. 379-391.

(268) BELL, Aubrey F.G., «Liberty in sixteenth century Spain», *Bulletin of Spanish Studies,* (Liverpool University Press), Liverpool, 10 (1933), pp. 164-179.

(269) BELTRAN DE HEREDIA, Vicente (O.P.), «El Maestro Domingo de Soto en la controversia de Las Casas con Sepúlveda», *La Ciencia Tomista,* Salamanca, año XXIV, T. XLV, (enero-junio, 1932 y julio-diciembre, 1932), Núms. 133 y 134, pp. 35-49 y 177-193, respectivamente.

(270) BERMEJO DE CAPDEVILLA, Mª Teresa, «Fundación. La Créole dona a la Academia Nacional de Historia (de Venezuela) un valioso manuscrito del P. Las Casas, el generoso protector de los indios», *Boletín de la Academia Nacional de la Historia,* Caracas, vol. XLI, (1958), pp. 108-116.

(271) BIERMANN, Benno M, «Zwei Briefe von Fray Bartolomé de Las Casas», *Archivum Fratum Praedicatorum,* Roma, 4, (1934), pp. 187-220.

(272) ———, «Der Kampf des Fray Bartolomé de Las Casas um die Menschenrechte der Indianer», *Die Neue Ordnung,* Heidelberg (Alemania), año II, (1948), pp. 27-39.

(273) ———, «Fray Bartolomé de Las Casas und die Gründung der Mission in der Verapaz (Guatemala)», *Neue Zeitschrift für Missionswissenschaft,* Jahrgang, 16, (1960), pp. 110-123; 161-177.

(274) ———, «Las Casas - Ein Geisteskranker?», *Zeitschrift für Missionswissenschaft und Religions-wissenschaft,* Lucerne (Suiza), 48, (1964), 3, pp. 176-191.

(275) ———, «Las Casas und seine Sendung, Das Evangelium und die Rechte des Menschew», *Walberberger Studien der Albertus-Magnus-Akademie* (Theologische Reihe, Matthias-Grünewald Verlag), Mainz, 5, (1968).

(276) *BOLETIN del IV Centenario de la muerte de Fray Bartolomé de Las Casas,* San Cristóbal de Las Casas, Chiapas, n° 1, (mayo, 1966).

(277) BRICE, Angel Francisco, «Simón Bolívar y fray Bartolomé de Las Casas ante sus críticos», *Boletín Histórico,* (editado por la Fundación John Boulton), Caracas, 19, (enero, 1969), pp. 5-88.

(278) BRODA, Johanna, «Algunas notas sobre crítica de fuentes del México Antiguo. Relaciones entre las crónicas de Olmos, Motolinía, Las Casas, Mendieta y Torquemada», *Revista de Indias,* Madrid, núms. 149-150, (1975), pp. 639-677.

(279) BRYANT, Solena V., «Vieira e Las Casas em face do indianismo», *Revista Tri-*

mestral do Instituto Histórico e Geográfico Brasileiro, Rio de Janeiro, 290, (jan-março, 1971), pp. 3-21.

(280) BURRUS, Ernest (S.J.), «Las Casas and Veracruz: Their Defence of the American Indians compared», *Neue Zeitschrift für Missionswissenschaft,* Beckenried (Suiza), XXII, (1966), nº 3, pp. 201-212. (Versión española en *Estudios de Historia Novohispana* (Universidad Nacional Autónoma de México), México, 2, (1968), pp. 9-24).

(281) CADDEO, Rinaldi, «Sobre Fernando Colón y el P. Las Casas», *Nosotros,* Buenos Aires, LXIX, (1928), pp. 106-111.

(282) CALDERON QUIJANO, José Antonio, «Colón, sus cronistas e historiadores en Menéndez Pelayo», *Anales de la Universidad Hispalense,* Sevilla, vol. XVII, (1964), pp. 21-24.

(283) ——, «Don Manuel Giménez Fernández: Estudio biográfico-doctrinal», *Anuario de Estudios Americanos* (Homenaje a Manuel Giménez Fernández), Sevilla, vol. XXIII, (1966), pp. XVII-XXXVI.

(284) CALLE ITURRINO, Esteban. *La Leyenda Negra no se ha extinguido.* Madrid, Fundación Universitaria Española, 1976. (Conferencia pronunciada en la F.U.E. el 15 de enero de 1976).

(285) CANTU, Francesca, «Per un rinovamento della coscienza pastorale del cinquecento: Il vescovo Bartolomé de Las Casas ed il problema indiano», *Annuario dell'Istituto Storico Italiano,* Roma, 25-26, (1973-74), pp. 1-118.

(286) CARASALLI, Settimo, «Il concetto di guerra giusta», *Rassegna bibliográfica delle scienze giuridiche, sociali e politiche,* Napoli (Italia), anno 5, (1930), pp. 5-17.

(287) CARBIA, Rómulo D., «La historia del descubrimiento y los fraudes del P. Las Casas», *Nosotros,* Buenos Aires, LXXII, (1931), pp. 139-152.

(288) CARBONELL BASSET, Delfin, «En torno al P. Las Casas con don Ramón Menéndez Pidal», *Duquesne Hispanic Review,* Pittsburgh (Pennsylvania), año II, (1963), nº 2, pp. 107-113.

(289) CARREÑO, Antonio, «Una guerra *sine dolo et fraude:* el Padre Las Casas y la lucha por la dignidiad del indio en el siglo XVI», *Cuadernos Americanos,* México, 193, (marzo-abril, 1974), 2, pp. 119-139.

(290) CARRO, Venancio (O.P.), «Bartolomé de Las Casas y las controversias teológico-jurídicas de las Indias», *Boletín de la Real Academia de la Historia,* Madrid, 132, (abril-junio, 1953), pp. 231-264.

(291) ——. *Carta abierta a Don Ramón Menéndez Pidal. Anotaciones a su conferencia sobre Las Casas (23-IX-1962).* Madrid, Imp. Juan Bravo, 3, 1962.

(292) ——, «La obra de Menéndez Pidal sobre Las Casas», *La Ciencia Tomista,* Salamanca, 92, (1965), pp. 22-35.

(293) ——, «Bartolomé de Las Casas y la lucha entre dos culturas: cristianismo y paganismo», *Anales de la Real Academia de Ciencias Morales y Políticas,* Madrid, XVIII, (1966), pp. 205-272.

(294) CASTAÑEDA DELGADO, Paulino, «Bartolomé de Las Casas y Juan Ginés de Sepúlveda. Sus pecados 'contra natura'», en *La Teocracia Pontifical y la conquista de América,* (Cap. XVI). Vitoria, Ed. Eset (Seminario Diocesano; Victoriensia, Publicaciones del Seminario de Vitoria, vol. 25), 1968, pp. 357-398.

(295) CASTILLO FERRERAS, Víctor M., «Presencia de Fray Bartolomé. Una breve antología», *America Indígena,* México, vol. XXVI, (octubre 1966), nº 4, pp. 373-386.

(296) CASTRO, Américo, «Fray Bartolomé de Las Casas o Casaus», en *Mélanges a la mémoire de Jean Sarrailh.* París, Centre de Recherches de l'Institut d'Études Hispaniques, vol. I, (1966), pp. 211-243. También en la obra *Cervantes y los casticismos españoles.* Barcelona, Alfaguara, 1966. Nueva edición castellana en Madrid, Alianza Editorial (Col. Libro de Bolsillo, 494), 1974.

(297) CASTRO LEAL, Antonio, «Fray Bartolomé de Las Casas en Oxford», *Memoria del Colegio Nacional,* México, V (1962), nº 1, pp. 49-51. (Comentario sobre el I Congreso Internacional de Hispanistas, celebrado en Oxford, septiembre de 1962).

(298) COMAS, Juan, «Los detractores del Protector Universal de Indios y la realidad histórica», *Ensayos sobre Indigenismo,* (Instituto Indigenista Interamericano), México, (1953), pp. 201-224. Asimismo en *Miscelánea de Estudios dedicados al Doctor Fernando Ortiz,* La Habana, 1955 y en *Historia y Sociedad,* México, (primavera 1966), pp. 20-39.

(299) ──, «Las Casas, Menéndez Pidal y el indigenismo», *América Indígena* (Instituto Indigenista Interamericano), México, XXVIII, (abril 1968), n° 2, pp. 437-460.

(300) ──, «Fray Bartolomé, la esclavitud y el racismo», *Cuadernos Americanos,* México, 205, (marzo-abril 1976), n° 2, pp. 145-152.

(301) CRUZ, Salvador, «Fray Bartolomé, nuevo punto de partida», *Horizontes,* México, año IX (15 enero, 1966), n° 45, pp. 16-19.

(302) ──, «El Padre Las Casas y la literatura de la Independencia en México», *Anuario de Estudios Americanos,* Sevilla, XXIV, (1967), pp. 1621-1639. (Homenaje a Giménez Fernández).

(303) CHACON Y CALVO, José María, «La experiencia del indio. ¿Un antecedente a las doctrinas de Vitoria?», *Anuario de la Asociación Francisco de Vitoria,* Madrid, V/1932-1933, (1934), pp. 203-225.

(304) CHARLES, Pierre (S.J.), «Las Casas et les Indiens», *Les Dossiers de l'Action Missionaire,* Bruselas-Lovaina, vol. I, (1939), fasc. 4, dossier n° 61, pp. 255-258, 2ª ed.

(305) CHAUNU, Pierre, «Las Casas et la première crise structurelle de la colonisation espagnole (1515-1523)», *Revue Historique,* París, CCXXIX, (enero-marzo 1963), pp. 59-102.

(306) ──, «Francisco de Vitoria, Las Casas et la querelle des justes titres», *Bibliothèque d'Humanisme et de Renaissance,* Genève, XXIX, (1967), n° 2, pp. 485-494.

(307) DIAZ DE ARCE, Omar, «Significación histórica del Padre Las Casas», *Cuadernos Americanos,* México, 162 (enero-febrero 1969), n° 1, pp. 159-171. También en *Ensayos Latinoamericanos* (Casa de las Américas), La Habana (1971), pp. 13-34.

(308) DIAZ DEL CASTILLO, Bernal, «Carta de..., dirigida a Fray Bartolomé de Las Casas», *Anales de la Sociedad de Geografía e Historia de Guatemala,* Guatemala, T. XVII (1942),pp. 430-432.

(309) DIAZ DURAN, José Constantino, «Breve noticia de fray Bartolomé de las Casas», *Anales de la Sociedad de Geografía e Historia de Guatemala,* Guatemala, T. XIX (1943), n° 1, pp. 8-19.

(310) DIEZ DE MEDINA, Fernando, «Una polémica que dura cuatro siglos: el Padre Las Casas y el último libro de don Ramón Menéndez Pidal», *Cuadernos Americanos,* México, XXIII (enero-febrero 1964), 132: 1, pp. 121-128. También en *Cuadernos,* París, n°80 (enero 1964), pp. 8-12.

(311) DOERIG, J.A., «Las Casas como fenómeno histórico», *Folia Humanística,* Barcelona, V (1967), pp. 41-52.

(312) DRIDZO, A.D., y KUDU, E.O., «Bartolomé de las Kasas y Georg Friedrich Parrot (K vopro su ob otsenke Las-Kasasa v Rossii», *Bartolomé de Las-Kasas. K Istorii Zavoevaniia Ameriki,* Moscow (1966), pp. 125-140.

(313) DUFOUR, Gerard, «L'éditeur de Las Casas», en *Juan Antonio Llorente en France (1813-1822). Contribution à l'étude du Liberalisme chrétien en France et en Espagne au début du XIXᵉ siècle.* (Cap. IV), Genève, Librairie Droz, 1982.

(314) DUSSEL, Enrique, «Bartolomé de Las Casas (1474-1566). En el quinto centenario de su nacimiento», en *Desintegración de la cristian ad colonial y liberación. Perspectiva latinoamericana.* Salamanca, Ed. Sígueme, 1978, pp. 139-145.

(315) ──, «Núcleo simbólico lascasiano como profética crítica al imperialismo europeo», en *Desintegración...,* pp. 146-150. (Ponencia del XLI Congreso Internacional de Americanistas, México, 1974).

(316) ENZENSBERGER, Hans Magnus, «Las Casas y Trujillo», *Cuadernos de la Revista de la Casa de las Américas,* La Habana, 1969, 82 pp.

210

(317) ETCHEVERRY, M., «Sur deux lettres de Bartolomé de Las Casas», *Bulletin Hispanique*, Bordeaux, XLIII (1941), pp. 162-179.

(318) FERRER DE COUTO, José, «Fray Bartolomé de Las Casas», *Cultura Hispanoamericana*, Madrid, IV (1915): enero, pp. 6-14; febrero, pp. 23-28; marzo, pp. 7-9; mayo, pp. 12-18.

(319) FOLLIET, Joseph, «Bartolomé de Las Casas, Père des Indiens», en *Le droit de colonisation*, (Cap. I), Paris, s.f. (avant-propos de 1930), pp. 18-49.

(320) FRIEDE, Juan, «Las Casas y el movimiento indigenista en España y América, en la primera mitad del siglo XVI», *Revista de Historia de América*, México, 34, (1952), pp. 339-411.

(321) ——, «Fray Bartolomé de Las Casas, exponente del movimiento indigenista español del siglo XVI», *Revista de Indias*, Madrid, Año XIII (1953), nº 51, pp. 25-55,

(322) ——, «Die Franziskaner im Nuevo Reino de Granada und die indigenistische Bewegung des 16. Jahrunderts», *Saeculum*, Friburg-Munich, VIII (1957), pp. 372-381. Versión castellana en *Bulletin Hispanique*, Bordeaux, LX (1958), nº 1, pp. 5-29.

(323) ——, «La censura española del siglo XVI y los libros de Historia de América», *Revista de Historia de América*, México, 47, (1959), pp. 45-94.

(324) ——, FRIEDEMAN, Nina S. de y FAJARDO, Darío, *Indigenismo y aniquilamiento de indígenas en Colombia.* Bogotá, Universidad Nacional de Colombia, Facultad de Ciencias Humanas, Dpto. de Antropología, 1975, 59 pp.

(325) GALLARDO, Ricardo, «La obra de Las Casas vista por un jurista», *Cuadernos Americanos*, México, 147, (julio-agosto 1966), nº 4, pp. 161-171.

(326) GALLEGO, Alejandro (O.P.), «Carlos V, Bartolomé de Las Casas y las Leyes de Indias», *España Misionera*, Madrid, XIV, (1958), núms. 59-60, pp. 325-346.

(327) GARCIA-GALLO, Alfonso, *Las Casas, jurista.* Madrid, Instituto de España, 1975. (Sesión de apertura del Curso Académico 1974-75).

(328) GARCIA MAYO, Manuel, «Los abolicionistas del siglo XVI», *Revista Bimestre Cubana*, La Habana, 39, (enero-febrero 1937), pp. 46-63.

(329) GARCIA VILLOSLADA, Ricardo, «Un teólogo olvidado: Juan Maior», *Estudios Eclesiásticos*, Madrid, 15, (1936), pp. 83-118.

(330) GARIBAY, Angel María, «Todavía fray Bartolomé de Las Casas», *Lectura*, México, nº1, (1964), pp. 18-23.

(331) ——, «Menéndez Pidal y Fray Bartolomé. II: Dos en uno», *Abside*, México, XXX, (octubre-diciembre 1966), nº 4, pp. 431-437. [Vid nº (523)].

(332) GAY CALBO, Enrique, «Discurso sobre Fray Bartolomé de Las Casas», *Boletín del Archivo Nacional*, La Habana, Año XLI, (enero-diciembre 1942), núms. 1-6, pp. 100-106. (Memoria del I Congreso Internacional de Archiveros, Bibliotecarios y Conservadores de Museos del Caribe).

(333) ——, «Fray Bartolomé de Las Casas», *Revista de La Habana*, La Habana, T. II, (1943), nº 10, pp. 392-400.

(334) GIMENEZ FERNANDEZ, Manuel, «Las Casas y el Perú. Ensayo crítico acerca de las noticias y juicios que respecto al descubrimiento y conquista del Perú formula en sus escritos Fray Bartolomé de Las Casas», *Documenta*, Lima, Año 2, (1951), nº 1, pp. 343-377.

(335) ——, «La juventud en Sevilla de Bartolomé de Las Casas (1474-1502)», en *Miscelánea de Estudios dedicados al Doctor Fernando Ortiz*, La Habana, T. II, (1956), pp. 670-717.

(336) ——, «Ultimos días de Bartolomé de las Casas», *Miscellánea Paul Rivet Octogenario Dicata.* México (U.N.A.M.), Vol. II, (1958), pp. 701-715.

(337) ——, «Influencia del criticismo lascasiano en la política indiana de Carlos V», *Anuario de la Asociación Francisco de Vitoria*, Madrid, XIII, (1960-61), pp. 67-94.

(338) ——, «Sobre Bartolomé de Las Casas», *Anales de la Universidad Hispalense*, Sevilla, XXIV, (1964), pp. 1-66. Véase también en *Actas y Memorias del XXXVI*

Congreso Internacional de Americanistas, Sevilla, vol. IV, (1966), pp. 71-129. (Comunicación presentada en el citado Congreso, celebrado en Sevilla en 1964).

(339) ——, «El Perú, Las Casas y Menéndez Pidal», *Mercurio Peruano,* Lima, LXVIII, (1964), núms. 451-452, pp. 29-35.

(340) GOMEZ CANEDO, Lino (O.F.M.), «Bartolomé de Las Casas y sus amigos franciscanos», en *Libro Jubilar de Emeterio S. Santovenia.* La Habana, 1957, pp. 75-84.

(341) ——, «La cuestión de la racionalidad de los indios en el siglo XVI (Nuevo examen crítico)», *Actas y Memorias del XXXVI Congreso Internacional de Americanistas,* Sevilla, vol. IV, (1966), pp. 157-165. (Comunicación presentada en el citado Congreso, celebrado en Sevilla en 1964). Reelaborado en: «¿Hombres o bestias? (Nuevo examen crítico de un viejo tópico)», *Estudios de Historia Novohispana,* México, I, (196?), pp. 29-51.

(342) GONZALEZ RODRIGUEZ, Jaime, «Sobre naturaleza e historia en Las Casas», *Revista de Indias,* Madrid, XXXIX, (1979), núms. 155-158, pp. 329-336.

(343) GONZALEZ SANTOS ROMAÑACH, Berta, «La huella de Fray Bartolomé de Las Casas», *Anales de la Sociedad de Geografía e Historia de Guatemala,* Guatemala, T. XXX, (1957), núms. 1/4, pp. 149-154.

(344) GOYAU, Georges, «L'église catholique et le droit des gens», *Récueil des Cours-Académie du Droit International,* París, I, (1925), pp. 127-239.

(345) GOYTISOLO, Juan, «Menéndez Pidal y el Padre Las Casas», en *Furgón de Cola,* París, Ruedo Ibérico, 1967, pp. 141-164.

(346) GRIGULEVICH, I., «Fray Bartolomé de Las Casas, enemigo de los conquistadores», *Historia y Sociedad,* México, 5, (1966), pp. 40-52.

(347) GROS ESPIELL, Héctor, «En el V Centenario de Las Casas. Vitoria en la controversia Sepúlveda-Las Casas», *Humanitas* (Anuario del Centro de Estudios Humanísticos de la Universidad Autónoma de Nuevo León), Monterrey, 1975, pp. 705-715.

(348) GRUPO GUAMA:
   – MORALES PATIÑO, Oswaldo, «¿Dónde estuvo la encomienda del Padre Las Casas?», pp. 239-242.
   – CANCELA FEMENIAS, Pedro, «Algo más sobre la encomienda del Padre Las Casas», pp. 247-258.
   Ambos en *Revista de Arqueología y Etnología,* La Habana, 2ª Epoca, año VII (enero-diciembre 1952), núms. 15-16. (Antonio GONZALEZ MUÑOZ es el tercer componente del citado Grupo Guamà; la imposibilidad de consultar directamente esta Revista nos obliga a dejar la cita incompleta, si bien tenemos constancia de su colaboración en este mismo número, dedicada también a la encomienda de Las Casas).

(349) GUILLEN, Claudio, «Un padrón de conversos sevillanos, 1510», *Bulletin Hispanique,* Bordeaux, LXV, (1963), nº 1-2, pp. 49-98.

(350) GUTIERREZ RODRIGUEZ, Antonio (O.P.), «El 'Confesionario' de Bartolomé de Las Casas», *La Ciencia Tomista,* Salamanca, año LXVI, T. CII, (1975), nº 333, pp. 249-278.

(351) HANKE, Lewis, «The First Social Experiments in America: A study in the development of Spanish Indian policy in the sixteenth century», en *Actas del XXVI Congreso Internacional de Americanistas.* Nendeln (Liechtenstein), Kraus Reprint, 1976, pp. 128-141. (Congreso celebrado en Sevilla en 1935. Vid. nº (230)).

(352) ——, «Las teorías políticas de Bartolomé de Las Casas», *Publicaciones del Instituto de Investigaciones Históricas* (Facultad de Filosofía y Letras), Buenos Aires, nº 67, (1935), 65 pp.

(353) ——, «A aplicaçao do 'Requerimiento' na América espanhola», *Revista do Brasil,* Río de Janeiro, (septiembre 1938), pp. 231-248.

(354) ——,«The 'Requerimiento' and its interpreters», *Revista de Historia de América,* México, nº 1, (1938), pp. 25-34.

(355) ——, «The development of regulations for 'conquistadores'», en *Contribuciones*

para el estudio de la Historia de América. Homenaje al doctor Emilio Ravignani. Buenos Aires, 1941, pp. 71-87.

(356) ——, «Un festón de documentos lascasianos», *Revista Cubana,* La Habana, XVI, (1941), pp. 150-211.

(357) ——, «La controversia entre Las Casas y Sepúlveda en Valladolid, 1550-1551», *Universidad Católica Bolivariana,* Medellín (Colombia), 8, (1942), pp. 65-97.

(358) ——, «Interpretación de la obra y significación de Bartolomé de Las Casas, desde el siglo XVI hasta el presente», *Boletín Latinoamericano,* México, (1949), pp. 295-300.

(359) ——, «What still needs to be done on the life and works of Bartolomé de Las Casas (1474-1566)», *Estudios Hispánicos. Homenaje a Archer M. Huntington.* Wellesley (Mass.), 1952, pp. 229-232.

(360) ——, «Bartolomé de Las Casas, an essay in hagiography and historiography», *The Hispanic American Historical Review,* Durham (North Carolina), T. XXXIII, (febrero 1953), pp. 136-151. [Vid. n° (230)].

(361) ——, «Bartolomé de Las Casas and the Spanish Empire in America: four centuries of misunderstanding», *Proceedings of the American Philosophical Society,* Philadelphia, T. CXVII, (1953), n° 1, pp. 26-30.

(362) ——, «Was Bartolomé de Las Casas a scholar?», en *Miscelánea de Estudios dedicados al Doctor Fernando Ortiz,* La Habana, 1956, 6 pp.

(363) ——, «Aristóteles y América hasta 1550», *Paideia,* Caracas, 1, (1960), n° 1, pp. 17-30.

(364) ——, «En torno a Fray Bartolomé de Las Casas. Polémica epistolar entre don Ramón Menéndez Pidal y el doctor Lewis Hanke», *La Gaceta,* México, X, (marzo 1963), n° 4. Véase también en *Mercurio Peruano,* Lima, (enero-febrero 1964), pp. 53-57.

(365) ——, «More Heat and Some Light on the Spanish Struggle for Justice in the Conquest of America», *The Hispanic American Historial Review,* Durham (North Carolina), XLIV, (1964), n° 3, pp. 293-340. Versión española: «Más polémica y un poco de verdad acerca de la lucha española por la justicia en la conquista de América», *Revista Chilena de Historia y Geografía,* Santiago de Chile, n° 134, (1967), pp. 5-66.

(366) ——, «Don Ramón Menéndez Pidal and Fray Bartolomé de Las Casas», *Documenta,* Lima, 4, (1965),n° 1, pp. 345-358.

(367) ——, «Ramón Menéndez Pidal contra Bartolomé de Las Casas», *El Libro y el Pueblo,*México, Epoca V, (junio 1965), n° 5, pp. 12-40.

(368) ——, «Fray Bartolomé de Las Casas: bibliófilo y letrado», *Universidad Pontificia Bolivariana,* Medellín (Colombia), XXVIII, (1966), pp. 401-426.

(369) ——, «Bartolomé de Las Casas: hoy y mañana», *Revista Nacional de Cultura.* (Ministerio de Educación, Instituto Nacional de Cultura y Bellas Artes), Caracas, 28, (septiembre-octubre 1966), 177, pp. 109-112.

(370) ——, «All The Peoples of the World are Men. The disputation between Bartolomé de Las Casas and Juan Ginés de Sepúlveda in 1550 on the intellectual and Religions capacity of the American Indians», *The James Foud Bell Lectures* (University of Minnesota), Minneapolis, n° 8, (1970).

(371) ——, «Paranoia, polemics and polarization: some comments on the fourhundredth anniversary of the death of Bartolomé de Las Casas», *Ibero-Americana Pragensia.* (Universidad Carolina de Praga, Centro de Estudios Ibero-Americanos), Praga, V, (1971) [id est 1973], pp. 38-92.

(372) ——, «¿Cómo deberíamos conmemorar en 1974 la vida de Bartolomé de Las Casas?», *Cuadernos Americanos,* México, vol. CXCIV, (mayo-junio 1974), n° 3, pp. 131-142. (Palabras pronunciadas, el 9 de enero de 1974, en San Cristóbal de Las Casas, durante la sesión organizada por el Patronato Fray Bartolomé de Las Casas).

(373) HELMINEN, Juha Pekka, «Bartolomé de Las Casas in History, or an Example of How Historical Persons Can Be Used for Different Purposes», *Ibero-Americana,* Estocolmo, (1985), (e.p.).

(374) HERA, Alberto de la, «El derecho de los indios a la libertad y a la fe», *Anuario de Historia del Derecho Español,* Madrid, XXVI, (1956), pp. 89-181.

(375) HERNANDEZ, Ramón (O.P.), «Las Casas y Sepúlveda frente a frente», *La Ciencia Tomista,* Salamanca, añoLXVI, T. CII, (1975), n° 333, pp. 209-247.

(376) HRUBES,J., «Bartolomé de Las Casas. Propagación e influencia de su obra en Bohemia», *Ibero-Americana Pragensia.* (Universidad Carolina de Praga, Centro de Estudios Ibero-Americanos), Praga, VI, (1972), pp. 165-172.

(377) JOROSHAEVA, F., «Bartolomé de Las Casas y Motolinía», *Historia y Sociedad,* México, (primavera 1966), pp. 85-95.

(378) JOS, Emiliano, «Las Casas, historian of Cristopher Columbus», *The Americas* (Academy of American Franciscan History), Washington, 12, (abril 1956), n° 4, pp. 355-362.

(379) KAHLE, Günther, *Bartolomé de Las Casas. Arbeitsgemeiuschaft für Forschung des Landes Nordrhein-Westfalen.* Köln, Westdeutcher Verlag, 1968, 48 pp.

(380) KEEN, Benjamin, «The black legend revisited: assumptions and realities», *The Hispanic American Historical Review,* Durhan (North Carolina), IL, (1969), n° 4, pp. 703-719.

(381) KONETZKE, Richard, «Ramón Menéndez Pidal und der Streit um Las Casas», *Romanische Forschunzen,* Frankfurt, T. 75, (1964), pp. 447-453.

(382) LEON, Nicolás, *Noticia y descripción de un Códice del Ilustrísimo Señor Fray Bartolomé de Las Casas, existente en la Biblioteca del Estado de Oaxaca.* (Edición y notas de Andrés Henestrosa). México, Técnica Gráfica, 1976, 31 pp.

(383) LETURIA, Pedro de (S.J.), «Maior y Vitoria ante la conquista de América», *Estudios Eclesiásticos,* Madrid, 11, (1932), pp. 44-83. (Lección pronunciada en el cursillo de invierno de la Cátedra «Fray Francisco de Vitoria», en la Universidad de Salamanca, el día 29 de enero de 1931). También en *Relaciones entre la Santa Sede e Hispano-América, 1493-1835.* T.I.: *Epoca del Real Patronato, 1493-1800.* (Estudio noveno, parte II). Roma-Caracas, A. Aedes Universitatis Gregorianae-Sociedad Bolivariana de Venezuela, 1959-1960, pp. 259-298.

(384) LEVENE, Ricardo, «Bartolomé de Las Casas y la doctrina de la libertad», *Boletín de la Junta de Historia y Numismática Americana,* Buenos Aires, T.I, (1924), pp. 111-124.

(385) LEVILLIER, Roberto, «Quelques 'Propositions Juridiques' et la 'Destruction des Indes' du P. Las Casas. Essai de rectification», *Révue d'Histoire Moderne,* París, n° 3, (1932), pp. 229-257. (Hay tirada aparte).

(386) ——, «Una nueva imagen de Las Casas y el arte crítico de Menéndez Pidal», *Revista de Indias,* Madrid, XXXIII, (1963), núms. 91-92, pp. 111-122.

(387) LIPSCHUTZ, Alejandro, «La visión profética de Fray Bartolomé de Las Casas y los rumbos étnicos de nuestros tiempos», *Revista Atenea,* Concepción (Chile), 167, (octubre-diciembre 1967), pp. 5-31.

(388) LOEWENBERG, Bert James, «New Spain, 1492-1607, discussing Columbus, Las Casas, Vespucci, Cortés, Bernal Díaz», en *Historical Writing in America Culture* (Cap. II). México, Instituto Panamericano de Geografía e Historia, 1968.

(389) LOSADA, Angel, «De Thesauris. Un manuscrito original e inédito del padre Las Casas», *Revista de Indias,* Madrid, año X, T. V, (1950), n° 42, pp. 769-778.

(390) ——, «Dos obras inéditas de Fray Bartolomé de Las Casas. (En el IV Centenario de la primera impresión de sus obras: 1552-1952)», *Cuadernos Hispanoamericanos,* Madrid, n° 36, (1952), pp. 199-214.

(391) ——, «La 'Apología', obra inédita de fray Bartolomé de Las Casas; actualidad de su contenido», *Boletín de la Real Academia de la Historia,* Madrid, T. CLXII (abril-junio 1968), pp. 201-248. (Texto de una conferencia dada con ocasión del Centenario de Las Casas y del Año de los Derechos Humanos, en la Universidad de Ginebra y Friburgo [Suiza]).

(392) ——, «Bartolomé de Las Casas y la Bula 'Inter Caetera'», *Communio,* Sevilla, vol. VII, fasc. 1, (1974), 16 pp. (Separata).

(393) ——, «Bartolomé de Las Casas y Juan Maior ante la colonización española de

América», *Cuadernos Hispanoamericanos,* Madrid, n° 286, (abril 1974), pp. 5-23.

(394) ——, «Bartolomé de Las Casas: la larga e infatigable lucha del 'apóstol de los indios'», *El Correo de la UNESCO,* París, año XXVIII, (junio 1975), pp. 4-10.
(395) ——, «Observaciones sobre 'La Apología' de Fray Bartolomé de Las Casas. (Respuesta a una consulta)», *Cuadernos Americanos,* México, año XXXVI, vol. CCXI, (mayo-junio 1977), n° 3, pp. 152-162.
(396) ——, «Juan Ginés de Sepúlveda. (Su polémica con Fray Bartolomé de Las Casas)», *Cuadernos de Investigación Histórica,* (Fundación Universitaria Española), Madrid, n° 2, (1978), pp. 551-589. (T.I. del «Homenaje a M.A. Alonso Aguilera).
(397) ——, «Consideraciones sobre la teoría del 'Buen Salvaje' y sus fuentes españolas de los siglos XVI y XVII, en especial Colón, Mártir de Anglería, Las Casas, Vives, Guevara y Coreal». (En el segundo centenario de la muerte de Rousseau). *Atti del Secondo Convegno Internazionale di Studi Americanistici* ('Estratto da Pietro Martire d'Anghiera e nella Cultura'). Genova, Monotipia Erredia, 1980, pp. 549-593. (Congreso celebrado en Génova-Arona, entre los días 16-19 de octubre de 1978).
(398) ——, «Fray Bartolomé de Las Casas. Apóstol de los Indios y abanderado de la conquista de los derechos humanos», *Unión.* (Boletín del Sindicato, O.I.T.), Ginebra, (1980); n° 101, abril, pp. 18-19; n° 102, mayo, pp. 13-14 y n° 103, junio-julio, pp. 14-15.
(399) ——, «La polémica entre Sepúlveda y Las Casas y su impacto en la creación del moderno Derecho Internacional», *Cuadernos del Instituto Matías Romero de Estudios Diplomáticos.* (Secretaría de Relaciones Exteriores), México, n° 8, (1982), pp. 7-45. (Con comentarios de los Doctores Silvio Zavala, Héctor Gros Espiell, y el Embajador D. Antonio Gómez Robledo).
(400) ——, «Un théologien espagnol du XVᵉ siècle», *Les Nouveaux Cahiers,* París, n° 69, (1982), pp. 43-49.
(401) LLINARES, José Antonio (O.P.), «Evangelización liberadora según Bartolomé de Las Casas», *La Ciencia Tomista,* Salamanca, año LXVI, T. CII, (1975), n° 333, pp. 185-208.
(402) MACLEOD, Murdo J.,«Las Casas, Guatemala, and the sad but inevitable case of Antonio de Remesal», *Latin America Studies Occasional Papers,* Pittsburgh (Pennsylvania), n° 5, (1970), 6 pp. (Es tirada aparte de *A Journal of the Liberal Arts,* n° 20, (1970), pp. 53-64).
(403) MADARIAGA, Salvador de, «Las Casas: ¿un apóstol?, ¿Un fanático? Un Las Casas de verdad», *Cuadernos,* París, I, (enero 1964), n° 80, pp. 3-7.
(404) MAHN-LOT, Marianne, «Controverses autour de Bartolomé de Las Casas», *Annales,* París, (julio-agosto 1966), pp. 875-885.
(405) ——, «Bartolomé de Las Casas, evêque de Chiapa: Un saint ou un politicien?», *Mélanges de la Casa de Velázquez,* París, 13, (1977), pp. 161-176.
(406) MALAGON, Javier, «La 'Historia de las Indias' del Padre Las Casas», *Cuadernos Americanos,* México, año XI, vol. LXI, (enero-febrero 1952), n° 1, pp. 198-202.
(407) MANAKEE, Harold Randall, «Las Casas: father of the Indians», *The Catholic World,* New York, CXXXV, (1932), pp. 572-581.
(408) MANRIQUE, Jorge Alberto, «Las Casas y el arte indígena», *Revista de la Universidad de México,* México, X, (junio 1966), pp. 11-14.
(409) MANZANO MANZANO, Juan, «Sentido misional de la empresa en las Indias», *Revista de Estudios Políticos,* Madrid, I, (1941), pp. 103-120.
(410) ——, «Fray Bartolomé de Las Casas ante la junta de Valladolid de 1542. El Emperador dispuesto a abandonar las Indias», en *La incorporación de las Indias a la Corona de Castilla.* (Cap. II). Madrid, Ed. Cultura Hispánica, 1948, pp. 90-133.
(411) MARAVALL, José Antonio, «Utopía y primitivismo en el pensamiento de Las Casas», *Revista de Occidente,* Madrid, n° 141, (diciembre 1974), pp. 311-388.
(412) ——, «Bartolomé de Las Casas. Libertad y derecho de ser hombre, pilares del

pensamiento lascasiano», *El Correo de la UNESCO*, París, año XXVIII, (junio 1975), pp. 11-13 y 32-33.

(413) MARCUS, Raymond, «Las Casas pérouaniste», *Caravelle* (Cahiers du Monde Hispanique et Luso-Brésilien), Toulouse, 7, (1966), pp. 25-41.

(414) ——, «La 'Quaestio Theologalis' inédite de Las Casas», *Communio*, Sevilla, VII, (1974), nº 1, pp. 67-83. (Ponencia presentada en el 'Convegno Internazionale di Studi', V Centenario del nacimiento de Bartolomé de Las Casas, organizado por la Associazione Italiana di Studi Americanistici, celebrado en Génova, en noviembre de 1974).

(415) MARQUEZ MIRANDA, Fernando, «El padre Las Casas y su 'Historia de las Indias'», *Revista Chilena de Historia y Geografía*, Santiago de Chile, nº 122, (1953), pp. 5-63.

(416) MARTINEZ, Manuel María (O.P.), «El P. Las Casas ante la nueva crítica», *La Ciencia Tomista*, Salamanca, 50, (1934), pp. 289-302.

(417) ——, «Las Casas historiador. I: Valor histórico de la 'Destrucción de las Indias'», *La Ciencia Tomista*, Salamanca, 79, (julio-septiembre 1952),nº 244, pp. 441-468.

(418) ——, «Las Casas historiador. II: La 'Historia de las Indias'», *La Ciencia Tomista*, Salamanca, 80, (enero-marzo 1953), nº 246, pp. 75-103.

(419) ——, «El Obispo Marroquín y el franscicano Motolinía, enemigos de Las Casas», *Boletín de la Real Academia de la Historia*, Madrid, T. CXXXII, cuaderno II, (1953), pp. 173-199. También en Madrid, Imp. y Ed. Maestre, 1953, 33 pp.

(420) ——, «Fray Bartolomé de Las Casas y la patria de Colón», *Revista de Indias*, Madrid, T. XV, (1955), núms. 61-62, pp. 555-567.

(421) ——, «Réplica a la conferencia de Don Ramón Menéndez Pidal sobre el P. Las Casas», *La Ciencia Tomista*, Salamanca, nº 286, (abril-junio 1963), pp. 285-318.

(422) ——, «De la sensibilidad estética del Padre Las Casas», *Revista de Indias*, Madrid, T. XXVI, (1966), núms. 105-106, pp. 497-505.

(423) ——, «Ultimos años y muerte del P. Las Casas», *Revista de Indias*, Madrid, XXVI, (1966), núms. 103-104, pp. 123-125.

(424) ——, «Fray Bartolomé de Las Casas o Casaus, por Américo Castro», *Revista de Indias*, Madrid, XXVII, (1967), núms. 109-110, pp. 445-453.

(425) ——, «Cuestiones discutidas acerca de Colón expuestas o juzgadas por Las Casas», *Revista de Indias*, Madrid, núms. 115-118, (1969), pp. 303-322.

(426) MARTINEZ PAREDES, D., «Fray Bartolomé de Las Casas motivo de controversia», *Boletín Bibliográfico de la Secretaría de Hacienda y Crédito Público*, México, nº 263, (1963), pp. 11-14.

(427) MATEOS, Francisco (S.J.), «El mito de Las Casas», *Razón y Fe*, Madrid, T. 167, (1963), nº 781, pp. 192-198.

(428) MATICORENA, Miguel, «Cieza de León en Sevilla y su muerte en 1554», *Anuario de Estudios Americanos*, Sevilla, XII, (1955), pp. 615-674.

(429) MEJIA SANCHEZ, Ernesto, «Mier, defensor de Las Casas», *Boletín de la Biblioteca Nacional*, México, T. XIV, (julio-diciembre 1963), núms. 3-4, pp. 57-84.

(430) ——, «Fray Servando, Las Casas y l'abbé Grégoire», *La Cultura en México*, (Suplemento de «Siempre»), México, nº 94, (4 diciembre 1963), pp. XIII-XV.

(431) MELIDA Y GONZALEZ-MONTEAGUDO, Mónico, «El P. Bartolomé de Las Casas y Valladolid», en *Estudios sobre política indigenista española en América* (Seminario de Historia de América, Universidad de Valladolid), Valladolid, T.I, (1975), pp. 9-27. (I Simposio conmemorativo del V centenario del Padre Las Casas).

(432) MENDIBIL, Pablo, «Noticia de la vida y escritos de don fray Bartolomé de Las Casas, obispo de Chiapa», *Anales de la Sociedad de Geografía e Historia de Guatemala*, Guatemala, T. XXIII, (1948), pp. 123-142. También en *Revista Bimestre Cubana*, La Habana, vol. LXIV, (1949), núms. 1-3, pp. 242-267.

(433) MENDIGUREN, M.A., «Un ejemplo de penetración pacífica. La Verapaz», *Missionalia Hispánica* (CSIC, Instituto «Santo Toribio de Mogrovejo»), Madrid, año VI, (1949), nº 18, pp. 497-521.

(434) MENDIZABAL, Miguel Othón de, «La conquista espiritual de la 'Tierra de Guerra' y su obstrucción por los conquistadores y pobladores», *Anales de la Sociedad de Geografía e Historia de Guatemala,* Guatemala, T. XIX, (1943), pp. 132-140.

(435) MENENDEZ PELAYO, Marcelino, «De los historiadores de Colón», en *Estudios y Discursos de Crítica Histórica y Literaria,* T. VI, Madrid, CSIC. (T. XII de la edición nacional), 1942, pp. 69-123.

(436) MENENDEZ PIDAL, Ramón, «¿Codicia insaciable? ¿Ilustres hazañas?», *Escorial,* Madrid, T.I, (1940), pp. 21-35. Véase también en *La lengua de Cristóbal Colón,* Buenos Aires, Espasa-Calpe, (Col. Austral nº 280), 1947.

(437) ———,«Una norma anormal del P. Las Casas», *Cuadernos Hispanoamericanos,* Madrid, nº 88, (1957), pp. 5-15.

(438) ———, «La moral en la conquista del Perú y el Inca Garcilaso de la Vega», en *Seis temas peruanos,* Madrid, Espasa-Calpe, 1960, pp. 17-41.

(439) ———, *El Padre Las Casas y la leyenda negra,* Madrid, CSIC. (Instituto de Estudios Africanos), 1962, 19 pp. También en *Cuadernos Hispanoamericanos,* Madrid, nº 157, (enero 1963), pp. 5-14.(Es conferencia pronunciada el 23 de noviembre de 1962, en la inauguración del curso 1962-63 del Instituto citado).

(440) MERINO, Julián (O.P.), «Fundamentos de la teoría política del P. Las Casas», *La Ciencia Tomista,* Salamanca, año LXVI, T. CII, (1975), nº 333, pp. 279-323.

(441) MERINO, Manuel (O.S.A.), «¿Cuándo y dónde se ordenó Bartolomé de Las Casas?», *Missionalia Hispánica,* Madrid, I, (1944), núms. 1-2, pp. 356-360.

(442) MERINO BRITO, Eloy G., «Fray Bartolomé de las Casas y la guerra justa», *Revista de la Biblioteca Nacional 'José Martí',* La Habana, año 57, 3ª época, vol. VIII, (octubre-diciembre 1966), nº 4, pp. 5-17.

(443) MESA, Roberto, «El anticolonialismo español, de Bartolomé de Las Casas al Siglo de las Luces», *Triunfo,* Madrid, nº 565, (28 julio 1973), pp. 15-19.

(444) ———, «El Clérigo Bartolomé de Las Casas», *Triunfo,* Madrid, nº 607, (18 mayo 1974), pp. 41-47. (Ambos trabajos aparecen publicados en *La idea colonial en España,* Valencia, Fernando Torres Editor, 1976, pp. 53-84 y 15-51, respectivamente.

(445) MESNARD, Pierre, «Bartolomé de Las Casas (1474-1556) à travers son quatrième centenaire», *Festschrift for E.F. Rogers.Moreana Quaterley,* Angers (Francia), núms. 15-16, (noviembre 1967), pp. 401-430.

(446) MILHOU, Alain,«Las Casas et la richesse», en *Etudes d'Histoire et de Litterature Ibero-Americaines,* París, Universidad de Rouen, 1973, pp. 111-154.

(447) ———, «Las Casas frente a las reivindicaciones de los colonos de la Isla Española. (1554-1561)», *Historiografía y Bibliografía Americanistas,* Sevilla, vols. XIX-XX, (1976), pp. 11-16.

(448) MILLARES CARLO, Agustín, «Una obra inédita de fray Bartolomé de Las Casas», *Filosofía y Letras,* México, T. XI, (enero-marzo 1946), nº 21, pp. 111-118.

(449) MIRO QUESADA, Aurelio,«El 'Las Casas' de Menéndez Pidal», *Documenta,* Lima, nº 4, (1965), pp. 301-306.

(450) MONTUFAR, R., «Fray Bartolomé de Las Casas», *Anales de la Sociedad de Geografía e Historia de Guatemala,* Guatemala, T.I., (1924), pp. 85-87.

(451) MORALES, Francisco, «Las Casas y la Leyenda Negra», *Mundo Hispánico,* Madrid, 28,(enero 1975), nº 322, pp. 51-54.

(452) MORALES PATIÑO, Oswaldo, «Fray Bartolomé de Las Casas», *Revista Bimestre Cubana,* La Habana, 60, (1947), pp. 5-47.

(453) MOSER, Arnulf, «Las Casas und die Französische Revolution von 1789, *Jahrbuch für Geschichte von Staat, Wirtschaft und Gesellschaft Lateinamerikas,* Köln, 7, (1970), pp. 225-338.

(454) NERVO, Amado, «Otras vidas. Las Casas», *Revista Moderna de México,* México, vol. IV, (marzo 1905), nº8, pp. 44-46.

(455) O'GORMAN, Edmundo, «Sobre la naturaleza bestial del indio americano», *Filosofía y Letras* (Revista de la Facultad de Filosofía y Letras, UNAM), México, (1941), nº1: pp. 141-158 y nº 2: pp. 305-315.

(456) ———, «La 'Apologética Historia'. (Incitación a su lectura)», *Revista de la Universidad de México,* México, nº 10, (1966), pp. 167-186.

(457) ———, «La idea antropología del padre Las Casas: edad media y modernidad», *Historia Mexicana* (El Colegio de México), México, 16, (enero-marzo 1967), nº 3, pp. 309-319.

(458) ———, «En torno a un libro no identificado de fray Bartolomé de Las Casas», *Caravelle* (Cahiers du Monde Hispanique et Luso-Bresilien), Toulouse, 12, (1969), pp. 41-44.

(459) ORTEGA Y MEDINA, Juan A., «Bartolomé de Las Casas y la historiografía soviética», *Historia Mexicana* (El Colegio de México), México, 16, (enero-marzo 1967), nº 3, pp. 320-340.

(460) ORTIZ, Enrique, «El padre Las Casas y los conquistadores españoles en América», *Cuba Contemporánea,* La Habana, XXV, (1921), pp. 238-264 y 358-383.

(461) ORTIZ, Fernando, «La 'leyenda negra' contra fray Bartolomé», *Cuadernos Americanos,* México, año XI, vol. LXV, (septiembre-octubre 1952), nº 5, pp. 146-184. En la misma publicación, vol. CCXVII, (1978), nº 2, pp. 84-116.

(462) OSUNA, Antonio (O.P.), «El Tratado de 'Las doce dudas' como testamento doctrinal de Bartolomé de Las Casas», *La Ciencia Tomista,* Salamanca, año LXVI, T. CII, (1975), nº 333, pp. 325-378.

(463) OTTE, Enrique, «La expedición de Gonzalo de Ocampo a Cumaná en 1521 en las cuentas de tesorería de Santo Domingo», *Revista de Indias,* Madrid, T. XVI, (1956), nº 63, pp. 51-72.

(464) PEREÑA VICENTE, Luciano, «Crisis del colonialismo y la Escuela de Francisco de Vitoria», *Anuario de la Asociación Francisco de Vitoria,* Madrid, vol. XIII, (1960-1961), pp. 13-28.

(465) ———, «Fray Bartolomé de Las Casas, profeta de la liberación», *Arbor,* Madrid, T. LXXXIX, (noviembre 1974), nº 347, pp. 181-194. Hay separata.

(466) PEREYRA, Carlos, *Antología de sus obras.* México, Imprenta Universitaria (Antologías Hispanoamericanas, UNAM), 1944, pp. 132-144.

(467) PEREZ BUSTAMANTE, Ciriaco, «El lascasismo en 'La Araucana'», *Revista de Estudios Políticos* (Instituto de Estudios Políticos), Madrid, LXIV, (julio-agosto 1952), nº 64, pp. 157-168.

(468) PEREZ FERNANDEZ, Isacio (O.P.), «Fray Bartolomé de Las Casas en torno a las 'Leyes Nuevas de Indias'. (Su promotor, inspirador y perfeccionador)», *La Ciencia Tomista,* Salamanca, año LXVI, T. CII, (1975), nº 333, pp. 379-457.

(469) ———, «El protector de los americanos y profeta de los españoles», *Studium,* Madrid, vol. XIV, fasc. 3, (1976), pp. 543-565.

(470) ———, «Tres nuevos hallazgos fundamentales en torno a los Tratados de Fray Bartolomé de Las Casas, impresos en Sevilla en 1522-1553», s.l., s.a., 11 pp. Tirada aparte de *Escritos del Vedat,* V. VIII, (1978), pp. 180-200.

(471) PEREZ DE TUDELA BUESO, Juan, «La gran reforma carolina de las Indias en 1542» *Revista de Indias,* Madrid, año XVIII, (julio-diciembre 1958), núms. 73-74, pp. 463-509. (Número dedicado a Carlos V y a la América de su tiempo).

(472) ———, «Ideas jurídicas y realizaciones políticas en la historia indiana», *Anuario de la Asociación Francisco de Vitoria,* Madrid, XIII, (1960-1961), pp. 137-171.

(473) ———, *El Padre Las Casas desde nuestra época.* Santander, Publicaciones de la Universidad Internacional Menéndez Pelayo, 1966, 37 pp.

(474) ———, *El horizonte teologal en el ideario de Las Casas.* Madrid, Instituto de España, 1975. (Sesión de apertura del Curso Académico 1974-75).

(475) PHELAN, John L., «The 'Apologetic History' of Fray Bartolomé de Las Casas», *The Hispanic American Historical Review,* Durham (North Carolina), 49, (febrero 1969), nº 1, pp. 94-99.

(476) ———, «El imperio cristiano de Las Casas, el imperio español de Sepúlveda y el imperio milenario de Mendieta», *Revista de Occidente,* Madrid, nº 141, (diciembre 1974), pp. 292-310.

(477) PORRAS BARRENECHEA, Raúl, «Los cronistas de la conquista. Molina,

Oviedo, Gómara y Las Casas», *Revista de la Universidad Católica de Perú,* Lima, IX, (1941), pp. 235-252.

(478) QUIÑONERO GALVEZ, Juan, «El Padre Las Casas según su rostro», *Mundo Hispánico,* Madrid, 28, (enero 1975), n° 322, pp. 55-58.

(479) RAMOS PEREZ, Demetrio, «El P. Córdoba y Las Casas en el plan de conquista pacífica de Tierra Firme», *Boletín Americanista,* Barcelona, vol. I, (1959), n° 3, pp. 175-210. (Con pequeñas variaciones en *Estudios de Historia Venezolana,* Caracas, Fuentes para la Historia Colonial, 1976).

(480) ——, «La etapa lascasiana de la presión de conciencias», *Anuario de Estudios Americanos,* Sevilla, XXIV, (1967), pp. 861-954. (Homenaje a Giménez Fernández).

(481) ——, «Un paralelo seglar del P. Las Casas: Juan de Ampiés», *Anuario de Estudios Americanos,* Sevilla, XXXIV, (1977), pp. 149-171.

(482) RAND PARISH, Helen y WEIDMAN, Harold E., «The correct birthdate of Bartolomé de Las Casas», *The Hispanic American Historical Review,* Durham (North Carolina), 56, (agosto 1976), n° 3, pp. 385-403. Versión española: «La verdadera fecha de nacimiento de Las Casas», *III Jornadas Americanistas: 'Estudios sobre política indigenista española en América'.* (Seminario de Historia de América, Universidad de Valladolid). Valladolid, T. III, (1977), pp. 377-392. (Simposio conmemorativo del V Centenario del P. Las Casas).

(483) REILY, Carroll, L., «Las Casas and the Benavides 'Memorial of 1630'», *New México Historical Review* (Historical Society of New México (and) The University of New México). Albuquerque (New México), 48, (julio 1973), n° 3, pp. 209-223.

(484) REVISTA DE LAS ESPAÑAS. *Homenaje al P. Las Casas en Madrid.* Madrid, Año V, n° 47, (julio 1930), pp. 355-357.

(485) RICARD, Robert, «Une procuration en faveur de Las Casas. (23 janvier 1554)», *Journal de la Societé des Americanistes de París,* París, T. XIX, (1927), pp. 390-392.

(486) RIOS, Fernando de los, «The Religious Character of Colonial Law in Sixteenth Century Spain», *Proceeding of the Sixth International Congress of Philosophy (1926).* Cambridge (Mass.), 1927, pp. 481-485. Traducido al castellano en la 1ª edición de *Religión y Estado en la España del siglo XVI,* pp. 83-98. [véase n° (188)].

(487) ——, «El anhelo universalista de los teólogos españoles del siglo XVI», *Revista de Estudios Hispánicos,* Nueva York, 1, (1928), pp. 125-132.

(488) RYAN, Ignatius, «The Ordination of Bartolomé de Las Casas», *Ecclesiastical Review,* Philadelphia, CI, (1939), pp. 55-60.

(489) SACOTO, Antonio, «Fray Bartolomé de Las Casas: paladín de la justicia social», *Cuadernos Americanos,* México, 203, (noviembre-diciembre 1975), n° 6, pp. 136-148.

(490) SAENZ DE SANTA MARIA, Carmelo (S.J.), «La tradición lascasiana y los cronistas guatemaltecos. El caso del cronista Fray Antonio de Remesal, O.P.», *Revista de Indias,* Madrid, XVI, (1956), n° 64, pp. 267-285.

(491) ——, «La fantasía lascasiana en el experimento de la Verapaz», *Revista de Indias,* Madrid, XVIII, (julio-diciembre 1958), núms. 73-74, pp. 607-626.

(492) ——, «El Padre Las Casas de Don Ramón Menéndez Pidal», *Razón y Fe,* Madrid, T. 168, (diciembre 1963), n° 791, pp. 488-494.

(493) SAINT-LU, Andre, «Un épisode romance de la biographie de Las Casas: le dernier séjour de l'évêque de Chiapa parmi ses ouailles», en *Mélanges offerts à Marcel Bataillon par les hispanistes français.* Bordeaux, *Bulletin Hispanique,* LXIV-bis, (1962), pp. 223-241.

(494) ——, «Bartolomé de Las Casas, téorico y promotor de la conquista evangélica», *Communio,* Sevilla, Vol. VII, fasc. 1, (1974), pp. 57-68.

(495) ——, «Significación de la denuncia lascasiana», *Revista de Occidente,* Madrid, n° 141, (diciembre 1974), pp. 389-402.

(496) ——, «Fondaments et implications de l'indigenisme militant de Bartolomé de

Las Casas», *Jahrbuch für Geschichte von Staat* (Wirtschaft und Gesellschaft Lateinamerikas), Köln, 14, (1977), pp. 47-56.

(497) ——, «Les premieres traductions françaises de la 'Brevísima relación de la destrucción de las Indias' de Bartolomé de Las Casas», *Révue de Littérature Comparée*, París, (1978), pp. 438-449. (Hommage à Marcel Bataillon).

(498) SALAS, Alberto Mario, «Bartolomé de Las Casas». *Imago Mundi* (Revista de Historia de la Cultura), Buenos Aires, nº 1, (1 octubre 1953), pp. 80-85.

(499) SAPPER, Karl, «Fray Bartolomé de Las Casas und die Verapaz (Nordost-Guatemala)», *Baessler Archiv*, Berlín, T. XIX, (1936), pp. 102-107.

(500) ——, «Die Verapaz im 16. und 17. Jahrhunderts», *Abh. der Bayerischen Akademie der Wissenschaften, Mathematisch-naturwissenschftliche Abteilung*, München, neue folge, 37, (1936).

(501) SCHLAIFER, Robert O., «Greek (?) theories of slavery from Homer to Aristotle», *Harvard Studies in Classical Philology*, Harvard, nº 47, (1936), pp. 165-204.

(502) SEBASTIAN, Santiago, «Un aspecto inédito de la influencia lascasiana en Méjico», *Cuadernos Americanos*, México, 147, (julio-agosto 1966), nº 4, pp. 157-160.

(503) SERRANO Y SANZ, Manuel, «Doctrinas psicológicas de Fray Bartolomé de Las Casas», *Revista de Archivos, Bibliotecas y Museos*, Madrid, T. XVIII, (1907), Vol. 17, serie 3, pp. 59-79.

(504) ——, «Un discípulo de Fray Bartolomé de Las Casas: Don Pedro Mexía de Ovando», *Archivo de Investigaciones Históricas*, Madrid, 1, (1911), pp. 195-212.

(505) SILVA TENA, María Teresa, «Las Casas, biógrafo de sí mismo», *Anuario de México*, México, Vol. IV, (abril-junio 1955), nº 4, pp. 523-543.

(506) ——, «Las Casas biógrafo de sus contemporáneos», *Anuario de Historia* (Facultad de Filosofía y Letras de la UNAM), México, año II, (1962), pp. 153-177.

(507) ——, «Retrato de Alonso de Hojeda por el Padre Las Casas», *Anuario de Historia* (Facultad de Filosofía y Letras de la UNAM), México, año IV, (1964), [id est 1966], pp. 289-303.

(508) ——, «El sacrificio humano en la 'Apologética Historia'», *Anuario de Historia*, México, XVI, (1967), nº 63, pp. 341-357.

(509) SOMOLINOS D'ARDOIS, G., «La naturaleza americana», *Revista de la Universidad de México*, México, nº 10, (1966), pp. 5-7.

(510) SPECKER, J., «Fray Bartolomé de Las Casas im Widerstreit der Meinungen», *Neue Zeitschrift für Missionswissenschaft*, Beckenried (Suiza), XXII, (1966), nº 3, pp. 213-230.

(511) STREICHER, Fritz, «Las notas marginales colombinas y Las Casas», *Investigación y Progreso*, Madrid, T. III, (1929), pp. 81-88.

(512) TAZBIR, Janusz, «Connaissance des oeuvres de Las Casas en Pologne». S.1, 1973. Tirada aparte de *Acta Poloniae Historica*, 8 pp.

(513) TELLECHEA IDIGORAS, José Ignacio, «Bartolomé de Las Casas y Bartolomé Carranza de Miranda», *Scriptorum Victoriense*, Victoria, VI, (1959), pp. 7-34.

(514) ——, «Perfil americanista de fray Bartolomé Carranza, O.P.», *Actas y Memorias del XXXVI Congreso Internacional de Americanistas*, Sevilla, Vol. IV, (1966), pp. 691-699. (Comunicación presentada en el citado Congreso, celebrado en Sevilla, en 1964).

(515) ——, *El Arzobispo Carranza y su tiempo*. Madrid, Guadarrama, 1968. (Véase cap. II, pp. 15-65, relativas a Fray Bartolomé de Las Casas).

(516) ——, «Las Casas y Carranza: fe y utopía», *Revista de Occidente*, Madrid, nº 141 (diciembre 1974), pp. 403-427.

(517) TIJERAS, Eduardo, «Ramón Menéndez Pidal: 'El Padre Las Casas'. (Recensión)», *Cuadernos Hispanoamericanos*, Madrid, LIII, (noviembre 1963), nº 167, pp. 407-425.

(518) ——, «Bartolomé de Las Casas, en el plano conmemorativo», *Cuadernos Hispanoamericanos*, Madrid, 298, (abril 1975), pp. 222-224.

(519) TORMO SANZ, Leandro, «Un aspecto de la política misionera de Carlos V: la conquista pacífica», *Revista de Indias*, Madrid, año XVIII, (julio-diciembre

1958), núms. 73-74, pp. 561-578. (Número dedicado a Carlos V y a la América de su tiempo).

(520) TRABOULAY, David M., «Bartolomé de Las Casas and the Crusade of Peace», *Zeitschrift für Missionswissenschaft und Religionswissenchaft,* Lucerne (Suiza), 61, (abril 1977), nº 2, pp. 128-136.

(521) TRUYOL SERRA, Antonio, «La polémique entre Las Casas et Sepúlveda sur la conquête de nouveau monde par les Espagnols. A la recherche d'un bilan», en *Théorie et pratique politique à la Renaissance.* París, J. Vrin, 1977, pp. 49-61. (XVII Colloque du Centre d'Etudes Superieures de la Renaissance. Tours).

(522) URDANOZ, Teófilo, «Las Casas y Francisco de Vitoria. (V Centenario del nacimiento de Bartolomé de Las Casas)», *Revista de Estudios Políticos,* Madrid, nº 198, (1974), pp. 115-186 y nº 199, (1975), pp. 129-222.

(523) VALENZUELA RODARTE, Alberto, «Menéndez Pidal y Fray Bartolomé. I: Nuevo punto de partida», *Abside,* México, XXX, (octubre-diciembre 1966), nº 4, pp. 425-431. [Vid. nº (331)].

(524) VALLE, Rafael Heliodoro, *San Bartolomé de Las Casas.* México, Publicaciones de la Embajada de Guatemala en México, 1926, 40 pp.

(525) ——, «Saint Bartolomé de Las Casas», *Révue de l'Amérique Latine,* París, T. XIV, (1927), pp. 225-232.

(526) VARGAS UGARTE, Rubén, «Fray Francisco de Vitoria y el derecho a la conquista de América», *Boletín del Instituto de Investigaciones Históricas,* Buenos Aires, 9, (1930), pp. 29-44.

(527) VAZQUEZ, Juan Adolfo, *Las Casas opinions in Columbus Diary.* Pennylvania, Washington and Jefferson College, 1971, 6 pp. (Es tirada aparte de *Topic* (A Journal of the Liberal Arts).

(528) VEGA Y RODRIGUEZ, Angel C., «El Padre Las Casas», *Religión y Cultura,* Madrid, Vol. VIII, (julio-septiembre 1963), nº 31, pp. 417-423).

(529) VIDAL, Fabián, «Bartolomé de Las Casas», *El Oriente Dominicano,* Quito, T. I, (1928), pp. 124-126.

(530) YAMADA, George, «Las Casas: the conqueror conquered», *Masterkey,* Los Angeles, Vol. XXX, (1956), pp. 111-118.

(531) YAÑEZ, Agustín, «Fisionomía y estilo de Fray Bartolomé», *El Libro y el Pueblo,* México, época VI, (septiembre 1966), nº 20, pp. 18-21. (Homenaje a la memoria del obispo de Chiapas en el IV Centenario de su muerte).

(532) ZAVALA, Silvio, «Indigenistas españoles del siglo XVI», *Sur,* Buenos Aires, año VII, (marzo 1938), nº 42, pp. 73-76.

(533) ——, «Las Casas ante la doctrina de la servidumbre natural», *Revista de la Universidad de Buenos Aires,* Buenos Aires, 3ª época, año II, (enero-marzo 1944), nº 1, pp. 45-58.

(534) ——, «¿Las Casas esclavista?», *Cuadernos Americanos,* México, año III, Vol. XIV, (marzo-abril 1944), nº 2, pp. 149-154.

(535) ——, «Las doctrinas de Palacios Rubios y de Matías de Paz», México, 1951. Sobretiro de la Memoria de El Colegio Nacional, T. VI, (1952), nº 6, pp. 67-159. (Es continuación del estudio publicado en el nº 5 de la citada Memoria, pp. 71-94).

(536) ——, «Aspectos económicos y sociales de la Colonización de América», México, (s.i.), 1955. *Sobretiro de la Memoria de El Colegio Nacional,* T. III, nº 10, pp. 73-88.

(537) ——, «Bartolomé de Las Casas ante la esclavitud de los indios», *Revista de la Universidad de Yucatán,* Mérida, VII, (mayo-agosto 1966), núms. 45-46, pp. 96-111. También en *Cuadernos Americanos,* México, Año XXV, (julio-agosto 1966), nº 4, 142-156.

(538) ——, «Las Casas face a la conquête et a l'encomienda», *La Nouvelle Revue des Deux Mondes,* París, (mayo 1974), pp. 376-378.

(539) ——, «Aspectos formales de la controversia entre Sepúlveda y Las Casas, en Valladolid, a mediados del Siglo XVI», *Cuadernos Americanos,* México, año XXXVI, Vol. CCXI, (mayo-junio 1977), nº 3, pp. 137-151.

(540) ZORRAQUIN BECU, Ricardo, «La personalidad de Fray Bartolomé de Las Casas», *Cuadernos del Idioma*, Buenos Aires, I, (1965), n° 2, pp. 113-128.
(541) ZUBRITSKI, Y., «De la 'Protección a los indios' del padre Las Casas al indigenismo contemporáneo», *Historia y Sociedad*, México, (primavera 1966), pp. 53-65.

F. VOCES ENCICLOPEDICAS

En este apartado incluimos la voz «Las Casas» aparecida en los diccionarios y enciclopedias de uso más frecuente, con indicación, si figurara, de su autor.

(542) BIOGRAPHIE UNIVERSELLE ANCIENNE ET MODERNE, T. VII, por Dauxion-Lavaysse. Graz (Austria), Akademische Druck - v. Verlagsanstalt, 1966, pp. 102-103. (Dirigida por J. Fr. Michaud).
(543) BRITANICA, The New Encyclopaedia, Vol. 10, por E. Dussel. Chicago, 1979, pp. 684-686, 15ª ed.
(544) CATHOLIC ENCYCLOPEDIA, New, Vol. VIII, por A. Saint-Lu. New York, McGraw-Hill Book Company, 1967, pp. 394-395.
(545) CATHOLIC ENCYCLOPEDIA, The, Vol. III, por A. Bandelier, New York, 1907, pp. 397-399.
(546) CATTOLICA, Enciclopedia, Vol. VII, por Abele Redigonda. Città del Vaticano, Casa Editrice G.C. Sausoni (Firenze), 1951, pp. 924-925.
(547) EUROPEO-AMERICANA, Enciclopedia Universal Ilustrada, T. 29. Madrid-Barcelona, Espasa-Calpe, 1981 (?), pp. 909-913.
(548) HISPANOAMERICANO, Diccionario Enciclopédico, T. IV, Barcelona, s.a., pp. 862-863.
(549) HISTORIA ECLESIASTICA DE ESPAÑA, Diccionario de, T. I, por M. Giménez Fernández, Madrid, CSIC. (Instituto Enríquez Flórez), 1972, pp. 374-376. (Dirigido por Quintín Aldea Vaquero, Tomás Marín Martínez y José Vives Gatell).
(550) HISTORIA DE ESPAÑA, Diccionario de, T.I., por Ramón Ezquerra. Madrid, Alianza Editorial, 1981, pp. 755-764, 2ª ed. (Dirigido por G. Bleiberg).
(551) ITALIANA DI SCIENZE, LETTERE ED ARTI, Enciclopedia, T. XX, por A. Mag. Roma, Istituto Poligrafico dello Stato, 1950, pp. 557-558.
(552) LEXICON FÜR THEOLOGIE UND KIRCHE, T. 6, por B. Biermann. Freiburg (RFA), Verlag Herder, 1961, pp. 802-803. (Dirigido por Michael Buchberger).
(553) RIALP, Gran Enciclopedia, T. XIV, por M. Giménez Fernández. Madrid, Eds. Rialp, 1973, pp. 22-25.
(554) SOCIAL SCIENCES, Encyclopedia of the, Vol. 9, por Fernando de los Ríos. New York, McMillan, 1954, pp. 182-183, 11ª ed.

G. INDICE DE AUTORES

ÍNDICE